三浦悦子の世界〈20〉

[不死者たちの白い憂鬱]

吸血鬼の最後は、白い灰となりこの世を去るといわれています。
吸血鬼は、十字架、太陽の光、ニンニク(?)によって死を選べます。
人間と同じような選択肢があるともいえます。
勇気がなくて死を選べず、憂鬱になるのはきわめて人間的。
土葬文化の中で燃えてなくなるというのも異質です。
憂鬱こそが、悪魔か特別な神なのかもしれません。

★（右頁）アーサー・ラッカム「眠れる森の美女」より
（左頁上）ヴィクトル・ヴァスネツォフ「不死身のカシチェイ」
（左頁下）ルーカス・クラナッハ「若返りの泉」

人は、死を恐れてきた。

死とは恐怖であり、悲しむべきものであり、だからそれを回避しようと努力する。

人は、古来から不死を夢見てきた。

不死なら死という恐怖を味わわなくてすみ、死を回避することに細心の注意を払って暮らす必要もなくなる。

不死への憧憬は、古代メソポタミアの「ギルガメシュ叙事詩」においてすでに綴られていた。

中国の始皇帝の場合は不死の薬の探求を命じ、その薬とやらのおかげで、かえって死期を早めてしまったと言われている。

現代において不死の薬の存在を信じる者はほとんどいないだろうが、不老や、記憶の移植なども含む不死は、いまも科学的に追究され続けている。

不死は、人類の変わらぬ願いなのだ。

人の血をすする不老の長生者である吸血鬼は、現代においても不死者の代表的存在であり続けている。殺し方のギミックがちゃんと設定されるなど恐れられていた一方で、やはり憧憬もされてきた。

それは怪異として扱われるだけでなく、萩尾望都の『ポーの一族』のように、ときに耽美を醸し、また、さまざまな小説・映画のキャラクターや実在の人物、事件をあまた盛り込んだ壮大なめくるめく物語、キム・ニューマンの《ドラキュラ紀元》シリーズの面白さも、何世紀にもわたって生き続けるその存在があってのことだろう。

人の生死を俯瞰しうる長生者は、生死というものに、あらたな視線をもたらし、あらたな物語を生み出してきた。一方で、不死であることの苦しみ、永遠を生きることの退屈がまた、別の物語を生んできた。

医療技術により不老不死が実現した近未来を描いたケン・リュウの短編小説「円弧（アーク）」を原作とした映画「Arc アーク」も公開される。

不死は何をもたらすのか。それがある意味現実味を帯びつつあるいま、問い直してみようではないか。

吸血鬼、火の鳥からAI、輪廻転生などまで、不死をめぐるさまざまな想像力にふれてみたい。

（沙月樹京）

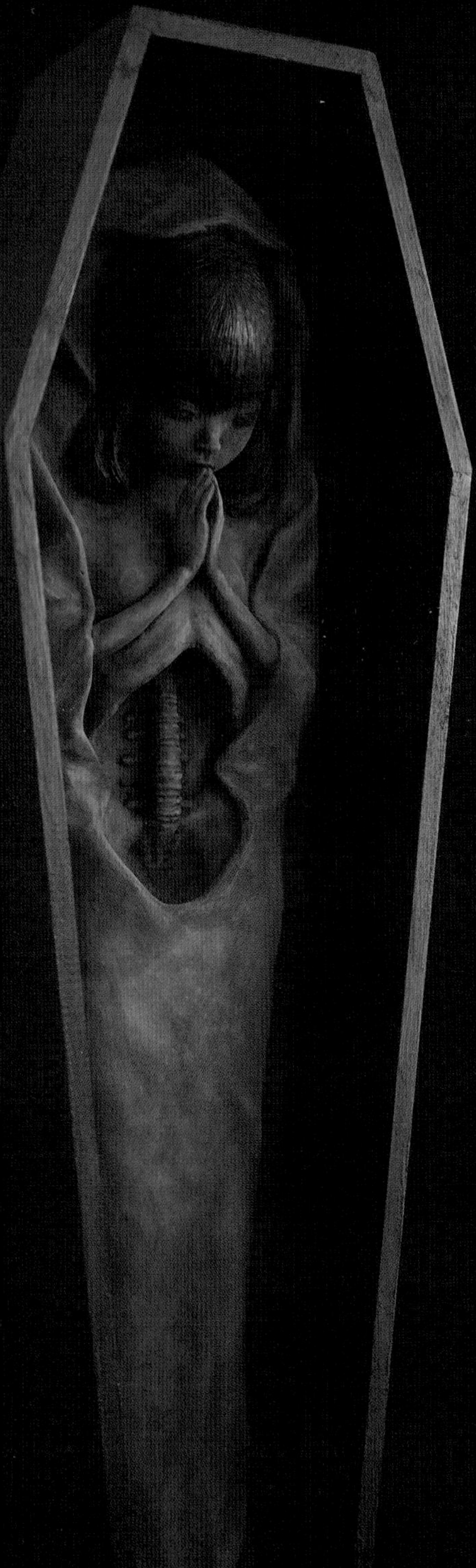

死と生を繰り返すことで生まれる永遠の美

川上勉は、乾漆という技法により、「死」のイメージをまとった少女像を作り続けている。諦念に満たされているかのような表情、肌などのモノトーンの暗い色合い、少々干からびたような質感。それらが観る者を、濃い闇の中の「死」の情景へと導く。だが川上はいう。「タロットカードの『Death』が終焉と再生の意味を同時に持つように、私は死を表現することは生を表現することと同意である考える」。つまりその少女像は、死と生を繰り返すことで永遠の美を獲得しているのだ。そう、われわれが川上の作品に魅せられるとしたら、それは「死」への憧憬ではないだろう。永遠の時の流れに身を投じることに至った少女の、得も言われぬ境地に心酔させられ、不死を夢見させてくれるからではないか。

今回の個展では、ヴァニラ画廊による作品集も刊行予定。死を思うことで生まれ出る静謐な美を味わいたい。(沙)

★川上勉 展「Death make it Eternal　死／永遠」
2021年6月8日(火)～20日(日) 会期中無休
入場料／800円(展示室AB共通・オンラインチケット制)
場所／東京・銀座 ヴァニラ画廊
12:00～19:00(土・日・祝は～17:00)
Tel.03-5568-1233 http://www.vanilla-gallery.com/

永遠にあり続ける、誰かへの歪んだ思い

★（上）《かわいそうな野菜》2020年（下左）《わるい舌》2020年（下右）《女の子は何でできている》2020年

★《世界にふたりだけ》2021年

無垢な少女の残酷さ——その少々痛々しい情景を描き続けている宮本香那。「世界にふたりだけ」というタイトルに得心してしまったのだが、宮本の作品には確かに、特定の誰かへの思い——しかも屈折した思い——に彩られた作品が多いように思う。その誰かと永遠の時を過ごしたいと願い、少女は残酷な遊戯に耽っているのだ。

宮本の作品の、薄ぼんやりとした非現実感漂う背景は、少女が願う永遠の時を表象しているようにも思う。時の流れが止まったその空間で、誰かへの思いをずっといだき続ける。その少女の歪んだ幸福感は、なくなることなく、ずっとそこにあり続けるのだろう。(沙)

★宮本香那 個展「世界にふたりだけ」

2021年5月20日(木)～30日(日) 火・水休
13:00～18:30(最終日は～17:00) 入場無料
音楽:KOSAKA TO-RU

場所/東京・曳舟 gallery hydrangea
Tel.03-3611-0336
https://gallery-hydrangea.shopinfo.jp/

★《コレクション ―ユニコーンの箱舟―》2021年、530×727mm、油彩

★《コレクション ―金魚―》2021年、242×333mm、油彩

「精神の旅」から持ち帰った少女の存在証明

★《コレクション —花—》2021年、220×273mm、油彩

★《コレクション —水晶鳩—》2020年、180×140mm、油彩

ミルヨウコはこれまで、「より現実の彼方へ、より未知のものへと思いを馳せ、1枚の絵ごとにひとつの宇宙、ひとつの世界を構築してきた」という。今回開かれる個展では、そのような「精神の旅で発見し、持ち帰った事物」をコレクションのように描いてみせる。それはいわゆるミルヨウコ流の「驚異の部屋」なのだろう。陳列棚を前に、少女が奇妙なコレクションを手に立っている。オッドアイは「旅」によって得られた異能の象徴だろうか。そして「旅」から帰還した安堵感だろうか、これまでのミルの作品に比べると、その目つきは穏やかだ。

「今はないけれども、これから現れるもの」が世界に大きな変化をもたらすかもしれないとミルはいう。そのうえで「精神の旅」で得られた事物をこうして陳列することは、少女が世界の変化によっていなくなったとしても、少女が存在したという証明をこの世に残すことでもあるかもしれない。これらの事物が残る限り、少女の思いはきっと不滅なのだ。(沙)

★ミルヨウコ展「その先にあるもの」
2021年6月1日(火)〜6日(日) 会期中無休
11:00〜19:00(最終日〜17:00) 入場無料
場所/東京・四谷三丁目
The Artcomplex Center of Tokyo
Tel.03-3341-3253 http://www.gallerycomplex.com/

吸血娘の憂鬱

こやまけんいち絵本館 no. 44

数百年も昔
ダンディーな叔父様に
がぶりとやられたの
そして気がついたら
私は土の中
死んだと
思われたのかしら
それとも
封印でもされたのかしら
はぁ
吸血姫といっても
劣等種のわたしは
自力で出られないのよね
いくら夢想がちな
箱入り娘といっても
数百年はさすがに
飽きてしまうわ

ここから出たら
まず恋をしなくちゃね
私まだ生娘だもの
なんて思いながら
魅惑の念を放ってみても
気配を感じて
寄ってくれるのは
動物や虫ばかり
はぁ
私をこんな身体に
しておいて
ダンディな叔父様は
いったい何処へ
行ったのかしら
2021 こやまけいこ

四方山幻影話 47

●写真・文：堀江ケニー
モデル：紅日毬子

不老不死。古今東西あらゆる国で、あらゆる媒体で繰り返し語り継がれて来たテーマ、見果てぬ夢。魔法をかけられたり、ゾンビになったり、吸血鬼だったりと。

撮影的には以前何度か吸血鬼的なのはやってるし、また同じようなのはつまらない。さて、どーするかなぁ〜と考えていたところ思い付いたのがアンドロイドだった。

古くは、漫画で言えば石ノ森章太郎先生のサイボーグ009やら松本零士先生のメーテルとかも大きな意味ではそうなのかな。ドラゴンボールの18号とかもそうだし、ターミネーターとかもまぁ〜そんな感じなのではないのかなぁ〜と。テーマにも合ってるし、撮るのも新鮮で良し。どんなイメージのアンドロイドで行こうか?と、考えていたら、今回モデルをお願いした紅日麹子氏からナイスな提案が。攻殻機動隊的なイメージはどうですかねー?と。

はい、良きですねー、何だかイメージが湧いて来ました〜。というわけで、そんなイメージで今回は撮影を。

実際撮影してみて思ったが、ヒーローものみたいになりましたね〜。

耽美に満ちた幽明のはざま

ExtrART file.16でも取り上げたシマザキマリの個展が開かれる。描かれる人物は、頽廃的で耽美的で、ときに痛々しくもありながら凛とした佇まいを醸し、陶酔の境地にあるように見える。人物を飾るように咲く花が象徴的で、その花粉のように妖艶な芳香が絵から漂い出している。美に殉じようとするその青年とともに、耽美に満ちた深い闇の、幽明のはざまへと、夢想を巡らせたい。（沙）

★シマザキマリ個展「九十九の世」
2021年5月16日（日）～30日（日）月・火休
15:00～22:00（最終日～19:00）
場所／大阪・東部市場前 Gallery cafeBar 冥
Tel.06-4306-3108
https://www.gallerycafebar-mei.com/

立体画家 はが いちようの世界《第32回》

ねじ式の背景

つげ義春による名作マンガ「ねじ式」をストップモーションアニメで映像化する動きがあり、その背景美術を手伝っている。

表紙から十四コマ目に、壁に大きな天狗絵が描かれた部屋が登場する（右下）。ここを拙作による背景で賄うこととなり、汚れた白壁の上に天狗の絵を描いた（左下）。ヘタな絵だったが妙な迫力があり気に入っていると「天狗絵は木板の上に描かれているものとおもっていた」などと周囲から批判の声があがり、たじろいだ。あわてて原作を凝視すると、確かに天狗は木板の上に描かれているようにも見える。が、地が木板となると、さっき描いた絵はボツってことである。ガックリし、しばらくやる気が起こらなかった。

やがて年が変わり、米大統領も変わったころ、ふたたびやる気を取り戻し、こんどは木板系色調の壁に再度天狗の絵を描いた。すると映像監督から「良い！」という、思わぬご評価をいただき、こうしてねじ式の背景・其の一が完成した（上）。縮尺七分の一。映画公開日未定。

芳賀一洋（はが・いちよう） https://ichiyoh-haga.com/
1948年、東京に生まれる。1996年より作家活動を開始し、以後渋谷パルコ、新宿伊勢丹、銀座伊東屋などでの作品展開催や、各種イベントに参加するなど展示活動多数。著作に写真集「ICHIYOH」（ラトルズ刊）などがある。

辛しみと優しみ〈44〉

人形・文＝与偶
doll & text by Yogu

Photo by Hiroshi Hootoo

★草間彌生《自画像》1995年、エッチング・紙、練馬区立美術館蔵

★中村宏《蜂起せよ少女》1959年、油彩・カンヴァス、練馬区立美術館蔵

ユニークな8人の画家、それぞれの「意表」

★古沢岩美《誘惑》1937年、油彩・カンヴァス、練馬区立美術館蔵

「意表」——予期しない行為という意味とともに、「こころをあらわす」という、字義に近い使われ方もするのだという。その二重の意味での「意表」によってユニークな作品を生み出した画家8人の軌跡／奇跡を一望する展覧会。大沢昌助、古沢岩美、野見山暁治、小野木学、草間彌生、中村宏、近藤竜男、鏑木昌弥という個性的な作家たちを、それぞれの個展形式で紹介する。

　大沢昌助はリアリズム絵画から出発し、その後シンプルな

★野見山暁治《ある日》1982年、油彩・カンヴァス、練馬区立美術館蔵

★大沢昌助《仕事場》1954年、油彩・カンヴァス、練馬区立美術館蔵

★近藤竜男《Three Diagonal Stripes: Blue 80-13》1980年、アクリル・カンヴァス、練馬区立美術館蔵

★小野木学《風景》1972年、油彩・カンヴァス、練馬区立美術館蔵

★鍋木昌弥《鳥たちの頃》2005年、グワッシュ・紙、練馬区立美術館蔵

★「8つの意表〜絵を描く、絵に描く、画家たちのキセキ〜」
2021年4月30日（金）〜6月20日（日） 10:00〜18:00
月曜休 ※5月3日（月・祝）は開館、5月6日（木）は休館
観覧料／一般500円、高・大学生および65〜74歳300円
中学生以下および75歳以上無料（要年齢等確認証）／その他各種割引制度あり
場所／東京・中村橋 練馬区立美術館 Tel.03-3577-1821
https://www.neribun.or.jp/museum.html

形と色彩の抽象画を手がけ、都庁などの壁画で知られる。古沢岩美はシュルレアリスムに学んだ作家で、熱情的な幻想画が圧巻だ。「ルポルタージュ絵画」で注目された中村宏は、機関車や女子学生などをモチーフに心象風景を描き続けている。そして鍋木昌弥は、鉛筆による描画などさまざまなスタイルで、繊細なイメージを紡ぎ出す。

会場の練馬区立美術館は、先日まで「電線絵画展—小林清親から山口晃まで—」を開催するなど、しばしば果敢で、まさに「意表」な展覧会を企画してくれる美術館。今回も様々な意外な魅力に出会えるはず。（沙）

★東學

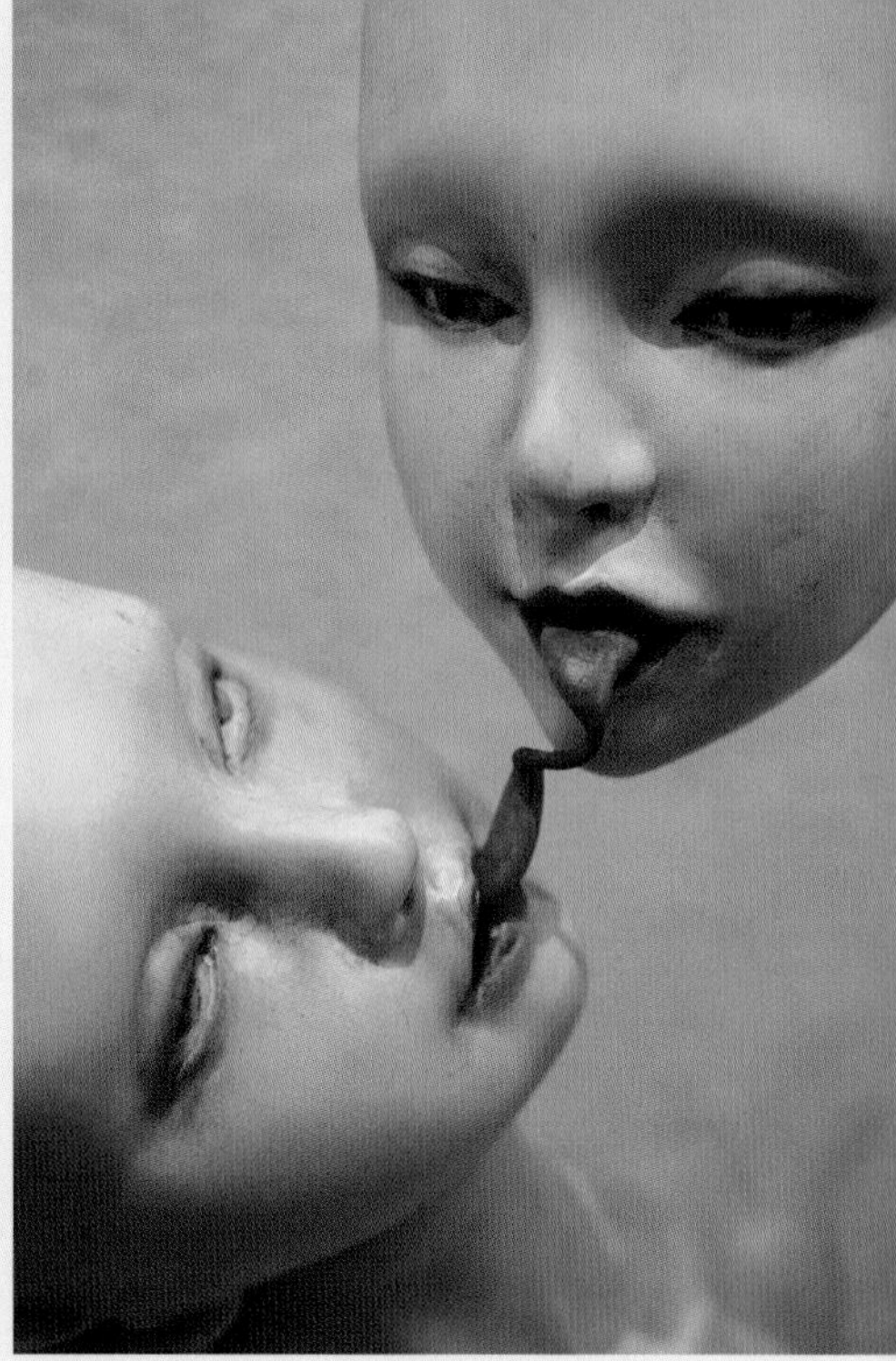

★木村龍

人体を舞台に表現する、濃すぎる4人

店内に入ると人体模型が出迎えるという、病院をモチーフとしたカフェ、アナムネ。2022年10月より、公募イベントアナムネ展「カンファレンス」を毎年開催する予定だという。それに先駆けて、人体にかかわる表現をおこなっている先鋭4人を集めたオープニング展示が開催される。

登場する作家は、無垢でノスタルジック、かつ奇妙な人形や絵画作品で知られる木村龍、京都西陣に「世界観を売るお店〜Anatomic Circus」を開くなど、ピュアな感性でマジカルな世界を具現化してみせる映画監督・クリエイターの二階健、糸のような墨の線で描く「墨画」、女性の肌に筆を走らせる「肌絵」などで、女性の魔性をあぶり出す東學、メヘンディやジャグアタトゥーによって即興でモデルに呪術的なボディアートを施す今大路智枝子。そしてこの濃すぎる個性を空間演出でまとめあげるのは、マンタム。カフェスペースとはいえ、なんとも贅沢な展示になりそうだ。(沙)

★今大路智枝子

★アナムネ展【Oben】

2021年7月1日(木)〜26日(月)
休廊日 7/6・7・13・14・22・23
12:00〜17:00 入場無料(要ワンオーダー)
※予約者は11:00〜入店可能
参加作家／木村龍、二階健、東學、今大路智枝子
場所／大阪・心斎橋 cafe Anamúne
Tel.090-1957-2526
http://www.anamune.com/

★二階健

※作品集発売中！ 木村龍「光速ノスタルジア」東學「東學肌絵図鑑 DRESS CODE」
二階健「Dead Hours Museum」「Sleepwalker」「6 Sixth〜超視覚の部屋」「La Vie en Rouge 〜赤に魅せられた女たち」ほか

首振りDollsのニューアルバムは破天荒だが孤独な〝傷心ロック〟

★2019年8月30日、新宿・ロフトでおこなわれたライヴ（撮影：青木カズロー）

首振りDollsは2012年に結成されたバンドだ。翌年にファースト・アルバム「首振人形症候群」を発表。16年には、京都でおこなったワンマンライヴを収録したDVD「首振人形舞踏会 礫礫独演～悲鳴の祭典～」をリリースするが、そのジャケットは昭和の戦後間もない任侠映画か何かのポスターをパロったものだ。18年にメジャーデビュー。その後メンバーの入れ替えがあったが、ナオ(Dr./Vo.)、ジョニー・ダイアモンド(Gt./Vo.)、ショーン・ホラーショー(Ba.)の3人で、昭和歌謡と初期パンクが融合したような特異な世界を作り上げている。

その首振りDollsがニューアルバム「ドラマティカ」を発売した。バンドの核となっているナオの生み出す楽曲は、「散り散り」「バケネコ」「誰そ彼」といったタイトルからも連想されるように、昭和的と言っても、寺山修司的な陰翳に彩られた〝傷心

★上と右下のモノクロ写真は、個展用に撮影されたもの。
（撮影：寫眞館GELATIN、浅草花やしきにて）

★首振りDolls「ドラマティカ」好評発売中！
※2021年5月15日には、浅草花やしき花劇場でワンマンライヴを開催。
※首振りDolls https://kubihuri.com/

ロック〃だ。そうした捻れた世界観のもとに生み出されるのが首振りDollsの音楽だと言っていいだろうか。2年前の前作「アリス」のときは現メンバーになったばかりで手探りの部分もあったが、今回の「ドラマティカ」では、3人それぞれがやりたいことをより追求出来たという。ぜひその濃密さを堪能されたい。

そして首振りDollsはシアトリカルなライヴパフォーマンスも人気だが、コロナ禍に相応しい発信形態として「ドラマティカ」発売記念「個展ライヴ」を4月に開催。ジャケットを描いた漫画家・カネコアツシ、写真を撮影した寫眞館GELATIN〃デザインしたcali≠gariのギタリスト・桜井青とのセッションで会場は飾られ、アコースティックライヴもおこなわれた。

首振りDollsはこのように厚い人脈を持ち、土屋アンナや鮎川誠、カネコアツシなどをゲストに迎えたマンスリーインタビューもサイトで展開。それをチェックしてみるのもおすすめだ。（沙）

「第24回岡本太郎現代芸術賞（TARO賞）」展レポート

人類の悲惨を描いた油絵で埋め尽くした史上最年少18歳が岡本太郎賞を受賞！

～コロナ禍で創作の喜びを爆発させた力作たち

◉文・写真＝ケロッピー前田

★大西芽布《レクイコロス》
岡本太郎賞受賞

いまだに予断を許さぬコロナ禍にあるが、毎年恒例の「岡本太郎現代芸術賞（TARO賞）展」は予定通りの開催となった。今年は、昨年の応募総数を大きく上回る616点もの応募があったという。そのなかから選ばれた24作家の力作が川崎市岡本太郎美術館に展示された。

TARO賞は、「時代を創造する者は誰か」という岡本太郎の著書『今日の芸術』（1954年）のサブタイトルにちなみ、1996年、岡本太郎没（享年84歳）をきっかけとして設立された。彼の遺志を継ぎ、自由な視点と斬新な表現を追求するアーティストを発掘かつ応援しようというもので、賞歴、学歴、年齢を問わず、美術ジャンルも超えて、応募できる。そればかりか、最大で5メートル立方の空間を展示スペースとして使用できるところが特徴で、その広さをどう活かすかも作家の力量が試されるところである。今年は2月19日に授賞式が行われ、翌20日から4月11日まで展示された。

今回、最優秀となる岡本太郎賞を受賞したのは、史上最年少の大西芽布（18歳）。《レクイコロス》とは、レクイエム（鎮魂）とコロナウイルスを組み合わせた造語で、5

★植竹雄二郎《Self portrait》特別賞受賞

★牛尾篤《大漁鯖ン魚》特別賞受賞

★モリソン小林《break on through》岡本敏子賞受賞

メートル四方の壁面を大小50枚以上の油絵で埋め尽くしている。「人類の悲惨を作品化することに衝動を感じる」という作者のコメントの通り、それぞれの絵画作品はストーリー仕立てで、コロナ禍の出来事を含む、歴史上の悲惨な事件を連想させるものである。それでも、壁面を覆う膨大な作品群と実際に対峙することで強く感じるのは、描くことへの熱意と集中力、創作へのあふれ出るエネルギーである。現実の悲惨さを超えて、何かを創造していこうという力強さこそが、いまだコロナ禍にあえぐ私たちを揺さぶるのだ。

一方、岡本敏子賞を受賞したモリソン小林の作品《break on through》は、すでに商業施設や店舗でアート作品を制作するベテランならではの完成度に魅了される。一見、白壁のホワイトキューブいっぱいに植物がツルを伸ばしているように見えるが、それらはすべて鉄を素材として制作された人工物。標本のようにフレームに収めらたはずの植物はニョキニョキとそこから這い出て、空間全体に広がっていく。金属の植物を「自分の存在と重ねるようになり、一度枠から出てみたいと思った」と作者がいう通り、空間を遠慮なく自由に使い切った表現こそが感動を生んでいる。

特別賞は、植竹雄二郎、牛尾篤、小野環、唐仁原希、浮遊亭骨牌の5作家が受賞した。

植竹雄二郎《Self portrait》は、作者自身の顔をモチーフとした4つの彫刻作品からなる。それぞれ、一面、二つの三面、六面からなるが、カッと眼を見開いたり、舌先を怪しげに突き出したりと、その表情は同一人物のものとは思えないほど表情に富んでいる。

牛尾篤《大漁鯖ン魚》は、図画的な連想で関連づけられた鯖とシマウマが生命感豊かに描き出された計7枚からなる絵画作品である。縞模様に象徴される視覚的なダイナミクスこそが鑑賞のポイントだ。

小野環《再編街》は、ネット時代に不要となった百科全書、美術全集を素材とし、過去に夢見られていた公団住宅や美術館を精巧な模型として再構成している。完成された建築

★小野環《再編街》特別賞受賞

★唐仁原希《紅のふもとには宝物はあるの》特別賞受賞

★東弘一郎《回転する不在》
（立体作品とともに展示されたビデオ作品）

★ながさわたかひろ《ウィズコロナの肖像》

★浮遊亭骨牌《浮遊亭κοιλία》
特別賞受賞（下の写真は茶室内部）

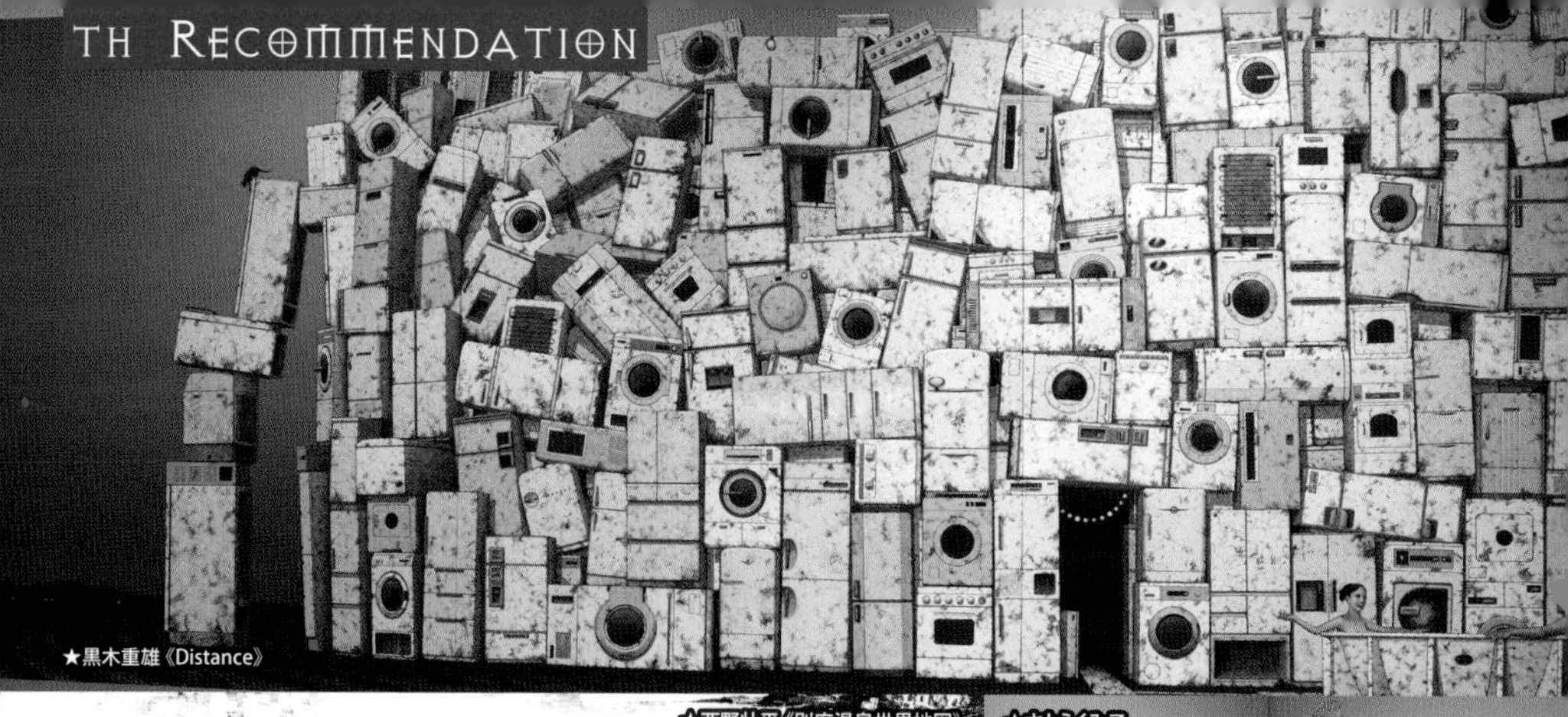

★黒木重雄《Distance》

★西野壮平《別府温泉世界地図》

★さとうくみ子《家中ピクニック装置》

★金子朋樹《Undulation/ 紆濤 - オオヤマツミ -》

物にも目を見張るが、興味深いのは建築現場のごとく仕立てられたミニチュア書籍や家具などである。細部に拘れば拘るほど、鑑賞者は小さな世界へと引き込まれていく。

唐仁原希《紅のふもとには宝物はあるの》は、欧風な高級感を漂わせる真っ赤な壁面に、お姫様、王子様、動物たち、ユニコーンやシロクマなど、様々なアイコンに彩られた大判の絵画作品が並ぶ。この作品群にはどんなストーリーが隠されているのだろうかと思い巡らせてしまうが、作者は「作品を観た人が内容を読み解き、その人独自の物語を想像する」ことを想定しているという。それでも鑑賞者の宝探しは続く。

浮遊亭骨牌《浮遊亭κοιλια（コイリア）》は、岡本太郎《母の塔》の傍に野外展示された軽トラックをベースとする「動き浮く茶室」である。作者は声が掛かれば、この作品で方々に向かい、油圧で空中に浮遊させた茶室で香を焚き、お茶を嗜むことができるという。

その他の作品では、計15台の自転車を素材に一人のパフォーマーが漕ぐと作品が大回転する東弘一郎、大量に家電が廃棄された隔離の場で風呂を楽しむ黒木重雄、巣篭もり生活で日々テレビで観た人たちを描いたながさわたかひろ、家に居ながらピクニックを楽しめる装置を作ったさとうくみ子、100もの別府市内の温泉を巡って撮影した写真を地図上にコラージュした西野壮平など、コロナの自粛生活にあって、創作する喜びを〝爆発〟させた力作が並んだ。

パンデミックにあって、モヤモヤした気分で日々を送っている人たちも多いだろう。こんなときだからこそ、作品と向き合い、自分自身も創作に没頭するには絶好のチャンスになるだろう。岡本太郎やTARO賞展の作家たちの作品を通して、鬱な気分を吹き飛ばして欲しい。

◉岡本太郎現代芸術賞入選作家（50音順）

東弘一郎、AYUMI ADACHI、植竹雄二郎、牛尾篤、袁方洲、太田琴乃、大西茅布、小野環、かえるかわる子、加藤立、金子朋樹、黒木重雄、さとうくみ子、許寧、園部惠永子、唐仁原希、ながさわたかひろ、西野壮平、原田愛子、藤田朋一、浮遊亭骨牌、みなみりょうへい、モリソン小林、山崎良太

※第24回岡本太郎現代芸術賞（TARO賞）展は、2021年2月20日（土）～4月11日（日）、川崎市岡本太郎美術館にて行われた。http://www.taromuseum.jp/

★猪風来《大地の精霊》
★堀江武史《シリーズ「シダナイさん」》（部分）
★儀礼用斧、短剣、刀状棍棒他（南魚沼市教育委員会所蔵）

★村井めぐみ《Venus》

火焔型土器の謎を追う！ 新潟・縄文の旅

新潟県立歴史博物館／体験実習館「なじょもん」

◉文・写真＝ケロッピー前田

★山口三輪《手編みの縄文式土器》他
★道尻手遺跡、堂平遺跡／津南町縄文時代中期

★松山賢《土器怪獣オオカミオン》

★大森準平《Neo Jomon Doki 大木 8b 式並行期》、道尻手遺跡出土土器／津南町・縄文時代中期

縄文土器といえば、火焔型土器だ。誰もがすぐにイメージできる燃え盛る炎のような過剰な造形は現代人が見ても驚かされる迫力だ。

そんな火焔型土器の故郷、新潟県にある津南町の農と縄文の体験実習館「なじょもん」から展示のオファーが舞い込んだのは昨年のことだった。

縄文文化からインスピレーションを得た現代のアート作品、パプアニューギニアの民族資料、縄文土器をいっしょに展示しようという野心的な試み「森の聲―Papua×Jomon×Art」は、２０２０年７月11日から８月16日まで開催された。

ご存知の通り、筆者はタトゥーアーティストの大島托と縄文時代のタトゥー復興アートプロジェクト「縄文族 JOMON TRIBE」を推進しており、今回、縄文タトゥーの写真作品および作品シリーズのフォトスライドショーを出展させてもらった。

この展示は、学芸員の佐藤雅一氏によって企画されたもので、現代の作家たちについては、「ARTs of JOMON」などの展示を国内外で企画してきたNPO法人ジョウモニズムとの連携もあって集められている。そこにパプアニューギニアの民族資料収集で知られる故今泉隆平氏コレクション（南魚沼市教育委員会所蔵）から一部を借り受け、さらに、なじょもん所蔵の

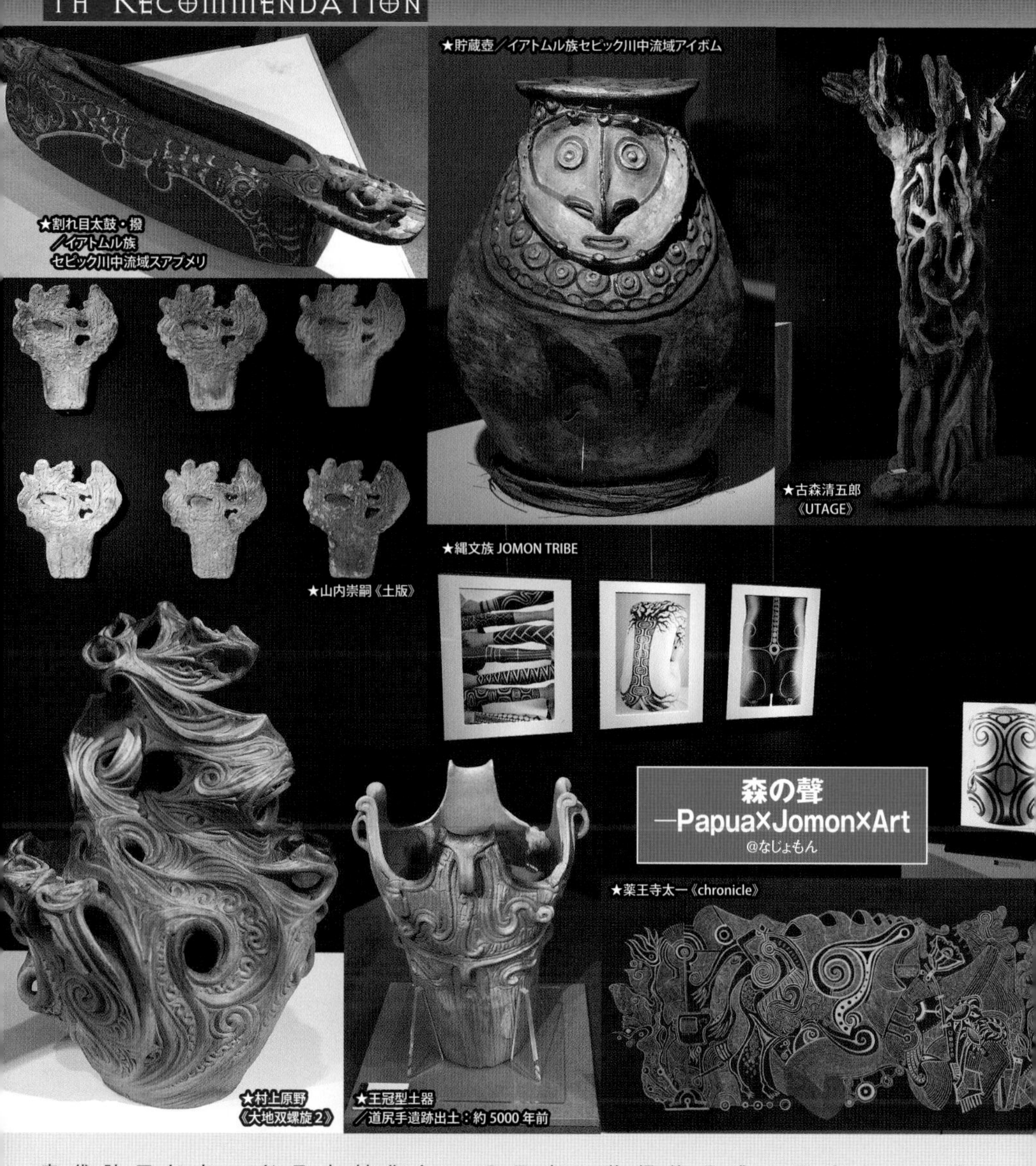

★割れ目太鼓・撥／イアトムル族 セピック川中流域スアブメリ

★貯蔵壺／イアトムル族セピック川中流域アイボム

★古森清五郎《UTAGE》

★山内崇嗣《土版》

★縄文族 JOMON TRIBE

★薬王寺太一《chronicle》

★村上原野《大地双螺旋２》

★王冠型土器／道尻手遺跡出土：約 5000 年前

貴重な縄文土器も加わっている。

なじょもんは、地域博物館として地元の人気のスポットで、この展示も本来なら夏休みの特別企画として、子供たちや家族連れにこそ楽しんでもらえるような展示となるはずだった。新型コロナウイルスの感染拡大防止のため、例年のような盛況ぶりには至らなかったのは残念である。それでも、今回新潟を訪ねることで、筆者にとっても現代の作家たちの作品を縄文土器と同時に鑑賞するという貴重な体験となった。

20名の現代の作家たちは立体作品を中心に様々な素材や技法で縄文にアプローチしているが、大きく分類すると、2つの方向性がある。

ひとつは、縄文の世界観を独自に解釈して自由な表現の領域を開拓している作家たち、縄文造形家の猪風来と息子の村上原野を筆頭に、村井めぐみ、薬王寺太一、古森清五郎らの作品からは縄文のモチーフを超えて、それぞれの個性がにじみ出る。

もうひとつは、縄文土器やそこに施された文様を異なる素材や技法で現代的に再現している作家たち、修復家・縄文アーティストの堀江武史は岩手県科内遺跡出土の土製品をチタン銅合金などの現代的素材で再現し、山口三輪は縫い物、大森準平は焼き物で縄文土器を再構築している。松山賢は野焼きの技法で縄文怪獣を作り、山内崇嗣は火焔型土器を平たい土版にすることで現代的なアイテムに変換している。

それらの作品群は、本物の火焔型土器や王冠型土器と並べられ、随所に配置された顔がついた貯蔵壺や割れ目太鼓などの土着的なパプアニューギニアの民族資

笹山遺跡

★国宝になった火焔式土器一式が発掘された笹山遺跡

新潟県立歴史博物館

★最初に発掘された「火焔土器」(レプリカ)

★初源期のもの

★縄文土器をモチーフにした壁面パネル

★イレズミ表現の顔(土偶)
長野県氷遺跡・縄文晩期

★海沿いに暮らす人々の様子を再現

★火焔型土器には煮炊きの痕跡も残されている

★用途により大小様々な土器が作られた

★火焔型土器は生活に溶け込んでいる

★新潟県糸魚川市寺地遺跡の復元模型

★土器作りの様子を再現

料が原始的な感性を刺激する。考古学やアートについての予備知識などなくとも、展示品それ自体がストレートに語りかけてくるところが素晴らしいのだ。

なじょもんの学芸員、佐藤雅一氏によれば、火焔型土器が使われた期間は約5300年前から約4800年前のおよそ500年間で、それらが出土するのは、現在新潟と呼ばれている地域に集中しており、それは東北の縄文文化圏の南端であり、同時に長野県中部高地の縄文文化圏の北端に位置するという。つまり、東北と関東の二つの異なる縄文文化圏の狭間である新潟に「火焔型土器のクニ」というもう一つの縄文文化圏があったというのだ。

非常に複雑に見える火焔型土器だが、その文様のパターンは上部から、口縁部、頸部、胴部、底部という4つのパートに分けられるという。燃えさかる炎のように見える最も目立つ突起は「鶏頭冠（けいとうかん）突起」、口縁部の周囲にギザギザが横並びに連なる「鋸歯状（きょしじょう）突起」、頸部には袋のように膨らんだ「袋状突起」、丸く中央がくり抜かれた「トンボ眼鏡状突起」などがある。また、火焔型土器と同じ遺跡から王冠型土器が発見されているが、火焔型と王冠型は対になっているとも考えられている。

佐藤氏は、考古学者たちが長年尽力してきた土器文様の型式分類による編年研究の成果を強調した上で、そろそろ、文様の解読についても様々な可能性を検討してもいい頃だと目を輝かせた。

なじょもんからほど近く、縄文土器で唯一国宝指定された火焔型土器一式を所蔵する十日町市博物館がある。それらが出土した笹山遺跡も訪ねた。

さらに絶対に見逃せないのが、新潟県立歴史博物館である。

この博物館は、日本の縄文研究をリードし続けている考古学者の小林達雄氏が初代館長を務め、新潟から縄文文化を発信する重要拠点となっている。さらに2000年8月、博物館の開館記念展「ジョウモネスク・ジャパン」では、考古遺物と現代アート作品などをいっしょに展示する先駆的な試みも行われた。

まず第一にこの博物館の大きな特徴は実物大のジオラマである。縄文人の生活の様子を四季折々の自然環境も含めて再現しており、海を望む暮らしや竪穴住居での暮らし、火焔型土器が生活に溶け込む様子など、豊かな文化を育む縄文人たちがわかりやすく再現されている。

そして、もうひとつ壮観な眺めとなっているのが、約90点もの火焔型土器をずらりと並べた展示である。それらは各市町村所蔵品のレプリカだが、一堂に見られるのはここだけだ。中央には、1936年、近藤篤三郎が馬高遺跡で最初に発掘した「火焔土器」（レプリカ）を配し、大小様々な火焔型土器を堪能できる。ちなみに、最初に発掘された者だけが「火焔土器」と呼ばれ、その後に発掘されたものはすべて「火焔型土器」と呼ばれている。

発掘現場となった馬高遺跡は博物館近くにあり、「火焔土器」の実物は馬高縄文館で見ることができる。

新潟の旅は、いく先々で膨大な数の火焔型土器に対面することとなり、この地での縄文文化に対する意識の高さを感じさせられた。確かに新潟で火焔型土器という現代人も驚嘆するような独特な文化的ムーブメントが縄文時代に巻き起こっていた。その文様が意味することは何だったのか。火焔型土器が衰退したのち、その文化はどのように変容していったのか。

火焔型土器の文様はこれからもその過剰な造形の迫力と相まって、我々を魅了し続けるように思うのである。

★各市町村所蔵の火焔型土器（レプリカ）約90点が並ぶ

津南町農と縄文の体験実習館「なじょもん」https://www.najomon.com
十日町市博物館＆笹山遺跡 https://www.tokamachi-museum.jp 新潟県立歴史博物館 http://nbz.or.jp

ゴム手袋によって異形化した空間

ゴム手袋を使ったインスタレーションなどを展開している_underlineが個展を開催する。異形化した空間に宿るのはフェティシズムか、それとも沈黙した人物のアンフラマンスな気配か。息を潜めるようにして、静かにその空間を味わいたい。また会期前日には同画廊で、倉田めばのパフォーマンスと_underlineのインスタレーションによるイベントもあるので、そちらもチェック。(沙)

★_underline exhibition
「Room.No.0010 Crystal-like rest 結晶休息
マインドの絶対死守とJUST A GAME」
2021年4月30日(金)〜5月5日(水) 会期中無休
14:00〜19:00 入場無料
場所/大阪・北浜 10W Gallery
Tel.06-4707-4356 https://winfo.exblog.jp/

さくらちゃんが残してくれたもの

変なコで、無茶なコで、でも優しいところもあったさくらちゃん。突然引っ越しすると言って、お別れに箱をプレゼントしてくれたのだが――Twitterで話題となった、小田桐圭介の短編漫画「さくらちゃんがくれた箱」。それは2017年に舞台化され好評を博した。

その舞台がGWに再演される。オーディションで選ばれた女優と、実力派俳優による二人芝居で、「夕焼けの丘」チームと「麦わら帽子」チームのWキャスト。さくらちゃんからのメッセージは、きっとあなたにも響く。(沙)

★舞台「さくらちゃんがくれた箱」
2021年4月29日(木)〜5月2日(日)
4月29日19:00、4月30日19:00、5月1日15:00・19:00、5月2日13:00・17:00
料金/S指定席3500円、A自由席2800円
場所/東京・高田馬場ラビネスト
公式サイト http://www.sakura-box.site
問合せ web@sakura-box.site

★『Manila Zoo』

陰翳逍遥《第42回》

志賀信夫

閉じ込められた人間

コロナでなにができるか。こういう問いに劇場関係者は直面している。TPAM（国際舞台芸術ミーティングin横浜）は、元々の見本市、交流の場ととらえれば、一般公演より開催が困難だろう。しかし劇場関係者には公演に至るための重要な場でもある。そして、これまで、多くの優れた舞台を私たちに提供し続けてくれた。二〇二一年二月、開催されたTPAMは、コロナにより、当然ながら、海外からの参加者が少なかったが、谷賢一の話題作『福島三部作』も再演された。ここではリモートを生かした一つの公演を紹介する。

アイサ・ホクソンは、以前からTPAMに参加しているフィリピンの振付家、ダンサー、ヴィジュアルアーティスト。今回上演された、『Manila Zoo』（マニラ動物園）は、彼女が取り組んでいるパフォーマンスシリーズ「ハッピーランド」の第三弾。二〇二〇年八月に台湾で上演され、今回の東京公演を経て、四月にはドイツ・フランクフルトで上演される。

『Manila Zoo』は、ドイツの電子音楽家シャルロッテ・ジーモンが、そしてアイサと、フィリピンの四人のダンサーのそれぞれが自室で、リモート参加する作品だ。「ハッピーランド」は、ディズニーのテーマパークのスローガンであり、マニラのスラム街の呼称でもある。アイサはバレエやポールダンスなどを通じて、ダンスやエンタテイメントの社会・政治性を追求してきた。

『Manila Zoo』では、動物と化した彼らがオリの中で過ごしている。全裸で這い、叫び、彷徨し、まさに動物たちのようだ。その強い印象的な場面から、次第にダンスになっていく。彼らが、それぞれ思いのまま、動物=人として自分を表現する。

檻に閉じこめられた動物たちの気持ちが、コロナで外出禁止となってリアルにわかるということでもある。一人自室で生活していると、人と交流しないことから、次第に社会性がはぎ取られて、動物に近づいていくのかもしれない。

ただそれだけでは、檻の動物を見せるだけで、動物園でもしばらくすると観客は立ち去るだろう。だが、そこに狂言回しとして、MCがいる。それは、ダンサーの川口隆夫だ。TPAMの会場、KAAT（神奈川芸術劇場）のステージに、大きく映し出された「マニラ動物園」の動物たちの画面の前で、司会をしつつ、語り、そして衣装を変えて、踊る。そういうリモートのコラボレーション作品でもある。英語で語り、翻訳し、パフォーマンスも披露する、その自在さは、川口隆夫ならではだろう。

そしてダンサーたちの休憩場面では、彼らは服を身に着け、対話する。そこでは、政府の政策、コロナでの対応などの政治への怒りが語られる。そのときに、観客席にもカメラが向けられ、出演者たちも、それぞれパソコンのマルチ画面でこちらを見ている。そして、観客との質疑応答が行われる。コロナでどう暮らすか。社会との関わりなど。もはや多くの人間がZOOMなどを体験しているだろうが、その機能により観客参加という側面を生み出し、それを作品に生かす手法だ。

やがて彼らは、動物=人としての本能を示す。再び衣服を脱いで、叫び、動き、さらに自慰を暗示しつつ性的な感覚を表現していく。それもまた、動物=人のリアルである。コロナ、緊急事態宣言と自粛、外出禁止によって、改めて私たちは、社会的存在であることを意識させられた。そして、社会や政治の失策も、より浮き彫りになっている。アイサの作品はそういう面をカリカチュア的に露呈させながら、身体のリアルと生の叫びで、観客に迫るものだった（二月二日）。

表層の冒険

美学者、谷川渥の企画により、東京蒲田・片柳学園のギャラリー鴻で、隔年、開催されている「表層の冒険」展は、今回で三回目（三月一五日～二八日）。元々は、一九九〇年に始まったそうだが、ここで開催されるようになって、大規模な展覧会となった。二〇一七年は副題が「抽象のアポカリプス」、二〇一九年は「抽象のミュトロギア」、今回は「抽象のバロキスム」だ。一般的なギャラリー四つ以上の広い空間で、五〇号などの大きな抽象作品がこれほど並ぶ展覧会は、日本では類がない。

出品作家は、秋山潔、石井博康、伊藤泰雅、岩出まゆみ、岩本拓郎、臼木英之、宇野和幸、岡村桂三郎、大嶋彰、大森弘之、葛生裕子、工藤礼次郎、黒瀬剋、小鶴幸一、小林良一、近藤昌美、櫻井美智子、笹井祐子、ササキツトム、芝章文、下向恵子、須賀昭初、瀧田亜子、得能絵梨奈、中村桂子、中村功、中村陽子、新山光隆、沼田直英、濱田樹里、藤井博、藤澤江里子、丸田恭子、室井公美子、望月厚介、八木なぎさ、山田恵子、山田ちさと、柳井嗣雄、渡邊晃一の四〇名。この展覧会を見ると、日本の現代の抽象美術がある程度概観される。では、なぜ抽象なのか。

日本では、七〇～九〇年代、現代美術は抽象だった。それは言い過ぎだが、新しい美術は抽象が多かった。米国のミニマルアートの影響もあるだろう。抽象作品とコンセプトを理解することが、現代美術を語るには必要な時代だった。だが、それ以降、次第に具象作品が前に出てきた。二〇一〇年代以降は、具象のほうが話題になることが多いといえる。そんな流れに疑問を呈したのが、谷川の展覧会だった。谷川は以前から、雑誌に日本の抽象作家の批評を書いてきた。その結実が、書籍の『芸術表層論』（論創社）であり、この展覧会なのだ。

では、具象と抽象はどう違うのか。これは、なかなか難しい。美術家自身も、具象を描いていて、そこから抽象作品を生む人と、具象とは切り離して抽象作品をつくる人がいる。抽象を長く描いていて、具象に戻る人もいる。抽象という概念は、本来、具象、つまり具体的なものから色々なものをそぎ落としていったもの、ということであるとすれば、具象と抽象はつながっている。

その抽象について、この展覧会では三月二〇日、谷川渥と美術評論家高島直之、そしてギャラリストの小山登美夫の三人がトーク「現代美術の状況と方位」を行った。小山は村上隆、奈良美智などを世界に出し、テレビにも登場する有名な画廊主だが、基本は具象的な作家がほとんどだ。その点からも、非常に興味深いトークとなった。

そのなかで印象に残ったのは、日本では抽象美術が売れにくいが、海外では具体（美術協会）、そしてもの派は売れているということだ。それはどうしてかというと、実は具体ももの派も、アクション、ハプニングといったパフォーマンスという側面が当初あったからだという。つまり、身体性ということだ。そのリアルがあるからこそ、抽象作品が評価されるのだという。

また、三月二七日、舞踏公演と舞踏に関わるトークも

★トーク「現代美術の状況と方位」左から高島直之、小山登美夫、谷川渥、司会：大橋紀生

★丸山恭子作品

行われた。その「さようであるならば、さようなら」は、中嶋夏＋霧笛舎（大森彩子・宮中康江・中村大輔・小山薫子）による舞台だが、中心は夏のソロである。ただ、若手たちがイスでオブジェを組み立てたり、夏が紙一枚で踊るなど、美術と抽象というコンセプトを夏自身が消化したうえでの公演となり、とても興味深かった。

そしてトーク「美術と舞踏」では、谷川、中嶋に加えて、土方巽アーカイヴの森下隆の三人。ここで焦点となったのは、土方の初期と後期、特に後期の舞踏譜は有効かという問題だった。夏は土方初期の弟子でありつつ、後期にも呼ばれて舞踏譜を体験している。また、森下はアーカイヴで、和栗由紀夫の身体に入った舞踏譜を詳細に記録した。そして、谷川と和栗は親しく、和栗は谷川の書籍をコンセプトに作品をつくっていた。いろんな意味で、舞踏と舞踏譜との問題は大きい。ただ、舞踏譜は、今後、舞踏を生み出し、研究していくためには、役立つものであることは、確かなのだ。

ASIA TRI. 日本の結実

東京両国の劇場シアターX（カイ）で注目すべき舞台が行われた。それは、『即興・即響・触境・SOKKYOH』。七人の舞踏家と俳優、そして二人の音楽家と一人の美術家による、四日間通しの即興イベントである。三月三日の一七時から六日の二〇時まで、といっても各日二〇時から翌日の一六時三〇分までは休憩なのだが、四日間連続で毎回三時間の舞台であるから、合わせて一二時間見たことになる。

出演したのは、舞踏家、大森政秀、上杉満代、秀島実、工藤丈輝、三浦一壮に若手の高松真樹子、ねいろ、山本むつみ、さらに演劇の宇佐美雅司、そしてビデオ・アートのヒグマ春夫、サウンド・エンカウンター多田正美、サウンドの曽我傑。

この舞台は「ASIA TRI. Japan Special 2021」と銘打たれていた。「アジアトライ（Asia Tri.）」は二〇〇六年にインドネシアで立ち上げられた、舞踊家、アーティストたちによる国際舞台イベントであり、今年は一六年目。企画しているのは曽我傑だ。

曽我傑は、舞踏の音響、照明家として第一人者だが、実は音楽家でもある。一五歳までに祖父と父から音楽の基礎を学び、ピアノ、ギター、そして作曲などを有名音楽家に師事し、七〇年初めに、テリー・ライリーやジョン・ケージにも学んでいる。

そして、一九七四年に佐野清彦、多田正美らと現代音楽の作曲・演奏グループ「GAP」を結成して活動した。また、音響・照明などの劇場技術は、ニューヨークのラ・ママ、ロンドンのICAスペース、シドニー・オペラハウスなどで得ている。

多田正美は、昭和音楽短大作曲科を卒業後、GAPのメンバーとして活動し、一九七五年には美学校の小杉武久音楽教場に参加している。そして、写真や美術作品も発表し、写真集も出ている。

多田は竹を使った音楽・パフォーマンスで知られ、「サウンド・エンカウンター」と名乗るが、美学者谷川渥はそれについて、「多田正美のパフォーマンスは、まさに音が出会いの現象にほかならないというもっとも基本的な事実を如実に感じさせてくれる」（『芸術表層論』）と書く。

キーボードを中心に演奏する曽我と多田は半世紀近く音楽でつながっている。そしてそこに、日本のビデオアーティストの先駆ともいえるヒグマ春夫の映像が絡む。音楽と舞踊の関係は深く、また、舞踏は、音楽に必ずしも乗らず、合わせずに踊る。そのため、音楽に踊らされるのでもなく、踊りが引っ張るのでもなく、対等の存在として舞台を生み出す。このことは、曽我が「踊りは音楽そのものだ」と書くことにも現れている。それが「即興」で行われるのだから、面白くないわけがない。

実は「即興・即響・触境」と名うった舞台は、曽我と多田の音楽で、二〇一三年に中野テルプシコールでも行われている。そのときは武内靖彦と上杉満代が踊った。そして二〇一四年には「ピアニッシモのテロリズム」として、大森政秀が加わったが、踊りはそれぞれのソロだった。

アジアトライは、インドネシアのジョグジャカルタ、韓国、日本各地で公演を行ってきたが、出演者はインドネシア、韓国、日本、中国、台湾、香港、シンガポール、マレーシア、タイ、カンボジア、ミャンマー、バングラデシュ、インド、リビア、オランダ、ドイツ、米国、オーストリア、フランス、オーストラリアとアジアに限っているわけではない。そして、日本でも越後妻有アートトリエンナーレで鬼太鼓座と共演するなど、各地で公演を行い、二〇一五年にはシアターカイ、そして二〇一七年からは、アジアトライ秋田として、秋田で毎年行われ、昨年の二〇二〇年はオンラインで発信された。

今回の舞台では、まず久しぶりに東京で踊る秀島実に注目した。大野一雄の弟子で、かつて同じ門下の上杉満代、武内靖彦と「21世紀舞踏インベンションの会」として踊った『薬罐と絶叫』（二〇〇四年）が素晴らしかったが、今回改めて、秀島のソロの力を感じた。自在な滑稽の踊りは大

★上杉満代と舞踏家たち

野一雄に通じつつも、身体を極限まで高める感触には、独自なものがある。

そして、上杉満代は四日間、いずれも異なる身体の感覚を見せ、同じ衣装でも踊りが異なり、観客の視線を捉えて離さない舞踏家である。工藤丈輝は二日間のみの参加だが、いずれもそのインパクトの大きさで、海外で活躍している舞踏家の力を見せつけた。大森政秀はカッチーニの『アベマリア』で踊ったが、上杉と絡むともなく絡むところなどで、強い美学を感じさせた。

さらに、再デビューして三年目、八四歳の舞踏家、三浦一壮は、四日間の舞台で、新たなボキャブラリーを得つつあると感じさせた。また、即興の面白さはソロ部分のみならず、互いに絡んでいく部分であり、ラストの混沌は音楽の高まりとともに、舞踏と音楽と映像の即興の醍醐味を強く浮かび上がらせた。このアジアトライ、来年は海外と交流できるといいのだが。

場に体を置く

尾竹永子というと、知らない人が多いだろうが、米国でエイコ＆コマというと、舞踊界では知らない人がいない。デュオで野外や美術館内などでの長時間のダンス・パフォーマンスによって、ベッシー賞、マッカーサー賞、ADF賞、ダンス・マガジン賞など数多くの賞を受賞している。

舞踏家の大野一雄とのつながりも強く、大野が一九七二年、『ラ・アルヘンチーナ頌』を上演するきっかけの一つも、エイコ＆コマからアルヘンチーナの資料が送られてきたことだった。永子は六〇年代、大野一雄の弟子だった。それが二〇代でコマとともに米国に渡り活動し、約半世紀を迎える。近年はソロで活動しており、写真家のウィリアム・ジョンストンとともに、各地で踊りを撮影するフォトセッションを行い、それをスライド映像として投影し、それとともに踊るという表現を行ってきた。

その一つのきっかけが、二〇一一年三月の東日本大震災だった。永子はその年に福島を訪れ、一四年一月にウィリアム・ジョンストンとともに再訪して、フォトセッションを行った。それから一九年までに五回、撮影してきた。それを永子自ら編集・映像化して音楽をつけて、『Body in Places』という映像作品として発表し、また映像の投影とともに踊っている。筆者はその映像上映を一九年、両国のアート・トレース・ギャラリーで見た。

このたび、東京都と公益財団法人東京都歴史文化財団 アーツカウンシル東京の主催、「NPO法人ダンスアーカイヴ構想」の企画運営により、「東京リアルアンダーグラウンド」という企画が立ち上げられた。その一つとして、尾竹永子が東京の各地で、その福島の映像とともに踊る映像・写真を撮影し、ネットで配信する。そのための関係者向けショーイングが、池袋・東京芸術劇場で三月三〇日、行われた。

東京芸術劇場シアターイーストのホリゾントの大きな画面に映像が投影される。二〇一四年から、時系列で福島の風景が浮かび上がる。十年たっても、その情景は鮮烈である。といって、陸に上がった船とか、破壊尽くされた学校などではない。自然の風景の中の廃棄されたもの、遠くに見える福島第一原発といった、さほど目立たない風景である。だが、そこに映された永子の身体はまさしく震災後の現地と対峙している。着物や布をまとい、あるいは風に靡かせた姿、うずくまり丸くなった姿、さまざまな身体が迫る。

そこに観客席背後から両手一杯に植物の葉を抱えて登場する永子。コート姿の身体が、静かに舞台にあがり、映像と交わり、そして置かれた土、水、たらい、旅行鞄などと関わる。鞄から引き出される朱色の擦り切れた布は、映像にも登場する。スライドによる静かに動く身体。だが、スライドの身体も時には風を感じさせ、踊っている。さらに永子自身が、スライド投影機の載った台を動かし、映像を観客にまで投影する。

布をまとったり、巨大な紙と絡んで激情を示したり、舞台の外で叫んだりといった強い表現もあるが、それが彼女内部の震災と原発、そして理不尽な世界への怒りとして、観客にも共有される。観客に向けた光は、私たちに対する問いかけであるのかもしれない。

その姿を見ていて、土方巽の『鎌鼬』を思い出した。写真家、細江英公とのフォ

★尾竹永子『A Body in Places』
photo：中川達彦

トセッションにより、東北を中心に生まれた、舞踏そのものを感じさせる写真である。その風景にある土方の姿、目黒にあったスタジオそばの路上で布にくるまって丸くなったまま、跳ねるように踊る土方の姿が、永子に重なった。そして細江もあるとき、その写真を自ら投影して動かしたことが蘇った。

永子は舞踏というラベル、レッテルで語られないために、舞踏とはいわない。ダンス、もしくは身体表現ということだが、舞踏の求めるものと重なっている部分が多いことも確かだ。

アフタートークで、米国在住で福島の作品をつくることへの躊躇いを語った。衣装は祖母の着物、たらいも古く、新しいものを買わないという。それは自然とごみ、さらには膨大な核のごみとも関わるのだろう。増え続ける汚染水のタンクと黒いフレコンバッグ。海への放出、田畑への汚染土の鋤き込み。狂気としか思えない政策を前に、私たちは為すすべがない。だが、投影された姿と踊る永子は、静かに問いかけてくる。これは、私たちの姿なのだと。そして、いま与えられているのは、私たちがどうすればいいのか、考える時間なのだと。

黒と手の世界

坂井眞理子は、色彩豊かな画家、という印象が強い。特に女性の顔を描いた作品はインパクトがある。そして、以前は大きい抽象画を描いていた。それらはいずれも色彩が眼に飛び込んでくる。女子美術大学を卒業後、すぐにニューヨークに学んだ坂井の作品には、国際的に通用するダイナミズムがある。

だが、神保町・アートギャラリー＆レジオンで開催された、二〇二〇年の個展から、色彩ではなく、黒をテーマとしている。今回も同じ画廊で、前回は「身体」、そして今回は「手」がテーマである（三月二二日〜四月三日）。

黒の世界は、存在を強く主張する。そして、坂井の作品の特徴である、動的な表現が、強い力動性を生み出している。前回の身体も、あたかも踊っているようだったが、今回の手も、そのものが舞っている。手話が手踊りのように見えることがあるが、この作品は、踊りを描いたのではなく、手を描いたことで、平面に黒く描かれた手が、その後、自然と踊りだしているかのようだ。敢えて黒を選んだのは前回、コロナの影響もあると述べていたが、現在の逼塞状態を打ち破るには、黒の強さが必要なのだ。

実は私たちは、常に手で踊っている。何かを話すときなどには、自然と身振りが少し入っている。欧米人ほどではないが、ジェスチャーが言葉を補完している。例えば、道を聞かれたときなどは、顕著だろう。体全体でその方向を向き、説明しながら、自然と手が動いている。また、頭を掻いたり、顎をさすったり、眼をこすったり、意識せずに手が動いているのだ。坂井は書く。「絵かきにとって一番のパートナーは手だ。私の意思や考えを形や色で具現化してくれるのは手だからである」この展覧会は、改めて、私たちが自分の手、身体を見直すきっかけでもある。

★坂井眞理子「手」展から

表紙＝三浦悦子
All pages designed by ST

CONTENTS

時よ止まれ、お前は美しい

◉文＝鈴木一也（ゲームクリエイター）

不死への憧れを最初に教えてくれたのは、生徒会室族のメンバーだった。

役員でもないのに生徒会室でサロンを開き、思い思いに時を過ごす仲間たち。ネーミングセンスにもやっとするかも知れないが、七〇年代当時は、なにかとナントカ族という呼び方をしたのだ。

彼らは裏の生徒会だった。見栄えの良い生徒の中から生徒会役員候補を選出し、選挙活動を支援して当選させる。あとは傀儡の生徒会を裏で操るのだ。

まるでラノベか何かの学園ものの設定だ。ユニークなメンバーばかりだった。フランス革命とクイーンを熱く語るK、心理学や論理学で攻めてくるM、美形の上に超絶画力のO、フィクサーで三年生のTなどなど。みな頭脳明晰で、面白いことにはすぐに飛びつく。エピソードにも事欠かない。

私は「紅茶友の会」というのを中学から友人とやっていたので——鄙びたキャベツ畑広がる当時の都下保谷市（現西東京市）には、午後の紅茶を嗜む山の手文化は伝播されていなかったのだ！——それをサロンに持ち込み、茶会の主催をしていた。

新宿高野がインドの茶葉を直輸入し始めた頃であり、安価でとびきり美味い紅茶を楽しむことができた。しかし、まだまだ啓蒙活動が必要で、トワイニングのジャスミンティーはバスクリンみたいと拒絶され、アールグレーも匂いがきつい、烏龍茶も苦いだけなど、今とは違って、まるで嗜好が限られていたのだ。

メンバーのひとりH先輩は演劇部部長であり、私のことを〝お気に入り〟にしていた。ボーイッシュで知的な彼女が、目をキラキラ輝かせながら生徒会室に入ってきた。そしていきなり自分のことを「兄さん」と呼べという。私のことは「妹」として扱うというのだ。（若い頃、自分ではあまり自覚ないのだが、紅顔の美少年というやつだったらしい。ゆえに私をご存知の方は、今のダリ髭の顔で想像してくれるな）

彼女の中でどういった背景設定になっていたのかは詳らかでない。しばらくの間、その遊びに付き合わされることになるのだが……その兄さんが「ぜひとも読みたまえ妹よ」と押し付けてきたのが少女漫画だった。まあ、妹だから少女漫画を嗜むべきなのだろう。当時男子が少女漫画を読むことはほとんど無かったものの、私はすでに『りぼん』の愛読者であったのだが、それは見知らぬ作家の作品だった。

『風と木の詩』と『ポーの一族』。

『風と木の詩』は禁断だった少年同士の愛を描いた竹宮恵子の問題作だ。愛と憎しみに揺れる心と肉体、痛みと苦悩、そして許しを鋭く表現する。今でこそBLは知的女子の嗜みともいえるくらいだが、当時としては極めて不道徳であり、よく出版社が許したなというレベルだった。

『ポーの一族』は言わずと知れた萩尾望都の代表作、ヴァンパイアものの伝説的作品だ。それまでのおどろおどろしかった吸血鬼世界を一変させ、耽美へと昇華させた革命的な作品といえる。

三世紀に渡ってヨーロッパを転々としながら生きる、吸血鬼ポーの一族エドガー、そして友のアラ

★ギルガメシュのレリーフ（紀元前713年-706年）

ン。二人は好対照の美少年だ。
エドガーの妹で儚げな美少女メリーベルは、人の手によって哀しくも失われる。その絶望から逃れるために、エドガーはアランに血を分け与えることになる。ただ独りメリーベルの想い出と生きるのは辛過ぎるのだ。彼女の記憶をこの先ずっと共有できる誰かを、少年は求めたのだろう。萩尾望都は、永遠の時を生きる存在の苦悩を、このときすでに知っていたのだ。アランを誘うエドガーの言葉、「きみもおいでよ、ひとりではさびしすぎる」にそれが込められている。

彼らはヴァンパネラという野卑な名で呼ばれるのを嫌い、ポーの一族と自ら名乗る。霧に閉ざされたポーの隠れ里には、広大な薔薇園が広がる。人間との関わりを断ち、ふだんは血を吸わぬ彼らは、薔薇を手折るようにしてその精気を吸い生きている。

また彼らは人の首に噛み付くような野蛮なことはせず、触れるだけでも精気を吸い取ることができる。一族を増やすときだけ、血を吸うのだ。

ふつう一族に加えられるのは成人になってからなのだが、エドガーだけは特別に少年のまま時を止められる。

高校一年生の私は、すっかり彼らの世界に魅了された。いや、その後もずっと魔法にかけられたように魅了され続けたのだ。

★萩尾望都（右）『ポーの一族』（左）『トーマの心臓』（いずれも小学館文庫）

萩尾望都の当時もうひとつの代表作『トーマの心臓』の舞台にされたギムナジウム（ドイツの中等教育施設）にも、エドガーとアランは現れ、天使かあるいは悪魔のように、時には残酷に、時には魅惑的に振る舞うのだ。彼らは成長しないので、一定期間でその場所を去り、次の土地に移動しなくてはならない。ゆえに彼らは、不死者の苦悩のひとつ、愛する者が老いてやがて死に、独り残されるという悩みを持たない。ただメリーベルの喪失だけを抱え続けている。

二人の旅は二十世紀まで、当時萩尾望都が活躍している時代まで続いていく。

映画『インタビュー・ウィズ・ヴァンパイア』の原作である『夜明けのヴァンパイア』をアン・ライスが執筆し始めたのが一九七三年という。もし彼女が一九七二年に出版された萩尾作品を読んでいたとしたら、強烈な影響を与えられたことになる。しかし、恐らく時代的共鳴により、同時期別々に書かれたものなのだろう。アン・ライス作品でもヴァンパイアは優美に描かれ、のちの欧米の吸血鬼ものに多大な影響を与えていく。

★アン・ライス『夜明けのヴァンパイア』（ハヤカワ文庫）

こうして麗しき不死者の仲間に、悍ましい血の一族が加えられることになった。日本ではいち早く吸血鬼といえば耽美というのが定着し、欧米がそれに追随していく。

人々の永遠の生に対する憧れは、極めて古く根源的なものだ。

永遠の時を生きる人間は、現存する最古の物語の中ですでに描かれている。シュメール神話に登場するジウスドラがそれだ。

彼は大船を作り、神の怒りの大洪水から一族と動物たちを率いて逃れることになる。そう、ジウスドラとは、聖書にあるノアの方舟伝説のもととなった神人なのだ。

洪水で人類を滅ぼした神は自らの行いを悔い、ジウスドラとその妻には贖いとして不死が与えられることになる。

近年『Ｆａｔｅ』のお陰ですっかり有名となったギルガメッシュだが、親友エンキドウを病で失うと死を意識し、永遠の生命を得ることに取り憑かれる。何もかも放り出して彷徨い続けた挙げ句にたどり着くのが、楽園に暮らすジウスドラの下である。バビロニア神話ではジウスドラはウトナピシュテムと呼ばれ、不死を求めるギルガメッシュに常若の妙薬をもたらすのだが、結局それは蛇に奪われてしまう(ゆえに蛇は脱皮を繰り返すたびに若返るのだ)。

このように人類の不死に対する憧れは、とても古くて執念深い。

秦の始皇帝は永遠の命をもたらす仙丹を求めて、東方の海の彼方の蓬莱に、徐福を派遣した。結局徐福は戻らず、始皇帝の不老不死の望みは絶たれたが、古代弥生文化が花開くのも、これが契機になっているのかも知れない。

恐らくこうした徐福伝説を下地にしつつ、不死を巡っての物語として、手塚治虫の不朽の名作『火の鳥(黎明編)』が世に送り出された。

小学一年生からこの作品に触れ、生命と死と宇宙の理に想いを寄せていたことが、今の私を形作っているのかも知れない。

二作目の『火の鳥(未来編)』では、主人公ヤマノベマサトは核戦争で滅んだ地球で唯一の生命体として永遠の時を生きることになる。始めの数百年は恋人である宇宙生物ムーピーのタマミが持つ幻覚能力でたまさかの幸せな夢を見て過ごすが、タマミも寿命で亡くなると完全な孤独となる。

彼はサルタ博士の研究を引き継ぎ、人工人間を作り出しては失敗を繰り返す。タマミに似せた少女も理性を欠いた存在でしかなかった。そして培養槽の中からは一歩も外に出られない、不完全な存在だった。

★(左)二階堂善弘監修『全訳 封神演義』(勉誠出版)(右)手塚治虫『火の鳥(未来編)』(角川文庫)

日本のコミック文化の深さを感じる。六〇年代からこうした深遠なるテーマを扱っていたのだ。

不老不死の探求と言えば、徐福伝説にも絡んだ中国の仙道が有名だ。その中には女性から生命力を得るためのセックス・テクニック、房中術なども含まれており、枯淡な印象とは裏腹に、なかなか艶めかしい。

仙道を背景とした中国三大奇書のひとつ『封神演義』がある。マンガ化されて日本でも有名になっているが、原作はかなり血なまぐさい世界観で構成されている(中国三大奇書なんて言い方は日本だけで通用するものらしいが)。

『封神演義』の世界では、仙人が増えすぎてしまったのが問題とされた。そこで人間界からは直接仙界に来られないように、緩衝帯として神界を作ろうというのが、物語の基本設定だ。

ではどうやって神界を作るかと言えば、増えた仙人を大量にぶっ殺して神として祀り上げてしまおうという、革命的手法を断行するのである。いかにも中国らしい。

ここで注目は、仙界の方が神界より上位世界であるということ。

ほかにも仙人は定期的に人を殺さなくてはならない設定とか、実に物騒である。

これは東洋神秘学を取り入れて完成された、現代西洋魔術にも取り入れられている。魔術師はあらゆる体験をしなくてはならないとされ、殺人さえもその中に含まれているというのだ。実際殺人を犯すかどうかは置いておいて、そうした考え方に反映されているわけだ。

我々日本人は仙人というと、中国風のゆったりした服を着た白髭の老人が、杖をついて雲に乗っているのを想像するのだが、だいぶイメージが違うのが分かると思う。

そして、さらに驚きの事実として、仙道はインドがルーツである。

インドでは修行した仙人は神々をも凌ぐ力を得てしまう。なので、神々は優れた仙人が修行するのを全力で妨害する。修行を止めさせる誘惑材料の中に、不老不死のギフトもあるほどだ!

仙道、奥が深すぎる。

さて、不老不死を得ても、心身ともに壮健でなくては意味がない。もちろん仙道ではそれを目指し、薬学なども充実している。

ジム・ジャームッシュ監督の映画『オンリー・ラ

ヴァーズ・レフト・アライヴ』では、ティルダ・スウィントンが美しきヴァンパイアを演じている。

彼女は長い時の中で、欧州の偉人や芸術家たちと友誼を結び、極めて知的であり、生活も洗練されている。

レジェント級な人々との思い出話に、観ている方もワクワクしてしまう。芸術家の中にはヴァンパイアもおり、時代に応じて名前を変えて存在している者もいる。

そして彼女は人生を深く愛している。いわゆるヴァンパイアの憂鬱のような不死者の無気力病とは縁がない。夫もヴァンパイアで、カルト的人気のあるミュージシャンである。

しかし、この世界では人間の血で伝染する病気が、ヴァンパイアの生存を危うくしている。彼女の親友もそれで弱りきっており、無毒で新鮮な輸血血液を必要としているのだ。不死の長い長い時を、苦痛を抱えながら終わりに向かっていくしかない。

小野不由美の『屍鬼』では、半身不随の老人がその快癒を信じて吸血鬼化するが、その状態のまま永遠の命を得てしまい絶望する。吸血鬼でも健康は大事なのだ！

ちなみに「屍鬼」という言葉は、私がファミコン・ゲーム『女神転生』の悪魔の種族名の中で、初めて用いた言葉であるらしい。

★小野不由美『屍鬼』（新潮文庫）

小野不由美作品の『ゴーストハンター』では、主人公の心霊研究家の名は渋谷一也で、渋谷の坂にあるマンションに心霊探偵事務所を持っている。この作品と同時期に私も渋谷の坂にあるマンションで事務所を開いた。渋谷くんの父も著名な心霊研究家であり、私の父もレジェンドとなったゲームデザイナーだ。何やら不思議な縁を感じてしまう。

その父、鈴木銀一郎が今年一月鬼籍に入った。

数年前ゲーム仲間との飲みの席で転倒し、背中を圧迫骨折してから少しずつ健康を害していった。車椅子生活となり、やがて脳溢血を起こし、半身の麻痺が残った。

入院してからは床ずれで大きな褥瘡ができてしまい、晩年は苦痛との戦いであった。

親族と私は延命治療について対立した。肉体的にも老衰であり、苦痛から解放される道を突きつけられる。私は一時期でも回復して、もう一度本を読んだりオペラを楽しんだりして欲しかった。

不老不死を獲得したはずの仙人たちが、白髪白髭で描かれるのは、己の長生の願いではなく、父や祖父のそれを念じた表れではないだろうかとも思う。

とまれ私も還暦を迎えた。

肉体だけでなく、精神にさえ衰えを感じる。なのに、まだまだやり残したことだらけだ。実現していないアイデアの内圧で、どうにかなりそうである。

魔術師ファウストのようにメフィストフェレスを召喚できたなら、再びの青春の代わりに魂を差し出すだろうか。多分そうするに違いない。

しかし四谷のミカエルと私は不仲である。最期に薔薇の花弁を撒いて救ってくれることは期待できそうもない。

「時よ止まれ、お前は美しい」

ファウストのように、そう叫ぶのには覚悟が必要である。

彼は契約で、その言葉を発したとき人生に満足したとして、魂をメフィストフェレスに差し出すとしたのだ。その言葉を口にしなければ、彼は永遠の時を生き続けられたはずだ。

ゲーテはただ時を長引かせた人生には、価値を見いださなかった。彼にとって最も重要なのは、不老不死などではなく、魂の一瞬の煌めきこそだったのだ。

★F・W・ムルナウ監督の映画「ファウスト」より

〈夢〉の反転
——萩尾望都『ポーの一族』の半世紀

◎文＝宮野由梨香（評論家、人類史研究家）

不死は、人間の〈見果てぬ夢〉の代表格と言っていいだろう。

吸血鬼伝説をもとに描かれた不死の一族の物語……それが萩尾望都『ポーの一族』だ。

主人公の少年エドガーは、普通の人間として生まれながら、不本意に不死族の一員に加えられてしまった。様々な時代や場所に現れるエドガーという存在を軸に、彼にかかわる物語がオムニバス形式で綴られている。

単行本第一巻の初版三万部が三日間で完売して出版社サイドをざわつかせたのは、昭和四十九年（一九七四年）のことだった。単行本は五巻まで出たが、昭和五十二年に雑誌発表されたものを最後に、このシリーズの作品はしばらく描かれなかった。

「四十年ぶり新作」が雑誌に掲載されたのは、平成二十八年（二〇一六年）のことだった。掲載誌は通常の「倍くらいの部数」を刷ったにもかかわらず即日完売してしまい、異例の増刷になったという（註1）。

その後、新作の単行本も三冊発刊され、今も雑誌に断続的な掲載が続いている。

すぐれた作品であることは、約半世紀を経ても変わらない。しかし、そこに描き出された〈夢〉は、みごとに反転していることに気がつく。

○

シリーズの最初の作品「すきとおった銀の髪」（〈別冊少女コミック〉昭和四十七年（一九七二年）三月号）の内容は、次のようなものだった。

不死族のひとりメリーベル（エドガーの妹）に恋した男の視点から、物語は語られる。

男は十四歳の春、「町はずれの古い屋敷」に引っ越してきた美しい少女と出会い、歌を教わる。「すきとおった銀の髪の少女」の「あまりの美しさに神は少女のときをとめました」という歌だ。春が終わる前に少女の一家は去るが、可憐な姿は思い出の中に刻み込まれる。

時は過ぎ、老境にさしかかった男は、かつて恋した少女と瓜二つの少女を見かけて声をかける。メリーベルの娘だろうと思ったのだが、少女は「メリーベルはわたしよ」と名乗る。

★萩尾望都『ポーの一族』〈1〉（小学館フラワーコミックス）

生母のことは何も知らないと言いながら、なぜか男が教わった歌を知っている。

そこに現れた兄エドガーも養父母も、かつての姿のままであることに男は驚愕する。教わった歌詞の通り、美しい少女の時は止まっているのだ。

続いて発表された「ポーの村」（〈別冊少女コミック〉昭和四十七年七月号）では、この作品における吸血鬼「バンパネラ」（註2）の特殊性が明かされる。

彼らは、触れるだけで人間から生気を奪うことができる。少量なら元気を失う程度だが、奪われすぎると人間は死ぬ。しかし、それによってバンパネラの仲間になることはない。

仲間を増やすには、「血を分ける」という意識的な行為が必要である

★萩尾望都「ポーの一族」のシリーズを掲載した「別冊少女コミック」／（上）1972年3月号（下）1972年7月号

が、これと見込んだ人間にしか行われない。バンパネラたち「ポーの一族」は、自分の選んだ相手だけを仲間に引き入れ、秘密を共有し、強い連帯意識を持って暮らしているのだ。

「すきとおった銀の髪」は、男性が読むと「初恋の人がその時のままの姿で生きている」というロマンでもあろうが、女性にとっては、特に一九七〇年代の日本の少女にとっては、これはもっと切実な〈夢〉の投影だった。「バンパネラ」という設定も同じくである。

リアルタイムで掲載誌〈別冊少女コミック〉を読んだ読者は女性が多数だっただろう。その女性たちは次のような状況下に置かれていた。

当時は男女雇用機会均等法というのがなかったから、女性は会社に就職しても、結婚するまでいるというのがふつうの考え方だったんです。

漫画家としてデビューして出版社に行きましたら、「いつ結婚するの」という話が編集さんから出るわけです。「いえ、まだ予定はないんですけど」「1年か2年描いたら結婚するんでしょ?」「でも、漫画家は続けていきたいです」「旦那さんはそんなことを許さないんじゃない?」と、なんだか奇妙な会話になって。

（萩尾望都『萩尾望都　紡ぎつづけるマンガの世界』ビジネス社・二〇二〇年・六〇頁）

萩尾望都が「ルルとミミ」でマンガ家としてデビューしたのは、昭和四十四年（一九六九年）、十九歳の時である。「すきとおった銀の髪」は、その三年後、二十二歳の時に描かれている。

当時、萩尾望都は練馬区大泉のアパートで竹宮惠子と共同生活を営んでいた。それは二年間ほどの期間だったのだが、その間に少女マンガの革新の基礎が築かれたことはよく知られている。

この頃のできごととして、山岸凉子は「萩尾さんらしいエピソード」を次のように語っている。

当時、彼女のアパートは練馬（ねりま）のただっ広いキャベツ畑を突っ切っていかねばなりませんでした。彼女はその日、編集部へ持っていったネームがボツになり、意気消沈して帰ってきたのです。

夕暮れのキャベツ畑をトボトボと歩いていると、なんと！　彼女は後ろから羽交（はが）い絞めにされたのです！　そう暴漢です！　痴漢です!!（そこまで聞いて私は息を飲みましたが）

しかし、彼女の口から出たのは悲鳴ではなく……

「今、それどころじゃないから」の一言！

なんとその痴漢は手を引っ込めてしまい、彼女は何事もなく帰宅したのでした。

いや、彼女の武勇伝や笑い話を話そうというのではありませんよ。――中略――それ程のものが、つまり真剣勝負をしている者のみが持つ迫力があったのは彼女ゆえのエピソードなのだ、と私は言いたいのです。

（山岸凉子「今、それどころじゃないから」／萩尾望都『ルルとミミ』小学館文庫・三六二頁）

★（上）萩尾望都『萩尾望都　紡ぎつづけるマンガの世界』ビジネス社
（下）萩尾望都『ルルとミミ』小学館文庫

このような女性にとって、「いつ結婚するの」「1年か2年描いたら結婚するんでしょ?」という編集者の言葉がどんな意味を持つものだったかは、想像するに余りある。

当時、少女マンガの描き手は少年マンガの描き手よりも原稿料単価も印税も安く設定されていたという（註3）。

学校を卒業したら、数年の「花嫁修業」か「社会勉強」の間に結婚相手を見つける。そうしなくては経済生活が成り立ちにくいように仕組まれている。

常に身体の側に疎外される、性的存在として扱われてしまうことに対する違和感を、萩尾望都は充分に感じながら生きていたのだろう。

女性は結婚して子供を産み育ててこそ存在意義があると、社会全体が伝えてくる。

女性が「生殖」の方面に特化された存在として規定されているような社会で、少女時代というのは「つかの間の猶予期間」である。その期間が過ぎたら、生殖に参加しなくてはならない。

では、なぜ生殖が必要なのだろうか？

それは、人間が不死ではないからだ。年をとって、いずれは死んでしまうからだ。

『ポーの一族』に描かれる不死族バンパネラたちには生殖の必要がない。結婚を強制されることもない。出産も育児もしなくてよい。年をとらないのだから、介護の必要もない。しかし仲間を増やすことはできるのだ。

性的存在として扱われてしまうことに対する違和感をかかえた女性にとって、これがいかに魅力的な〈夢〉であったかは、言うまでもない。

昭和五十年（一九七五年）の作品「はるかな国の花や小鳥」には、エドガーの回想の中で、メリーベルの次の言葉が語られている。

兄さん　わたしたちは　いつまでも子どもでいられるの
だから　いつまでも　はるかな国の花や小鳥の夢をみていて　いいのね
（『ポーの一族⑤』五三頁）

「はるかな国の花や小鳥の夢」とは、少女マンガ的なるものの象徴でもあろう。

★萩尾望都『ポーの一族』〈5〉（小学館フラワーコミックス）

萩尾望都の〈夢〉の根本は、少女マンガを描き続けることにあったのだろう。結婚は、その〈夢〉を邪魔するものとして意識されている。

結婚しないで少女マンガを描き続けること自体が、この時代においては実現困難な〈夢〉だったのだ。

○

『ポーの一族』シリーズが発表され始めてから、半世紀が過ぎ去った。

二十世紀は二十一世紀になり、昭和は平成に、そして令和になった。

二十代だった作者は功成り名遂げて、七十歳を越えてもなお少女マンガを描きつづけている。

★「月刊flowers」2016年7月号

『ポーの一族』の中の〈夢〉の意味するところは、どうなっただろうか？

「四十年ぶり新作」として発表された作品のタイトルは、「春の夢」（〈月刊flowers〉二〇一六年〜一七年）だった。

この作品には、ブランカというユダヤ人の少女が登場する。かつてハンブルグで幸せに暮らしていたブランカは、ナチスの台頭によって家財を没収され両親とも引き裂かれて、親戚の家で不本意な生活を強いられている。

自分の境遇をなかなか明かさなかったブランカは、エドガーがかけたレコードに合わせて、つい歌ってしまう。ミュラーの詩にシューベルトが曲をつけた「冬の旅」の中の一曲「春の夢」だ。

冬に　春の夢を見る私を
窓辺の葉は笑っている
（『ポーの一族　春の夢』二八頁）

歌って涙を流した後、ブランカはエ

ドガーに心を開いて、身の上話をする。そして、「あたし 今の世界中を怒っているの! こんな世界 大っきらい!」と叫ぶ(四〇頁)。

　エドガーは「春の夢」の歌詞を反芻し、「ブランカ きみは ぼくの春の夢だ――」と思う。(四二頁)

　エドガーにとって、今を人間として生きているブランカは、どんなに過酷な環境にあっても「春の夢」の中にいるのだ。

　結局、ブランカは不死者の仲間に加わることになるが、その過程でブランカの黒髪がいっぺんに白髪に変わってしまう。

　戦争が終わって、他の家族たちは再会できても、少女の姿のままの白い髪のブランカは、家族に近づくことさえできない。集う家族たちを遠くから見つめて涙を流すブランカと、「覚えてる? あの頃 春の夢を見ていた――」(一九三頁)という言葉でもって「春の夢」という作品は閉じられている。

　「こんな世界 大っきらい!」と叫んだあの時も、自分が「春の夢」の中にいたことに、ブランカも気がついたのだ。

　思えば、シリーズ第一作のタイトルにもなった「すきとおった銀の髪」とは、もともと限りなく白髪に近いものだ。色素が抜けて、もうこれ以上、変化することがない髪だ。

　ともに「不死者の髪」でありながら、両者には決定的な違いがある。

　「すきとおった銀の髪」は〈夢〉の中にある。

　「白髪」は、〈夢〉から疎外されている。

　〈夢〉という言葉の意味は、五十年間で反転したのだ。

　それは、年齢による作者の変化であると同時に、我々の社会の変化の反映でもあろう。

　結婚や出産に関する意識は、五十年前と同じではない。

　生涯未婚率は上がり、出生数は下がっていった。いまや「結婚する」「子供を持つ」ことが〈見果てぬ夢〉であるような人も珍しくない。

○

　生物学者・丘浅次郎は「不老不死の仙薬の話はいつの世にも絶えぬ」と述べた後、単細胞生物を引き合いにして、次のような指摘をしている。

> この類の生物は。生殖の方法がきわめて簡単で。親の身体が二つに割れて二匹の子となるのであるゆえ、何代経ても死骸というものがない。――中略―― もしも死骸となることを「死ぬ」と名づけるならば、これらの生物はたしかに死なぬものである。――中略―― これは死ぬ生物であるとか、死なぬ生物であるとか論ずるのは畢竟(ひっきょう) 言葉のたわむれで、その原因は人間の言葉の不十分なことに存する。
> (『丘浅次郎著作集VI 生物学講話』有精堂・十一頁)

　彼の言わんとするところは、つまり「死ぬ」「死なぬ」は言葉の定義の問題だということだ。

　子孫をなすことによって、生物は若い姿でよみがえる。生殖を「不老不死」のシステムと捉えるならば、すべての生物が「死なぬ生物」と言えるのではないかという指摘である。

　『生物学講話』は、生物学の名著とされるものである。一九一五年(大正四年)に刊行され、当時の日本人によく読まれた。

　百年以上が経過しても、この指摘は説得力を失っていない。

　この考え方を採用するならば、生殖する者こそが「不死」なのだ。

　子供を産み育てることによって、自分の生命が未来へと受け継がれていくことを期待する。かつては当たり前のように考えられていたそれが、実は「不死の夢」だった。

　今や、それは「春の夢」である。

　そのような世界に、我々は今、生きている。


(註1)(萩尾望都『萩尾望都 紡ぎつづけるマンガの世界』ビジネス社・二〇二〇年・一五三頁)

(註2)パンパネラという用語については、「エトルリアあたりの方言だって聞いたが そうか?」と問われたエドガーが「さあ…? 滅びた国の滅びた言葉だろうね」と応じるシーンがある。(フラワーコミックススペシャル『ポーの一族 春の夢』(小学館・二〇一七年・六五頁)

(註3)竹宮惠子『少年の名はジルベール』(小学館・二〇一六年)七三頁の記述による。

◎文＝藤元登四郎（精神科医）

ヴァンパイアと浦島太郎にみる不老不死と無意識
――精神医学の知見から

精神医学で不老不死を考察する

　生命は生きる喜びを与える。その生命が失われる死は恐怖である。それを紛らわすために、古来不老不死は見果てぬ夢として語り継がれ、多くの物語がある。私の専門である精神医学の見地から、ここではヴァンパイア伝説と浦島太郎のおとぎ話を分析してみよう。一般読者に理解していただくため、専門用語の使用はできるだけ避けた。

　ブラム・ストーカーの『ドラキュラ』（一八九七）は不老不死のヴァンパイア伝説の集大成として高い人気を保っている（平井呈一訳『吸血鬼ドラキュラ』創元推理文庫、二〇一四）。現在もなおドラキュラは世界的に人気があり、続々とヴァンパイアの小説や映画が発表されている。

　また浦島太郎は日本人なら知らない者はない。浦島は竜宮城に三年しかいないのに、地上では七〇〇年経っていた。仮に浦島が竜宮城で五〇年過ごしたとしたら、地上では一万二千年近く経ったことになる。このことから考えると、竜宮城は不老不死の城と解釈しても無理はないだろう。

★ジャン マリニー『吸血鬼伝説』（創元社）

★ブラム・ストーカー『吸血鬼ドラキュラ』（創元推理文庫）

ヴァンパイア――血液信仰

　ジャン・マリニーによれば、古代ギリシア人は冥界と血の間に神秘的な関係があり、血は人間の活力を象徴していると考えた（池上俊一監修『吸血鬼伝説』創元社、二〇〇〇年）。ギリシア神話では生贄の血を若返りの秘薬にした。

　生き血の中に生命を与える超自然的力が含まれているということは、根強い信仰のようになって人々の心に生き続けた。中世キリスト教の世界では血は悪魔学によって力を与えられた。ヴァンパイア信仰の起源はここにあると言われている。

　十一世紀には、呪術師や医者は万病克服のために、若い娘のけがれない血を飲むことを勧めた。キリスト教では、救済の対象から外された霊魂はこの世にもあの世にも属せず迷える魂となった。幽霊は肉体のない霊魂であるが、ヴァンパイアはよみがえった死者である。

　十四世紀になると、ペストの大流行がヴァンパイア信仰を促した。ペスト患者は死んだと思われると、確かめもしないで埋葬された。数日たって墓を掘り返すと、死体は完全に元のままだが血にまみれている。人々は死者がヴァンパイアになったと考えた。

ヴァンパイアの不老不死――想像的生命――にんにく

ヴァンパイアは生き血を飲んで不老不死となる。この場合、生命は生き血の中にあるという想像に基づいている。これは生き血の中には生命素があるということを意味している。そうすると、身体は生命素が入れば命を得て生きることができるという想像が続く。死者の身体は生き血を与えてやれば、生命素によって再び生命を取り戻すことになる。続いて、身体の中に入った生命素は消費されて枯渇するという幻想を呼び起こす。だとすれば、ヴァンパイアは食事をするように、新しい生き血を必要とする。こうしてヴァンパイアは餌食となる人間を求めてさ迷うという幻想へとつながっていく。ヴァンパイアは人を殺し生命素を得ることを欲望する極限のサディストなのである。

ヴァンパイアに生き血を吸われた犠牲者は生命素を吸い取られた結果死ぬ。だが犠牲者もヴァンパイアと同様に生き血をのめば、身体は再び生命素を得ることができる。こうしてヴァンパイアは仲間も増やしていく。

★女性を襲うアイルランドの吸血鬼
（1885年にロンドンのパンチ誌に掲載された風刺画）

★発掘された吸血鬼の骨を燃やす町民
（1864年のリトグラフ）

これら幻想は、想像的生命、つまり生命は生き血の中にあるという想像に基づいて、想像の連鎖によって展開されたのである。ところが振り返ってみると、原点となる想像的生命は何らの科学的根拠もない。要するに、ヴァンパイアは出発点となる実体のない想像的生命に基づいて、そこから生まれる幻想の連鎖によって作られた幻想的存在である。

ヴァンパイアは永遠に墓場をさ迷う。未来永劫にそんな生活が続けば飽きてしまう。そこで美男美女に変身し、次々と餌食を求めて狩人のように活動することになる。

ところで伝説によると、ヴァンパイアはニンニクを避ける。その理由はニンニクがヴァンパイアの悪臭を打ち消すからである。ヴァンパイアのイメージは血や死臭に包まれているが、それはヴァンパイアを現実の存在として実感させるのである。この世に存在するとは臭いを持つことなのである。ニンニクによって悪臭が消えると、ヴァンパイアの存在は希薄になる。

ヴァンパイアはなぜ人気があるのか——フェティシズム

生きている人間にも死体性愛者がいる。精神医学では死体性愛者はサディストとされる。死体を眺める、接吻する、添い寝するなどのフェティシズム的行為から、血液や肉片の摂取、性交、損壊などを行う。

なおフェティシズムとは下着、装身具などの物品や性器以外の身体部分に性的愛着を感ずることである。一般に、フェティッシュは女性の体臭の染みついた下着や靴などのモノ、あるいは足や髪など臭いの強い部分に性的興奮やオーガズムを感ずる。

特に糞便的な臭気はフェティッシュの起源にあると考えられている（ポール＝ロラン・アスン著、西尾彰泰、守谷てるみ訳『フェティシズム』白水社、二〇〇八）。この臭気はまず不快なものとして避けられて断念され、次にフェティシズムの対象にまで高められる。快感を覚える力は、悪臭を感じたくないという抑圧的行動を通じて身につくのである。性器の臭いはオーガズムを与える大きな力となるだろう。

この精神分析の理論は生理学的に証明されてはいない。しかし嗅覚系は直接的間接的に内蔵機能（たとえば異性のいる位置や異性の認知）に密接に結びついている。人間の場合、鋤鼻器（じょびき）と呼ばれるフェロモン様物質を受容する器官は退化して、フェロモンでコミュニケーションすることはない。しかし人の男性の脇からも女性が好むにおい成分を発しているとも言われている。それがフェロモンかどうかはまだ不明であるにしても、女性にもてる男性はある種の匂いを発しているかもしれない。

現代社会は、かつては至るところで感じられた悪臭がほとんどなくなってしまった。水洗トイレやビルの換気装置、消臭薬、空気浄化装置などが普及したためである。しかし人間は贅沢なもので、このような臭気の消えたところにいると居心地の悪さを感ずることがある。その理由は生きている証拠である身体の臭いが消され、自分がここにいるという実感が揺らぐからである。

人間は無意識に生命の証である臭気を求めている。その意味で本能的、無意識にヴァンパイアの臭気に惹きつけられると言えるだろう。

★市古貞次校注『御伽草子』（岩波文庫）

老いと死を受容する——浦島太郎

現在伝わっている「浦島太郎」は、室町時代に成立した『御伽草子』（市古貞次校注『御伽草子』岩波文庫、二〇一八）に基づいて様々なバージョンがある。私には忘れられない思い出がある。母親から浦島太郎の話を聞かされた時に訊ねた。

「浦島太郎は亀を助けたご褒美に竜宮城に連れて行ってもらったんだね」

「そう、亀ばかりではなくて、みだりに生き物の命をとっちゃいけないよ」

「乙姫様と楽しい毎日を送れたのに、なぜ浦島太郎は竜宮城から帰ったのかなあ」

母は答えた。

「毎日おいしいものばかり食べて、何もしないで楽しく暮らしていると飽きちゃうのよ。それに故郷のお父さんとお母さんにも会いたくなったんだろうね」

「そうだね。友達とも会いたいし。だけどたった三年しか竜宮城にいなかったのに、帰ってみたら、みんな死んでいなかった。七〇〇年もたっていたなんて不思議だなあ」

「浦島の歳は、乙姫様にもらった玉手箱の中に封じ込められていたの。開けた途端に歳は三すじの紫の雲に変わって消えちゃった」
「誰もいないところに住んだってつまらないなあ」
「そう、寂しいしね。人は一人では生きていけない。それに七百歳だし。仕方がないから、鶴になって蓬莱山に飛んで行ってしまったのよ」
「どこにあるんだろう」
「たぶん、死んでから行くとこじゃないの」

不老不死の竜宮城に住んで、歓楽にふけるだけの生活は同じことの繰り返しである。人間は繰り返しの続く生活は退屈で耐えられない。さらに自分だけが長生きしても、故郷の人々が死んだら孤独になり寂しくて生きていられない。孤独と退屈は不老不死において、死に匹敵する恐怖となる。「浦島太郎」には不老不死が空しく、人間の行くところは死しかないという教訓がある。

情報化社会における不老不死の幻想

現在は浦島の時代に比べて、平均寿命が長くなり時間感覚も異なってきている。服飾や装身具、住まいや家具、自動車など豊富なモノに囲まれている。加えて巧妙な宣伝でモノはバラ色の幻想で人間を包む。

また情報化社会となり刻々と新しい情報が伝えられ、SNSなどを通して我を忘れて時を過ごすことができる。情報もまたモノの一種である。孤独な生活をする人が増えてきて、人と人の実際の触れ合いは乏しくなっているが、その孤独を情報というモノが埋めている。そのおかげで知り合いを失う恐怖と不安は昔ほどではなくなってきた。

こうしてみると現代人はモノを愛するフェティッシュの世界に取り込まれつつある。長生きするための食事や運動など日常生活の仕方が提唱されている。医学的にも、体内に蓄積したエイジング細胞を選択的に死滅させる薬剤の開発や、遺伝子レベルで細胞の老化を遅らせる研究が行われている。長生きをする薬も開発されるだろうし、果てはアンドロイド化して不死になる可能性まで論じられている。

かくして浦島太郎の影は薄くなり、不老不死のヴァンパイアが無意識のうちに勢いを増すことになったというわけだ。

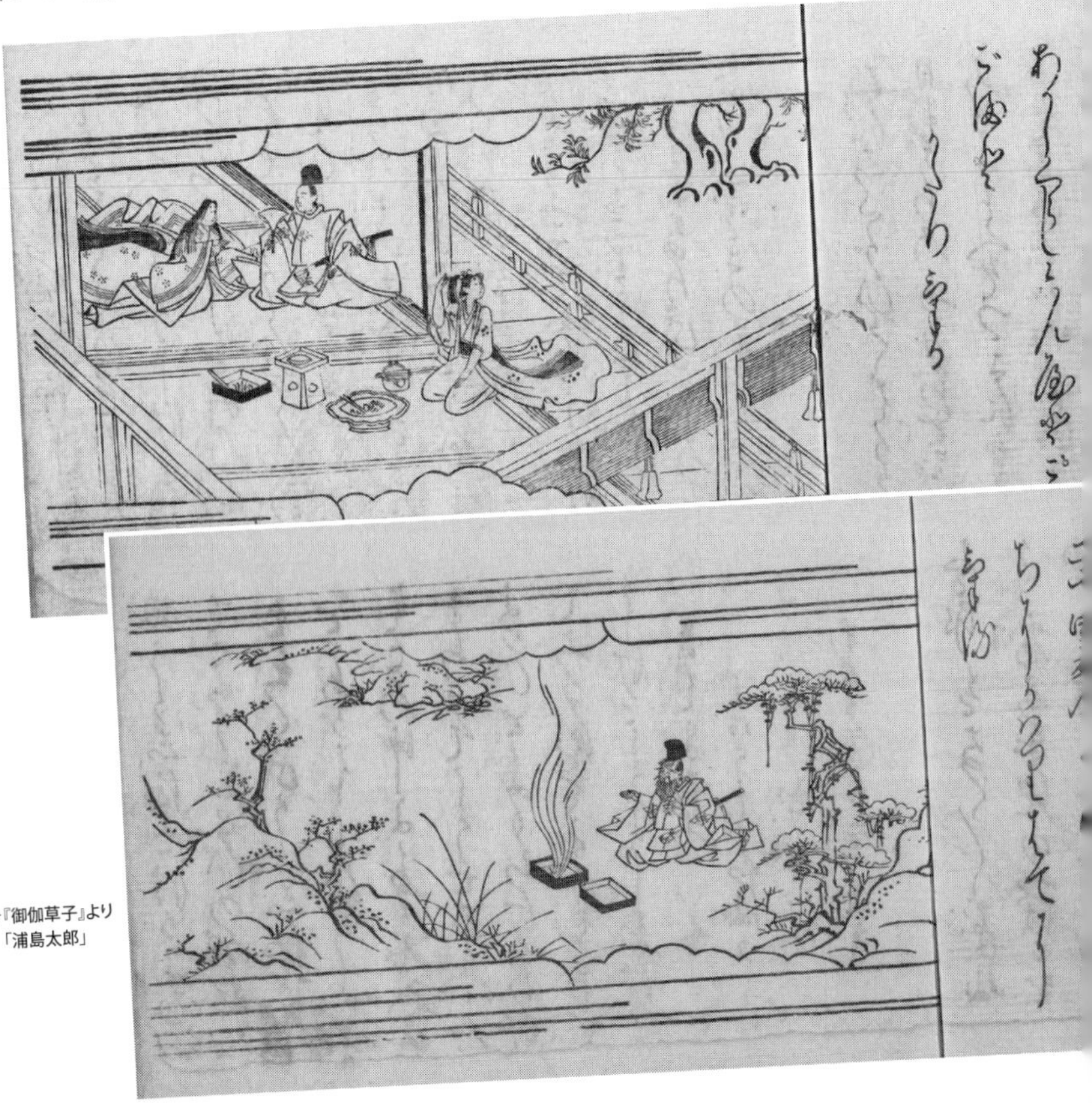

★『御伽草子』より
「浦島太郎」

◉文＝浦野玲子（ライター）

お笑いヴァンパイア伝説

――不死の憂いを笑い飛ばす「吸血鬼」「木乃伊の恋」「ミッドサマー」

ヴァンパイアたちの舞踏会

生来ちゃらんぽらんな性格のせいか、不死者の憂鬱なんていわれると、つい茶化したくなる。吸血鬼やフランケンシュタイン、ゾンビなど、さまざまな「アンデッド」または「リビングデッド」のパロディ映画やマンガが次から次へと浮かんできて、ひとりでニヤニヤしてしまう。

ついには、ベルナルド・ベルトルッチ監督の映画『分身』のピエール・クレマンティよろしく、元祖・吸血鬼映画といわれるF・W・ムルナウの『ノスフェラトゥ』の腕をかかげるポーズを真似してひとり悦にいったりしている（年甲斐もなく体が勝手に動き出す。もしかしてビョーキ?;）。

さて、数多ある吸血鬼のパロディ映画のなかで屈指の作品は1967年に公開されたロマン・ポランスキー監督の『吸血鬼』（原題：フィアレス・ヴァンパイア・キラーズ＝恐れ知らずのヴァンパイアキラー）ではないだろうか。

本作は、映画が始まる前からサービス精神たっぷり。MGM映画のオープニングを飾る有名なライオンが咆哮する映像。そこに悪魔キャラのアニメがサブリミナル的に挿入されるのだ。

あらすじは、吸血鬼退治に人生を捧げる偏屈な老教授とその助手（ポランスキーが演じている）の珍騒動。お約束通りトランシルバニア地方が舞台で、厳寒の雪道を馬車でやってきた教授は凍死寸前。鼻水さえもつらら状になっている。小さな宿屋をみつけ、教授と助手はようやく生気を取り戻すが、宿屋のまわりはニンニクの束がわんさと吊るしてあるし、シャガールという名の宿の主人も胡散臭いし、怪しいせむし男（実は吸血鬼のパシリ）はうろつくし…。

そんな折、寄宿女学校から帰省中の宿の娘が入浴するのを盗み見した助手は、娘に一目ぼれ。ところが、その入浴中の娘を吸血鬼がさらっていく。天井から木桶のようなバスタブに雪がひらひらと落ちてきて、吸血鬼の登場を予感させるシーンは美しくも妖気漂う。ちょっと頭のとろそうな宿屋の娘を、ポランスキーの妻、シャロン・テートが演じているのは有名な話。

吸血鬼の正体はクロロック伯爵という地元の名門貴族。教授と助手は彼が住む古城に乗り込み、チャップリンやドリフターズのコントもかくや、というドジで間抜けな騒動が巻き起こる。

たとえば、伯爵のイケメン息子はゲイという設定。小柄で童顔の助手に迫り、牙をむく。だが、とっさに助手は聖書をその牙の間に差し込み、難を逃れる。

また、棺で就寝中（仮死状態?;）の吸血鬼を見つけた助手が、杭を打ちこもうとするも、自分の手に打ち付けたり、杭の向きが逆だったりと、ここでのギャグがさく裂する。

わたしが気にいっているのは、いつ

★ロマン・ポランスキー監督『吸血鬼』

の間にか血を吸われ、吸血鬼になってしまった宿屋のオヤジのひとこと。吸血鬼退治の必須アイテム十字架をオヤジに突き付けるも、ふてぶてしく手を振り、「そんなもんオレには効かんのよ」。

なぜなら、シャガールの名からわかるように、彼はユダヤ人だから（ポランスキーもユダヤ系ポーランド人）。皮肉が効いているではないか。

また、救出もむなしく、すでに吸血鬼と化していた宿屋の娘が、最後に助手に襲い掛かる。そのときのシャロン・テートのグワッと牙をむく形相は、さながらエイリアンかジョーズのよう。あるいは、ヴァギナ・デンタータへの潜在的恐怖を表現したのかもしれない。

ポランスキーは、実生活では13歳の少女に性的淫行をしたとして有罪。釈放後アメリカを追放されている。

彼の性癖の要因は、いわゆる「シャロン・テート事件」で妊娠8か月の妻を惨殺されたこともいわれる。その後に作った『テス』の主人公を演じた美少女ナスターシャ・キンスキーとも、彼女が15歳のころから性的関係にあったといわれる。『テス』は、『吸血鬼』とはうってかわって、悲運の美少女の生涯を描く、はかなくも美しい作品だったけれど。

ポランスキーの『吸血鬼』は、のちに『ダンス・オブ・ヴァンパイア』としてミュージカル化もされた。クロロック伯爵の古城で催されたヴァンパイア（というよりゾンビ？）の舞踏会が印象深かったからではないかと思う。

★ロマン・ポランスキー監督『吸血鬼』

舞踏会のシーンでは、吸血されたリビングデッド、またはアンデッドたちが続々と墓場の棺からよみがえる。そして打ち捨てられたひな人形よろしく首や腕がひん曲がった、古色蒼然、黴臭そうなぼろドレス姿でぎくしゃくとぎこちなく踊り始める。

後にマイケル・ジャクソンの『スリラー』のPV（ジョン・ランディス監督）を見たとき、デジャヴュを感じた。マイケルのゾンビダンスは、『吸血鬼』の舞踏会がヒントになっているのではないだろうか。

吸血鬼のバージンブルース

1974年の『処女の生血』（ポール・モリセイ監督）も、ポランスキーの『吸血鬼』に触発された作品かもしれない。これは、ポップアートの巨匠、アンディ・ウォーホール監修。本作の特徴は、ドラキュラの生命の糧は処女の生血限定というもの。

舞台は20世紀初頭。その時代でも、もはや処女なんて絶滅危惧種。だが、イタリアの片田舎なら、フレッシュな処女も残っているに違いないと、忠実な執事と一緒にサバイバルの旅に出る。その旅路の果て、人影もまばらな片田舎で出会う〝第一〟村人を、なんとポランスキー監督が演じているのだ（笑）。

★ポール・モリセイ監督『処女の生血』

この村人に教えてもらった名門貴族の館へGO TO EAT！ そこには、美味しそうな4人の美人姉妹がいた。これでなんとか延命できると思ったドラキュラ。だが、残念なことに色気づいた二人の娘は超絶倫なイケメン下男と夜な夜なご乱交。とっくに処女ではなかったのだ。

このイケメン下男を演じているのが、当時ゲイ・コミュニティのセックス・シンボルだったというジョー・ダレッサンドロ。彼は、ポール・モリセイの悪趣味ホラー・コメディ第一弾『悪魔のはらわた』では、マッド・サイエンティスト、フランケンシュタイン博士が作り上げたセクシー人造人間を演じている。

『処女の生血』では、田舎の貧乏貴族の両親は、財産目当てに二人の娘を処女と偽り、ドラキュラに差し出す。ところが悪事は露呈。非処女の血を吸ったドラキュラは、ノロウイルスやアナフィラキシー・ショックの症状さながら、激しく嘔吐する。この苦しみ方が凄絶、悶絶！

その様子を目撃し、ドラキュラの正体を見破ったイケメン下男。姉妹の末娘の処女も強引に奪い、ドラキュラの餌食になるのを防ぐ。これは、新型コロナウイルスのワクチン接種というか、ドラキュラ化を防ぐ免疫力をつけたのだろう。

皮肉なのは、4人姉妹のハイミスの生真面目な長女だけがほんものの処女だったということ。墓がたっているとか抹香臭いとか思わず、最初から長女の血を吸っていればドラキュラも延命できたかもしれない。

★ポール・モリセイ監督『処女の生血』

まあ、いまどき「処女」でなければ価値がないみたいな女性観の映画を作ったら、大炎上してしまい、#MeToo 的運動の標的になってしまうだろう。

本作のキャスティングもふるっている。村人のポランスキーはもとより、貧乏貴族の父親役は、イタリアの名匠、ビットリオ・デ・シーカ。ウド・キアはこの映画の影響がよほど強かったのか、いまも怪優として活躍している。この人が出ると、なにかアブナイものを感じてしまう。デンマークの鬼才、ラース・フォン・トリアーの『メランコリア』でも得体のしれないオジサン感を醸し出していた。

ジョニー・デップ主演、ティム・バートン監督の『ダーク・シャドウ』もナンセンス・ギャグ満載。こちらの舞台は1972年のアメリカ。200年前に魔女の呪いでヴァンパイア化された主人公、バーナバス・コリンズが現代によみがえり、自身の末裔たちの危機に立ち向かうというもの。『ダーク・シャドウ』の元ネタは1960～70年代の人気テレビ番組で、幼いジョニー・デップが夢中になったという。

日光を恐れるバーナバスが、マイケル・ジャクソンを彷彿とさせる黒いコウモリ傘をさして出歩く姿、永遠の若さを願い、自らヴァンパイア化を望むアル中の女医ホフマン博士が輸血と称してバーナバスと自分の血を交換するエピソードなど、お笑いがてんこ盛りだ。

若かりし頃のトム・クルーズとブラッド・ピットという2大イケメンがドラキュラ役の『インタビュー・ウイズ・ヴァンパイア』（ニール・ジョーダン監督）もあった。

これは、アメリカの作家アン・ライスの『夜明けのヴァンパイア』が原作。日本の少女マンガファンの間で昔から話題になっているらしいが、萩尾望都の『ポーの一族』にそっくり。

『ポーの一族』はエドガーとアランという少年と、メリーベルというエドガーの妹が物語の軸。メリーベルはやがて消滅してしまうのだが、『インタビュー・ウィズ・ヴァンパイア』は、12歳のキルスティン・ダンスト演ずる

★ティム・バートン監督『ダーク・シャドウ』

★ニール・ジョーダン監督『インタビュー・ウイズ・ヴァンパイア』

妹が物語の火付け役。精神的には大人になっていくのに、体は子どものままという矛盾に耐えきれず、元は普通の人間だったルイ（ブラッド・ピット）と結託して、生来の吸血鬼レタスト（トム・クルーズ）を滅ぼそうとする悲劇。うがった見方をすれば、思春期特有の「生まれ出る悩み」やネオテニー（幼形成熟）を描いたのかもしれない。

『処女の生血』のドラキュラにも病身の妹がいるという設定。唯一の肉親だったが、血が足りなかったのか消滅してしまう。その妹の死をきっかけに、処女を求めて旅立つことを決意したのだった。

業が深くて死にきれない愛欲の罠

ところで、日本に吸血鬼は存在するのだろうか。何十年も前に読んだなにかの記事では、吸血鬼の伝承は「ツツガムシ」が原因とあった。ツツガムシはダニの一種で、これに刺されると、ちょうど吸血鬼の牙に咬みつかれたような穴が開く。症状は発熱や発疹、倦怠感、重症だと死に至ることもあるという。

「恙（つつが）なく」という言葉があるが、これはツツガムシに刺されないように気をつけて、あるいはツツガムシの被害を受けず無事……というような意味という。

だが、ツツガムシ病は日本や東南アジアなどで発生しやすい一種の風土病らしい。やっぱり、ヨーロッパの吸血鬼とは、本質的に違うようだ。

こんな日本の風土でも西欧風ヴァンパイア映画が作られた。たとえば、大林宣彦の『伝説の午後　いつか見たドラキュラ』や、怪優、岸田森が吸血鬼役の『血を吸う薔薇』などのシリーズ。

いずれも、ロジェ・バディムの耽美的映画『血とバラ』に影響を受けたものだろう。さらにいえば、『ポーの一族』も、それに先立つ石ノ森章太郎の『きりと　ばらと　ほしと』というマンガも『血とバラ』に影響を受けているだろう。澁澤龍彦や種村季弘などの筋金入りは言うまでもない。

★大林宣彦監督『伝説の午後 いつか見たドラキュラ』VHS

新東宝という映画会社などは1950年代から60年代初頭、エログロ路線の一環として、吸血鬼をはじめ魑魅魍魎が跋扈するキワモノ＆ゲテモノ映画を量産していた。

たとえば、『東海道四谷怪談』の中川信夫監督、天知茂の名コンビによる『女吸血鬼』。本作では、天知茂が元祖ドラキュラ俳優、ベラ・ルゴシばりのマントに身を包み、美しい処女に牙をむく。

処女の生血をそそいで名刀を鍛える『九十九本目の生娘』なる珍品もあった（これは未見）。

そんな新東宝はもとより、日本の映画界はテレビの普及後、急速に凋落していった。そのころ、あまりにアヴァンギャルドな映画ばかり作るので日活という映画会社から干された鈴木清順がテレビ界で仕事をしていた。

その時の作品に『木乃伊の恋』がある。これは、『恐怖劇場アンバランス』という怪奇シリーズの中の一編。円地文子の『二世の縁　拾遺』という短編小説が原作だ。

あらすじは、病床で細々と研究を続ける老教授とその助手を務める戦争未亡人（完全な死語）が体験する怪異譚。『雨月物語』で有名な上田秋成の晩年の作といわれる『春雨物語』の中の『二世の縁』という物語との入れ子構造になっている。

『二世の縁』の主人公は、食を絶って座禅を続け、生きながら仏になる「入定」をとげたと思しき高僧。そのミイラ化した体が偶然に発見され、掘り出される。身体は乾鮭のように干からびているが、鉦を打ち続けているところをみると、まだ生きているらしい。そこで、水で少しずつ口をしめらせると、乾物の水戻しのようにしだいに身体がふっくらとして、ついには動き出すようになる。

だが、かつては高僧だったはずが、その記憶はなく痴愚のような言動をするばかり。まさに生ける屍。「ボーッと生きている」ばかりだ。

しかたがないので、「入定の定助」と

★鈴木清順監督『木乃伊の恋』
／左は同作を収録した『恐怖劇場アンバランス vol.1』

名付け、下働きのようなことをさせているうち、夜ごと村の後家（やや愚鈍）の家にいりびたるようになった。生前の愛欲は入定してもなお抜けきれないのか、人間というものは業が深いものだなあ……というようなオチ。

そんな身もふたもない江戸文学を、まだほのぐらい情欲の炎が燃え残る若い未亡人が老教授の口述筆記を務めるうち、あらぬ幻想に取りつかれる。

円地文子の原作では、冷たい雨のそぼ降る暗い夜道で不意に見知らぬ男に抱きつかれ、長い接吻を交わす。そのとき、女の舌に男の「尖った犬歯」がふれる。それはまぎれもない夫の歯であると女は思う。

この「犬歯」というのが引っかかった。ドラキュラの鋭い牙って、つまるところ犬歯が異常に発達したものだろう。円地文子はここで西洋の吸血鬼伝説をも援用したのか…と深読みしてしまった。女は吸血鬼の餌食になることを願望している？

さて、亡夫との愛欲の記憶に溺れそうになるも、女はふと老教授の部屋に染みついた臭いを思い出す。自分では排泄の始末もできず、死臭さえ漂いそうな老教授。そのミイラのように痩せさらばえた男に抱きつかれているのではないか？と恐怖を感じ、我に返る。そして叫ぶ。「定助！定助だ！　これは……」

『木乃伊の恋』の入定の定助は、『毛の生えた拳銃』や『荒野のダッチワイフ』、『愛欲の罠』などで知られる監督・脚本家の大和屋竺が演じた。それなりにコミカルで生臭感が出ていた。

死と再生の秘儀ミッドサマー

吸血鬼や不老不死というテーマからは外れるが、『ミッドサマー』（アリ・アスター監督）という映画も興味深い。端的に言えば、「死と再生」をテーマにした作品だろう。

★アリ・アスター監督『ミッドサマー』

暑さ寒さも彼岸までというが、洋の東西を問わず（極地や赤道直下をのぞいて）、太陽の位置によって人々は季節の移ろいを意識してきた。冬は実りのない不毛な死の季節、春はものみな生の活動を再開する季節。そのまっさかりの夏至＝ミッドサマーは、死と再生をつかさどる宗教的儀式がとりおこなわれてきたのだろう。大学時代に習ったフレーザーの『金枝篇』を思い出した。

本作の舞台はスウェーデンだが、かの国をはじめ北欧では、ミッドサマーは性的欲求が盛んになる日と言い伝えられているという。

そういえば、『令嬢ジュリー』（ストリンドベリ原作）という映画も夏至祭が舞台。貴族の館でもこの日ばかりは無礼講。召使たちは乱交パーティのような狂宴を繰広げている。貴族の誇り高い令嬢ジュリーも、つい気が緩み、セクシーな下男と関係を持ち、身を滅ぼしてしまうという物語だ。

『ミッドサマー』に戻ろう。恋愛や家族の問題など青春の悩みをかかえたり、学問的野心に燃えたアメリカの大学生たちが、バカンスとフィールドワークを兼ねて、善良そうなスウェーデン人留学生の誘いを受け、かの国の風光明媚な森の奥に出かける。彼らを待ち受けるのは、古代から続く神秘的な風習を頑なに守って生きる原始的コミュニティ。

目もくらむような夏至の太陽が降り注ぎ、あまねく光に包まれた楽園のような地で、異邦人の学生たちは白日夢のような摩訶不思議な体験をする。たぶん、彼らは大麻かマジックマッシュルームか、なにかしら幻覚剤の入った食物を与えられているのだろう。

はじめこそ、古代宗教のような牧歌的な祝宴が行われるが、ある秘儀をきっかけに、学生たちは生死にかかわるとんでもない事態に巻き込まれてしまう。

その秘儀とは、選ばれた男女ふたりの老人が太陽神か古代神か、そのコミュニティが崇め奉る神への捧げもの、供犠、人身御供となること。

その白髪白髭の老人を、なんとル

キノ・ビスコンティ監督の不朽の名作『ベニスに死す』の美少年、ビョルン・アンデレセンが演じているのだ。

『ベニスに死す』は、いまから半世紀以上の前の作品。当時「世界一の美少年」といわれたビョルン・アンデレセンだが、その面影は片鱗もない。

50年以上たっているのだから、世界一の美少年も老境にさしかかっているとはわかっていた。彼の中年期の画像もネットで見ることができた。ドラッグでやられてしまったような、貧相で情けない顔(失礼なたとえだが、日本でいえば堺正章のようなサル顔)を見て愕然としたものだ。

それがさらに進んで、もはや北欧の仙人のような風貌。これはこれで枯れた老人になってよかった…とも思うが、『ミッドサマー』の儀式では、断崖から身を投げる。そこに追い打ちをかけるように、あの美貌を誇った顔をめがけて儀式の神官が岩石を落とし、ぐちゃぐちゃに粉砕される!

映画では、この凄惨な儀式がきっかけで大学生たちはパニックに陥る。彼らは古代から続く死と再生の儀式の新たな生贄として、あるいは近親交配を避けるための「新しい血」や種付け馬、女王蜂(蟻)としてリクルートされたのだ。

その後の成り行きは、ホラー映画によくあるパターンでさほど新味がないので割愛する。わたしが驚いたのは、映画の内容より、ビョルン・アンデレセンの変貌ぶりだ。

『ベニスに死す』では陶器のようになめらかな肌、謎めいた視線、金色の巻き毛……。映画のラストで薄暮のベニスの海の浜辺で、沈んでいく夕陽のなかに佇む姿はギリシア彫刻のよう。この世ならぬ神々しい美しさを湛えていた。その輝くばかりの姿に陶酔し、いままさに死にゆく老作曲家、アッシェンバッハの性的絶頂、エロスとタナトスが交錯する刹那を感じさせるものだった。

よく解釈すれば、ビスコンティはフィルムのなかに15歳のビョルン・アンデレセンの輝くばかりの美貌をとどめてくれた。それは、まさに永遠不滅だ(画像データが残る限り)。

現実のビョルン・アンデレセンはどんどん老いていくのに、その一瞬の輝き=永遠の生とひきかえに実人生を破滅に導いたかのようだ。

『ベニスに死す』出演後、さほど才能もない彼は、ガルシア・マルケスの小説『エレンディラ』を地でいくような強欲な祖母の金づるとして、ヨーロッパのゲイ・コミュニティの愛玩具のような生活を送り、その若さと美貌の衰えとともに荒んでいったという。

そんな彼は、まさに「映画の中での不死者」の憂鬱を生きながらえたといえるのではないだろうか。その挙句、自分を罰するかのように、『ミッドサマー』で顔面をぶち割られる老人役を引き受けたのではないだろうか?

吸血鬼にまつわる駄文を長々と連ねてきたが、最後に紹介したいのは1966年の『吸血ゾンビ』(ジョン・ギリング監督)という映画。ハマー・プロという吸血鬼やフランケンシュタインや各種B級ホラー映画を量産し続けた会社の作品だ。

『吸血ゾンビ』のあらすじは、イギリスの片田舎の大地主が、ブードゥの呪術を利用してよみがえらせた死者=ゾンビを所有する鉱山でこき使うというもの。ゾンビだから給料を払う必要がない(ただし、死者は増えるばかり)。落語の『化け物使い』にも通じるおバカなストーリーだ。

だが、TBSの『クレージージャーニー』でおなじみだった丸山ゴンザレス氏が語るエピソードに愕然とした。それは、たしかアフリカの違法鉱山で働く人々の姿。彼らは最底辺の過酷な労働と麻薬でヘロヘロ。わずかな収入を得ては麻薬を入手し、つかの間の快楽に溺れることで日々をやりすごしているのだという。『吸血ゾンビ』なんて屁でもない。

彼らの夢、過酷な生活から脱出する近道は、麻薬のオーバードーズによる死という。彼らこそリアル・ゾンビ、生ける屍ではないか。そう、いつの時代も現実は小説より奇々怪々なのだ。

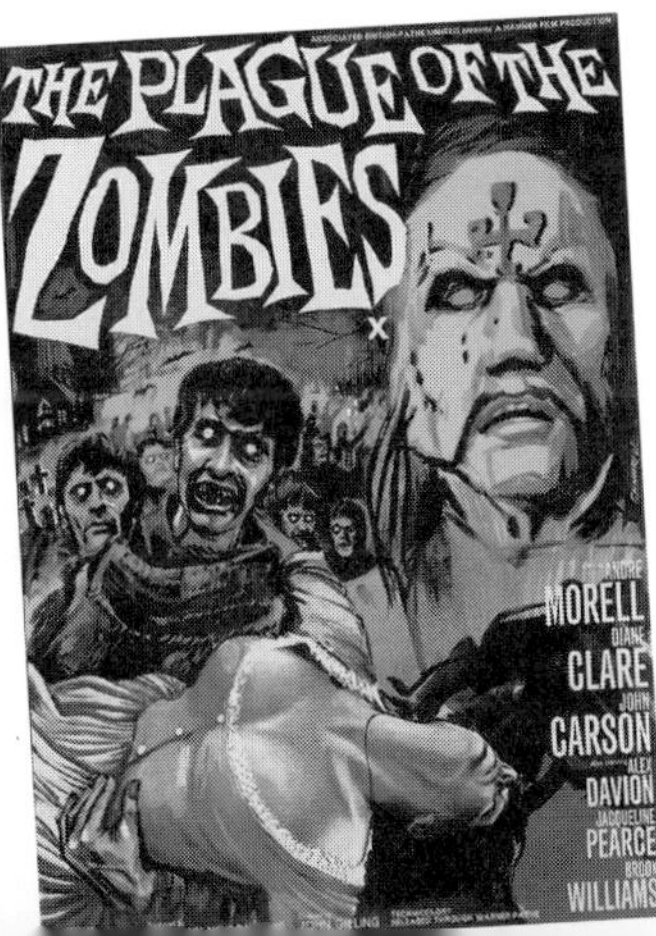

★ジョン・ギリング監督『吸血ゾンビ』

M is for Music as for Mortal
音楽のオは、終わりのオ？
——欧州音楽における、不老不死の居心地の悪さについて

●文＝白沢達生（翻訳家・音楽ライター）

始めがあれば終わりもある。現世における物事の多くがそうでありながら、それをことのほか強く認識させられるのが、音楽だ。

音楽は時間芸術で、必ず終わる。その限界に挑むべく、かつてリヒャルト・ワーグナーは無限旋律と呼ばれる作法を編み出し、作中で楽章・楽曲が途切れることなしに演奏を続けられる音楽スタイルを確立、四夜に分けて上演される『ニーベルングの指環』など長大な楽劇で人々を驚かせた。十九世紀末にはフランスの編人作曲家サティが「ヴェクサシオン」というピアノ曲で八四〇回もの繰り返しを要求。続く世紀にはジョン・ケージが「可能な限り遅く」と銘打った作品を発表したが、一説によればケージ自身の企図どおりにこれを弾くと演奏時間は六三九年に渡るという。二〇〇〇年にはジム・ファイナーの「ロングプレイヤー」なる楽曲の演奏が開始されたが、これは予定演奏時間が一〇〇〇年かかるとのことで、演奏者が交代を続けながらのプロジェクトが継続している……しかし、これら全ての作例は「演奏が終わる」ということを先延ばしにしているにすぎず、楽曲の終わりという不可避の事態を根本的に解決できているわけではない。

★サティ「ヴェクサシオン」。右上に「840回続けて」と書いてある。

現代では録音再生技術が社会一般に広く普及し、無限ループ再生も可能であるとはいえ、やはり「音楽は終わる」という認識そのものから逃れることはできない。あらゆる音楽トラックには収録時間がついてまわり、再生が始まってからその時間が経過すると必ず終わる。無限ループ再生は、その「終わる」という不可避の事態を何ら解決しないまま、何度でも無限に「終わる」ことを繰り返しているにすぎない。西洋古代神話に語られてきた、人間のために神の火を盗んだ罰で永遠に生え変わる臓物をハゲタカについばまれるプロメテウスのごとく、私たちはその演奏時間の終わり、不可避の痛みにさらされ続けるだけのことだ。

そうした特質から逃れられない音楽という時間芸術は、必然的に不老不死とは食いあわせが悪いのかもしれない。いくら歌のなかで不老不死について声をはりあげ歌い騒ごうと、その概念を聴き手の心に植え付けることはできても、音楽そのものが不死から解放されはしないか

ら……だからだろうか、主人公が不死という特質をそなえて登場する音楽劇のヒット作も歴史上たびたび現れるものの、その主人公は必ずと言ってよいほど、幕切れまでのあいだに何らかの事情で不死を解かれて絶命する。マルシュナー『吸血鬼』（一八二九）やワーグナー『さまよえるオランダ人』（一八四三）、リムスキー＝コルサコフ『不死身のカシチェイ』（一九〇二）、ヤナーチェク『マクロプロスの秘事』（一九二五）……死なないのは人間の花婿と結ばれない運命にある水の精たち、ウンディーネ（ホフマン）やルサルカ（ドヴォルザーク）くらいだろうか。

もう少し言うなら「不老」とも相容れにくいのが音楽で、流行や人々の好みの変遷をかいくぐって愛され続けたり、積年の忘却から救い出されたり……といった僥倖にあずかれる作品はきわめて少ない。大半の音楽は現世で最後に鳴り響いた瞬間が終わったあと、二度と演奏されない死んだ状態のままになってしまいやすい。この文章をお読みくださっている方の再生メディアや音盤棚ないし楽譜棚にも、老いの末に久しく眠ったままの状態になっている音楽がきっとかなりあるのではないだろうか。

永遠の命や不死という概念が音楽の世界に持ち込まれる局面があったとすれば、それはほぼ専ら、キリスト教における神の属性について、または現世での死のあと、最後の審判を経て神の世界に上げられた末の人間に授けられるものについてのことだった。

そうした不老不死と音楽との居心地の悪い関係をふまえたうえで、意外なかたちでその両者が近づき、重なり合ってきた貴重な例をいくつか、西洋音楽史のなかから拾いあげてみたい。

戦争と不死をつなぐ音楽

ひとたび死を迎えたまま眠りについている過去の音楽は、再び演奏（再生）されたとたん命を吹き返し、聴き手の記憶との結びつきにより（あるいは、そうした記憶や予備知識とは完全に無縁であるがゆえに）最後に死んだ時からの時間の経過を飛び越えて、瑞々しく甦ったように感じられることがある。「不可避の老い」はあくまで客観的・数値的なデータとしての老いであり、音楽が鳴っている間はそれに接する者の主観に照らして「老い」があまり意識されない……必ず終りが来るとはいえ何度でも（みずみずしく）甦る、それが音楽というものの擬似的な不老不死性とは言えるのだろう。グリルパルツァー『ウィーンの辻楽師』（一八四七）やプルースト『失われた時を求めて』（一九〇六～二二）など、こうした特質が音楽従事者以外の創作家たちの心を捉えた事例も思い浮かぶ（この件はいつか場を改めて考察できたらと思う）。

たとえ疑似体験でも良いから不死なる存在に接したい、そのための手段として音楽に頼る――災害や戦争で人の命が大量に容赦なく奪われてしまった後には、社会的にもそうしたことが起こりやすかったのかもしれない。西洋音楽史上に名を残した、死んだはずの人が姿を現すことについての歌のいくつかは、まさにそうしたタイミングで世を賑わせている。たとえば、十八世紀ドイツ――森で妖精王やその娘に命を奪われた高貴な身分の花婿が花嫁のもとに現れる二つの傑作バラッド、ビュルガーの「レノーレ」とヘルダーの「オルフの殿様」はそれぞれ一七七四年と一七七九年に発表され話題を呼んだが、一七七〇年代といえば欧州中の君主国を巻き込んでの一大抗争に発展した七年戦争（一七五六～六三）から十年あまり、人々の心が徐々に整理されつつあった時期。実際「レノーレ」の舞台は七年戦争中のプラハ戦役が終わった頃に設定されている。戦いで命を落とした若者ヴィルヘルムの帰りをむなしく待っていた婚約者レノーレが、とある深夜に待望の花婿めいた騎士の訪問を受け、新婚の臥所に行こうと誘われるにまかせて馬に相乗り、旅立つ――果たせるかな、ヴィルヘルムと見えた騎士は不死なる者などではなく、とほうもない速さで突き進む馬が墓場に差しかかる頃には朝日が昇り始め、その正体が死せる者であったことが露見するのだった。「オルフの殿様」は花嫁を迎えにゆく騎

★レノーレは夜明けに騎士の真の姿を知る。
オラース・ヴェルネ1839年画（ナント美術館所蔵）

士の方が主人公で、婚礼前夜に森を馬で駆け抜ける最中、妖精王の娘から踊りに誘われるがこれを断ったがゆえに命を奪われ、現世ならぬ者の姿となって母親の前に現れる。

この二作は同時代に楽譜化された例こそ全くと言ってよいほど知られていないものの、十九世紀以降さまざまな作曲家たちが自作の題材として使ってゆくところとなった。カール・レーヴェはまだ駆け出しの頃、「オルフの殿方」を一八二四年に独唱歌として楽譜出版しているし、「レノーレ」はピアノの貴公子リストが一八六〇年にピアノ独奏と朗読による作品として仕上げた例が名高い。騎士ヴィルヘルムもオルフの殿様も歌のなかで命を落としたかもしれないが、その物語は不死のものとして翌世紀の人々をも魅了し、作曲家たちの名声とともに二十一世紀まで人々の心に生き続けているのである。

戦争で命を落とした男の帰りを待つ女性という設定は、これら二つのバラッドよりも前から「無敵のマールブロウ（マールブロウは戦争に行って）」という戯歌でも扱われている。スペイン継承戦争で戦死した英国のマールボロ公が主人公だが、こちらではそもそも無敵のはずの勇者マールボロ公も遺品と遺骸しか登場しない。マリー＝アントワネットが愛奏して流行するのは「レノーレ」や「オルフの殿様」の少し後、一七八〇年代のこと。不老不死どころではない現実路線の戯歌ではある。

時おりしも、理性をもって世界を捉え直そうとした啓蒙主義思想が広く欧州人たちの意識を刷新しようとしていた頃……しかし冷静な社会分析など、容赦ない戦争の現実と理不尽の前には何の意味も持ちえない。啓蒙主義の冷静への反発だろうか、死したはずの人間が現れて生者を驚かすなどという非理性的なモチーフが芸術家たちの心に忍び込んだのはそういう時代のことだった。彼らは非現実的描写への嗜好と親和性をその後も豊かに育みながら、フランス語やラテン語で縛りつけられてきた宮廷文化への違和感とともに、ドイツ語圏に根づいていた「地に足のついた非現実」たる民話の世界へと分け入ってゆく。「ここではないどこか」への憧憬がにじむロマン主義の到来はもう目前だ。

人々の心のなかで生き続ける英雄

とはいえ、ライン川の西側に広がっていたフランスでも、人々は決して動乱の時代の現実をたやすく受け入れることができていたわけではなかった。君主政の理不尽を糾すべく前代未聞の大革命が起こったのが何よりの証拠だが、その革命もまた紆余曲折、割り切れない思いをフランスの民にさまざまなかたちで染みつかせていった。それは革命の申し子として世に現れながら新たな君主政の元首となったナポレオンが、権力の座から引きずりおろされ、南半球の彼方に追いやられて旧秩序が回復した後もなお、いっそう複雑に入り組んだ状態でフランス人たちの心にわだかまり続けることとなる。

一八二一年、追放先のセントヘレナ島でナポレオンが亡くなった後もまだ、彼に妙な憧れを寄せ続けた人がいたのは有名な話だ。彼ら遅れてきたボナパルティストたちは、ナポレオンの回想録を密かに読みあさり、彼の栄誉をなつかしむ歌に好んで接していた。反動政治の社会監視下、そうした行動は時として処罰の対象にもなったのだが、危険を顧みずナポレオンを不死の存在として扱い続けたくなるだけの動機が彼らにはあったのだ。なにしろ復権したブルボン王室で相次いで玉座についたのは、処刑されたルイ十六世の二人の弟たち……老人政治に希望を持てないまま、辺境のコルシカ島から皇帝にまでのしあがり、隣国の君主たちを徹底的に翻弄したナポレオンを神格化し、自分たちの憧れる味方と見立てて歌い継いだ者たちがいたとして、何の不思議があるだろう。音楽の想像喚起力は、そうやって死者をも生かし続けてしまったのである。ナポレオン歿後二〇〇周年にあたる二〇二一年には、彼らの思いが詰まった象徴的な歌「サンテレーヌ（セントヘレナ）」をタイトル作とする復古王政期のボナパルティスム曲集が制作された。クラシックの文脈に収まり切らない歴史上の音楽を丹念に探りつづけているアルノー・マルゾラーティの楽隊レ・リュネジアンの快挙である。

★ナポレオンの回想録口述の場面。作画者不詳（イル・デクス美術館所蔵）

工業化してゆく十九世紀に

急速に変化してゆく社会についてゆきにくい心が、容赦ない現実とのギャップや自分ではどうにもできない閉塞感を埋め合わせるべく、オカルトまがいの幻想物語に救いを求める――工業化の流れで技術革新が飛躍的に進んだ十九世紀には、そこで「不老不死」への憧れが思わぬ形に結実することがあった――機械仕掛けであたかも生きているかのように振舞う機械人形（オートマタ）や、人為的な燃料補給を必要とせず勝手に動き続ける永久機関などの研究である。

★レ・リュネジアン『セントヘレナ ナポレオンの伝説』（NYCX-10219）

オートマタが音楽とかかわった例としては、ナポレオン戦争末期の一八一三年にベートーヴェンの機会音楽『ウェリントンの勝利』が初めて公の場で演奏されたさい、メトロノームの開発者として名高い技師メルツェルが持ち込んだ木彫りの喇叭手が思い起こされる。当初『ウェリントンの勝利』はメルツェルが開発した別の自動演奏装置パンハルモニコンのための音楽として作曲が開始されたのだが、音楽が形をとってゆくにつれその構想は頓挫、最終的にベートーヴェンは無数の管楽器群を伴う大合奏曲としてこれを書きあげ披露した（ちなみにこの作品、フランス軍の敗退を音楽で描写すべく、かの地の流行歌たる「無敵のマールブロウ」の調べが象徴的に使われている）。しかしメルツェルは負傷兵補償を目的としたオーストリア軍肝煎りの演奏会でなんとか自分の名を売り込もうと、もうひとつのオートマタである木彫り喇叭手を引っ張り出してきた。オルゴールのような機構で自動演奏するこの喇叭手、会場ではデュセックとプライエルが作曲した行進曲を実に立派に吹き鳴らして大喝采を浴びたという。

　永久機関への研究もオートマタと同じく中世いらい散発的に事例があったものの、フィラデルフィアのチャールズ・レッドヘファーによる偽永久機関（一八一三）、原初のミサイルともいうべきコングリーヴ・ロケットの開発者ウィリアム・コングリーヴによる模索例（一八二七）など、十九世紀初頭からいくつか歴史に残る試みの事例が現れる。そうしたなか、一八六一年にはワルツ王ヨハン・シュトラウスII世がラテン語で永久機関をあらわすPerpetuum mobileという語を表題に掲げ、ヴァイオリン奏者たちが徹頭徹尾規則的にすばやい音符を並べてゆく独特な作品を披露。日本語では「常動曲」と訳されることの多いこの表題はなかなか印象的だったようで、メンデルスゾーンが遺稿として未出版のままにしていたピアノ曲のひとつが一八七三年に歿後出版されたさい、まさにPerpetuum mobileという題が冠されている。めまぐるしく動き回る音型が休みなく続くところからついた綽名と言ってよいだろうが、超絶技巧の名手パガニーニや『魔弾の射手』の作曲家ウェーバーらの作例にも同様の音楽があり、十九世紀人たちはそれらの楽譜を世に送り出すにあたって好んで「永久機関Perpetuum mobile (moto perpetuo)」という題を添えたのだった。

★グランヴィルが描いた機械人形のオーケストラ。1845年画

　シュトラウスの音楽的永久機関たる「常道曲」は楽譜の最後で音楽を終えることなく、何度でも繰り返して永遠に演奏し続けられる仕組みになっている。こうしたことが原理的に可能となるようにできている音楽は、たとえば大バッハがフリードリヒ大王に献上した『音楽の捧げもの』（一七四七）に含まれる無限カノンなど先例もなくはなかったのだが、それが永久機関と結びついたのは十九世紀の工業化社会においてのことである。これもまた、音楽における不老不死への憧れの一例として注目できるのではないだろうか。いや、もちろん現実には演奏者もどこかで手をとめなければならず、そうしないとすれば命の限界にさらされてしまうわけだが……。

★永久機関、G・A・ボックラー「新型機械乃劇場」(1673)より

関連する音楽をプレイリストにまとめています！

定額配信サービス
Spotifyでお聴き下さい
https://www.spotify.com/

不老不死を生きる
童話世界の住民たち

◉文＝馬場紀衣（文筆家）

童話の世界に生きる住人たちは、首を落としたはずの白鳥が麗しい乙女の姿で海から出てきても、体が半分に切られた男が隣の家に住んでいても、両腕を切り落とされた娘に手が生えてきても驚いたり不思議がったりしない。それどころか頭上で歌う鳥に、子殺しの罪を犯した女の話を聞かせてほしいと頼みこんだり、血で汚れたガラスの靴に平気で自分の足を入れたりしてみせる。童話世界の住人たちには痛みを感じているようすもないし、それどころかいともたやすく肉体を修復してみせたりする。ここでは時間の経過すらないに等しい。この世界では醜いものが魔法を解かれて美しいものへ変化したり、苦痛と苦悩の罪が信念によって救済され、幸福を見出されたりする。いばらの城で眠るお姫様は１００年の時が流れても美しいままだし、魔女はいつも老いた姿で登場する。

今となっては信じられないが、シャルル・ペローがお伽話を書いていたころ、昔話というものは自分の名前で出版するのをしぶるくらいには恥ずかしいとされるものだった。ブンレンターノやティーク、ノヴァーリスといった詩人たちが中世の混沌とした童話世界に惹かれ、人々が興味をもつようになるには、ロマン派の時代を待たなくてはならない。それ以前はというと、17世紀から18世紀にかけての中世の神の権威に対して人間の理性的な力をうたっていた啓蒙の時代には、昔話と聞くと人々は眉をひそめたものだった。昔話の研究がさかんな旧チェコスロバキアでさえ、昔話やお伽話を語るのを禁止していた時期があったくらいだ。たしかにあの不気味な雰囲気と、あってはならないような出来事がさも当たり前のように繰りかえし描かれる不思議の世界には、現実をゆるがすだけの迫力があるかもしれない。昔話などというくだらない物語は、人を無知蒙昧に陥れてしまうと、避けられていたのだ。

兄ヤーコプと弟ヴィルヘルムの兄弟が集めてまわったグリム童話のひとつに『灰かぶり』のお話がある。『シンデレラ』でよく知られるこの物語で高慢な姉たちは、憧れの王子様が持ってきた小さなガラスの靴に足をぴったり収めるために、つま先とかかとをナイフで切り落としてしまう。彼女たちの白い靴下は赤く染まり、ガラスの靴は血であふれている。剥き出しの肉に冷たくて固いガラスの靴、さぞ痛かっただろう。

この物語を読むと、私はいつも『七羽のからす』で指を切り落としたあの可愛らしい少女を思いだしてしまう。どちらもガラスが出てきて、目的のために体の一部を切断し、そのうえ、ぞっとするような痛みをともなう場面があるためかもしれない。

『七羽のからす』は、少女の7人の兄が父親の呪いの言葉で7羽のカラスに変えられたことから物語が始まる。もっとも、この物語で切り落とされるのは足ではなく手の指で、少女はガラスの山の鍵を開けようと自分の指をナイフで切り落とす。細くて小さな指が鍵の代わり、というわけだ。

身体の一部を失う主人公は童話世界にはたくさんいる。スイスの山奥に伝わる『半分男』の物語を紹介しよう。

それはまだ悪魔が地球を歩きまわっていたころの話。女が牛の餌にするマングル草を刈っていると悪魔が声をかけてきた。「もしあんたがそのエプロンの下に持っているものを半分くれるなら、あんたの欲しいものをなんでもやるよ」女はそれをマングル草のことだと勘ちがいして悪魔と契約してしまう。月日が経ち、女が元気な男の子を生むと悪魔が分け前をもらいにやって来た。悪魔は、生まれたばかりの子を大きな刀で二つに切ると、下半分だけを持ち去ってしまう。以来、この不幸な男の子は腰から下がないまま、蛙のように地面をはって歩かなくてはならなくなった。この時から、彼は人々に半分男と呼ばれるようになる。しかし願いをかなえてくれる一匹の鱒を助けたことで、半分男は足を手に入れ「もと通り」の体を取り戻すのだ。

　これとよく似た話に『手なし娘』がある。この不幸な少女は、貧しい粉屋の父親が悪魔と契約したせいで両手を切り落とすはめになる。ところが子どもを支えようとした瞬間に、胴体から両腕が生えてくる。愛によって、言葉通り救いの手がさし伸ばされたというわけだ。

　体の一部を失ったあとで取り戻すという、美しくもグロテスクな展開は童話の世界ではしょっちゅう起こりうる。無理難題を突き付けられた若者を救うために、自分の首を切り落としてほしいと頼んだ白鳥の頭が海の中へと転がっていき、美しく若い姿になって海から上がってくる『白鳥の娘』の物語も回復の一種かもしれない。

　童話世界の乙女たちは、どれほどの傷を負っても痛がって泣き叫んだり、気絶しそうになったりしない。皮膚の下のピンク色の肉の盛り上がりとか、剥きだしの白い骨について語られることはないし、患部を包帯で処置するとか、そのあと村の医者に縫ってもらいましたなんて展開もない。失った指や腕や胴体の傷口はいつまでもそのままで、もしこれが生きた肉体なら死んでいなくちゃおかしい。

　『ねずの木の話』では、重いふたのついた箱からりんごを取ろうと男の子が中にかがんだ瞬間に母親がふたを閉じたせいで、男の子の首がりんごのなかに転がってゆくというおぞましい場面がある。しかも母親は死んだ男の子を細かく刻み、鍋に入れて酢で煮込んでしまう。そして黒いスープを父親に食べさせるのだ。味付けは側で泣いていた男の子の妹の涙という具合だ。骨だけになった男の子は鳥になり、あちこちで母親の罪を歌いあげる。最後には、母親の頭のうえに石臼を落として復讐を果たし、死んだはずの男の子は生前と変わらぬ姿でもどってくる。肉片にされ、骨だけになり、父親の胃袋に収まっているにもかかわらず。

　『いばら姫』がお祝いに招待されなかった魔女の逆恨みのために糸巻きのつむで100年の長い眠りについたその瞬間、壁にとまっていたハエも中庭の犬も屋根のうえの鳩も、その姿のまま停止し、かまどで燃えている火さえ静かに眠りこけたという。そして城は、いばらに覆われた。姫に関わるすべてが道ずれにされたわけだ。けれど姫が王子様の口づけで目を覚ましたとき、時間から解放された姫を「老い」が追いかけくることはなかった。

　このお姫様や鳥になった男の子の場合は、体を「回復」したというよりも不死に近いようにさえ思える。『手なし娘』も『半分男』も『七羽のカラス』の女の子も、ナイフでかかとを削いだのに平然としている姉妹も、本質的にはおなじ性質を持っていると考えていいだろう。ナイフを突き立てられるとき、彼らは不安な気持ちを抱かないし、この荒療治がもたらすはずの痛みや恐怖を感じないし、傷口が膿んだり腫れたりすることもないし、時間をかけて傷口がふさがるということもない。足や腕が生えてきた時の違和感は報告されずに、修復は一瞬にして成し遂げられる。体はまるで紙細工のように切ったり貼ったりできるから死への恐怖はないし、何度でも生き返ることが許されている。

　魔女の母親から森へ逃れてきた『白雪姫』は、小人たちの助言を聞かないために何度も殺される。物売りから紐を買って殺され、櫛を買って殺され、りんごを買って殺される。白雪姫に悪びれる様子はない。常識的に考えれば一度物売りに殺されかけた人間は、二度目には決して物売りからなにかを買ったりしないものだ。しかも三度も繰り返すなんて正直、滑稽としかいいようがない。

　どうして白雪姫が何度も命をとり戻したのかと言えば、それは申すまでもなく小人たちの尽力によるものにほかならない。とはいえ昔話はきわめて主人公に都合の良い物語なので、魔女のたくらみのように、不幸な運命を予兆させはしてもそうはならないのだけど。

　音もなく切り落とされる首、火のような目をした魔女の悪意、すさまじい速さで通り去ってゆく悪魔、人を怯えさせ囀り鳴く木の上の鳥。童話の世界はいつも不安に支配されている。魔女や妖精による呪いや、悪魔の囁き、音もなく村を去る死者などあらゆる地下的なものたちとの不気味な出会いは、現実的な危険とは比べものにならない恐怖で人間をみたし、私たちを大いに楽しませてくれる。

　スイスの文学者リューティによれば、童話世界に生きる主人公たちのこうした姿は、人生の真実を表しているのだという。白雪姫も手を切られた娘も、それぞれ主体的に行動しているように見えるが、それは思い込みにすぎない。本当のところ、彼らは、世界を動かしている目には見えない力（キリスト教徒にとっての神や運命の意志のようなもの）に動かされているのではないか、というのがリューティの考えだ。

★『ねずの木の話』（画：モーリッツ・フォン・シュヴィント）

ストラルドブラグの死ねない悲惨
——『ガリヴァー旅行記』から考える老いと不死

◎文＝市川純（英文学研究者）

絶望の苦悩は死ぬことができないというまさにその点に存するのである。

（キェルケゴール 三二）

序

早晩、人は皆死ぬものだが、これを自明のこととして受け入れず、不死になろうと試みる者が昔から後を絶たない。よく知られた例を挙げると、秦の始皇帝の逸話がある。本当に始皇帝は不死の薬を求めていたようで、その布告が含まれる多数の木簡が二〇〇二年に中国で見つかったと報じられた（AFP）。また、西洋でも錬金術における賢者の石や霊薬エリキサは不死をもたらすものとして探究され、文芸のモチーフにもなっている。このように、不死への憧憬や研究に関する話は古今東西に存在する。

だが、不死とはそれほど望ましいものなのだろうか。仮にこの命が永遠に続くものとして、果てしない未来に希望を馳せることが一時あったとしても、その望みをいつまでも抱き続けることなどできるのだろうか。むしろ、徹底的に人生を味わい尽くしたところで、やがていつまでも終わらない生にうんざりし、死にたくても死ねない苦しみが待っているのではないのか。

現在、日本はもちろん、先進国の人間の平均寿命は着実に伸び続けており（厚生労働省「平均寿命の国際比較」）、老化防止に関する医学的研究も進められている。不死への憧れは技術的サポートを受けて少しずつ実現に向けて前進しているようにも思われる。だが、それでよいのか。今回は、不死への憧憬とは正反対の立場をとる文学作品の例として、主にスウィフトの『ガリヴァー旅行記』を参照し、不死を夢見るのではなく、むしろそこに疑義を呈したい。

1……ジョナサン・スウィフトの人生概略

『ガリヴァー旅行記』の名前はよく知られており、主人公ガリヴァーが小人の国や巨人の国を訪れる話であるというのは大方の人がイメージするところであろう。原作をきちんと読んだことがなくても、子供用に語り直された絵本を通してこの物語のイメージを持っている人もいるだろうし、あるいは『ガリヴァー旅行記』を基にした何らかの映像をテレビなどで見たことがあるかもしれない。最近では、ミュージシャン、タレントの長瀬智也氏が出演する頭皮ケアシャンプーのCMで、『ガリヴァー旅行記』の小人の国の様子を彷彿とさせる場面が演出されていた。

このように、『ガリヴァー旅行記』には高い知名度があり、一定のイメージは普及しているのだが、実はその内容が非常に過激で下品な風刺にも満ちていることを知る人は限られている。そんな『ガリヴァー旅行記』について、まずはその作者がどのような人物だったのか、ここで簡単に紹介しよう。

作者のジョナサン・スウィフトは、一六六七年にアイルランドのダブリンに生まれた。だが、彼はもともとのアイルランド人ではなく、両親はアイルランドに移住したイングランド人である。アイルランドはカトリック人口が多いが、スウィフトはイギリス国教会の信者である。スウィフトの生涯と作品を語るには、イギリス国教会とカトリックの関係、また、イギリス国教会とアイルランドの関係が重要となる。

十七世紀、アイルランドではイングランドによる植民地化が加速し、カトリック教徒の土地は大幅に奪われ、人口的には少数派である国教会の人間が支配する構図ができあがり、さらにアイルランド議会の議員は国教会系の人間に限定され、また、カトリックは大学に入学できず、公職にも就けないという差別を受けた（塩谷　二十―二二）。スウィフトはイングランドの支配下で苦しめられているアイルランドの状況を度々激しく批判的な文章にまとめて発表し、後にはダブリンの名誉市民にも選ばれるが、アングロアイリッシュ、つまりアイルランド生まれではあるものの、イングランド人としての意識を持ったスウィフトの立場は複雑なものである。

一六八二年、スウィフトはダブリンのトリニティー・カレッジに入学し、一六八六年に学位を取る。やがて、アイルランドでは内乱が勃発したため、スウィフトはイングランドへ向かい、一時外交官のサー・ウィリアム・テンプルの家で暮らすようになる。その後、聖職者を目指してオックスフォード大学に進み、一六九二年、文学修士の学位を取得する。

一六九五年には司祭として北アイルランドのキルルートへ行く。一七〇〇年にはこれもアイルランドのララカーの司祭に任命され、一七一三年にはセントパトリック寺院首席司祭となる。

『ガリヴァー旅行記』が出版されたのは一七二六年で、そこにはスウィフトの過激な風刺精神が躍動している。後でその一端を紹介するが、既にスウィフトは政治的問題を激しく論ずる様々な文書を発表しており、その過激さは時に告発を招くほどであった。

『ガリヴァー旅行記』以降も、彼の風刺精神、批判精神漲る作品が執筆されている。ここで少し具体的に見ると、一七二九年に出版された『ささやかな提案』は、貧困問題に苦しむアイルランドの幼い子供を人肉として利用することを提案し、これによって、脅威となっているカトリック教徒の人口を減らし、経済は潤い、さらには身ごもった妊婦が流産しないようにという思いから夫のＤＶも減少するだろう、と猟奇的な皮肉を披露する。ここにはイングランドに対する激しい批判精神が満ちており、塩谷清人が述べるように、「そもそもこのような残酷な提案をせざるを得なくなった状況を作り出したのは、イングランド政府の植民地政策によるもので、イングランドこそ残酷な仕打ちをアイルランドにしている」（二二一）のである。

他にも、一七三一年に書かれた詩「婦人の化粧室」では、美女シーリアの部屋にストレフォンという男が侵入し、彼が見た彼女の部屋の乱雑さ、幻滅を誘うような不潔さが提示される。挙句の果てには、部屋の便器を開けてしまい、シーリアの糞便の臭いが立ち上る。このようなスカトロジーへの傾向は『ガリヴァー旅行記』にも見られるスウィフト文学の特徴の一つである。

亡くなったのは一七四五年、セントパトリック寺院に埋葬された。召使いのあり方について皮肉たっぷりに記した『奴婢訓』は未完であったが、同年に出版された。

2……『ガリヴァー旅行記』の概要

次に、『ガリヴァー旅行記』の全体像を紹介する。この作品は四部で構成されている。

第一篇はリリパット国渡航記。小人の国の話である。最初に主人公であるイギリス人船医レミュエル・ガリヴァーの生い立ちが語られ、そのガリヴァーがリリパットという国に漂着する。表向きはこの国の人々の様子が面白おかしく書かれているが、そこには政治風刺が満ちている。

トラメクサン党とスラメクサン党という二つの政党が登場し、対立しているのだが、前者は踵の高い靴を履いており、後者は踵が低い。これはそれぞれイギリスのトーリー党とホイッグ党にあたる。

また、リリパットはブレフスキュという国と対立関係にあるのだが、ブレフスキュはフランスにあたる。対立の発端は卵を大きな端から割るか小さな端から割るか、というくだらない問題にあるのだが、前者はカトリック、後者はプロテスタントを指しており、風刺は宗教問題にも及んでいる。

現代の一般的な読者にとってみれば、当時のイギリス情勢を重ねて臨場感を持って読むことは難しいかもしれないが、今の日本の与野党の攻防などがもし小人の国の描写に重ねられていたら、と考えれば、スウィフトの風刺の鋭さが想像できるかもしれない。宮殿の火事を放尿によって消し止める逸話など、いかにも過激である。

第二篇は巨人の国ブロブディンナグの渡航記である。この国の住民から見れば、小人のガリヴァーは非常に奇妙な存在で、見世物にもされてしまうのだが、リリパットとは逆に小人の立場になったガリヴァーから見たブロブディンナグの人々、特に女性の描写は凄まじい。

乳母が赤ん坊に乳を飲ませる場面があるのだが、その胸の色合いやできものの様子がグロテスクに描かれ、たとえ美しい女性であっても、その肌を拡大して見れば気味の悪いものであることが示される。宮廷の女官の描写も同様、さらに彼女たちは体臭を放ち、ガリヴァーが傍にいるにもかかわらず、排泄をする。前述した、スウィフトのスカトロジー描写である。ただ、この時代の出版物において、スカトロジーが見られることは特異ではなく、様々な図版や詩の例もあるため、これをもって「スウィフトの他人と違う個人的な性格を読み取ることはかなり冒険である」（富山 三六）とも考えられる。

ブロブディンナグにおいても、イギリスの政治は風刺される。ブロブディンナグ国王は、ガリヴァーにイギリスについて十分な説明を求め、コメントするのだが、ガリヴァーが説明すればするほど、イギリスの問題があぶりだされ、批判されてしまう。

第三篇はラピュータ、バルニバービ、ラグナグ、グラブダブドリッブ、日本への渡航記であり、それぞれの短い滞在記録がまとめられている。

★ヤフー（ルイス・リード画）

ラピュータは空を飛ぶ島で、ここの人々は滑稽なほど科学に夢中になっており、当時の科学者が揶揄されている。ラピュータが支配する下の陸地がバルニバービで、両者はそれぞれイングランドとアイルランドに相当する。

不死人間が登場するラグナグについては次節で詳述するとして、グラブダブドリッブについて述べておこう。ここでは降霊術によってどんな死者をも呼び戻すことができる。歴史上の様々な人物を呼び出してもらい、高潔な人柄に感嘆することもあれば、歴史の真相にがっかりもする。

日本が登場するのが意外であるが、ラグナグ国は日本と貿易をしている。ラグナグ国王から日本の皇帝あての推薦状をもらい、船で日本へ渡る。ガリヴァーは日本に到着してオランダ人のふりをするが、踏絵の儀式はなんとか免除される。

イギリスに戻ったガリヴァーであったが、その後また航海に出て、今度は第四篇のフウイヌム国の渡航記となる。この国はフウイヌムと呼ばれる理性を備えた気高い馬が治める国であるが、それと対照的に人間のような姿をしながらも、醜く汚らしいヤフーと呼ばれる生物がいる。ヤフーは毛深く、サルにも似ているが、極めて醜悪なものとして描かれ、木の上から糞尿をまき散らすなど、ここでもスカトロジー表現が使われる。

フウイヌムはガリヴァーをヤフーと同一視するが、ヤフーと違って服を着ており、そのような野蛮さはない。ガリヴァーはイギリスについてフウイヌムに説明する。フウイヌムの質問に答えながら説明しているうちに、理性にひたすら従う美徳の塊であるフウイヌムの国とは対比的に、イギリス、ひいてはヨーロッパ社会が抱える様々な問題が批判的に語られる。

ガリヴァー自身、次第にフウイヌム国を理想的な国と考えるようになり、人間をヤフーとさして変わらぬものと見なす。そのため、イギリスに帰国した際には家族に対してさえも嫌悪感を抱き、反対に馬を可愛がる。第四篇では、人間存在そのものが痛烈な風刺の対象となっている。

3……ラグナグ国のストラルドブラグ

前節では『ガリヴァー旅行記』の全体を大まかに提示し、この作品がいかに辛辣に現実的問題を風刺しているかを示した。これを踏まえ、この節ではガリヴァーが第三篇でグラブダブドリッブを去って後、船で渡ったラグナグ王国の様子を見てみる。そして、不死がどのように扱われているかを考察する。

この国ではごくまれにストラルドブラグと呼ばれる不死人間が誕生する。ストラルドブラグの存在を知ったガリヴァーは、それがいかに幸福なことかと叫ぶ。過去を未来に伝え、死の恐怖もなく暮らせると思ったのだ。そして、自分が不死人間として生まれたら、富を築き上げ、学問を究め、歴史を克明に記録し、やがて老いたら若いものに美徳を説き、自らが模範として世の堕落を防ぐ、など、ガリヴァーのあふれる希望が語られる。だが、その希望は全て打ち破られることになる。ガリヴァーが考える不死人間は「永遠の若さ、永遠の健康、永遠の元気というものがその前提になって」(二九三)おり、それ自体が間違っていたのだ。

では、ラグナグの不死人間は実際にはどのようなものなのか。この国のある紳士は以下のように説明する。

彼らはおよそ三十歳くらいまでは、通常、起居動作すべての点で普通の人間と同じように生活する。しかし、その年齢をこすと次第に憂鬱になり意気銷沈し始める。そして、そのような状況は八十歳になるまでいっそうひどくなる一方である。(二九四)

約三十歳から鬱状態になって八十歳まで悪化し続けるというのは過酷である。加齢による肉体的衰えのみならず、心理的問題が生じるのだ。さらに、八十歳になると、以下のようになる。

この国で人間の寿命の最高とされている八十歳ともなれば、さすがの彼らも他の同年輩の者たちと同じように、老人につきもののあらゆる愚かしさや脆さを暴露するばかりでなく、絶対に死ねないという前途を悲観して、さらに多くの弱点をさらけ出すようになる。頑固で、気難しくて、貪欲で、不機嫌で、愚痴っぽくて、おしゃべりになる。それだけでなく、対人関係が妙にぎくしゃくしだすし、人間本来の暖かい愛情が分らなくなる。(二九四)

ストラルドブラグは不死の人生に絶望し、それによって人に対する態度もまた変化するため、周囲の人間にとっても不死人間という存在は厄介なものとなる。また、こんな皮肉も語られる。

哀れといえば彼らはみんな哀れだが、それでも一番ましな連中といえば、すっかり耄碌して昔のことを全部忘れてしまっている者たちであろう。他の仲間と違って、変な嫌らしさが余りないので、みんなの同情や援助を比較的多くえられるからである。(二九五)

記憶力の減退という悲しき老化現象も、

★ストラルドブラグ(ルイス・リード画)

極まればかえって周囲の助けを得られるというのだ。だが、このような状態で生きることには人間としての尊厳の問題が関わってくるように思われる。

スウィフトは、不死人間に対する法的措置についても目を向けている。不死人間同士が結婚した場合、どちらか若い方が八十歳に達するとすぐ、その結婚は解消するという。というのも、「自分で罪科を犯したわけでもないのに、この世に永久に生き存えなければならないという呪われた宿命を担った連中に対し、妻という重い荷物をいつまでも背負わせてただでさえ重い不幸を倍加させるのは可哀そうだ」（二九五）からだという。結婚生活が重荷となった老夫婦への皮肉である。

また、先ほど人間としての尊厳と書いたが、ラグナグでは不死人間が八十歳をすぎれば「法的には死んだものと見なされる」（二九五）。生活費以外はみな跡取りに相続され、貧乏な場合は公費で養われる。土地購入や貸借契約もできなくなる。訴訟事件の証人にもなれない。もうこの年齢では信頼される人間とはみなされなくなり、様々な権利が剥奪されてしまうのだ。

これらの他にも身体的な衰えや病気、また、言語も時代と共に変化するため、二百歳にもなれば普通の人との会話も難しくなることなど、不死人間として生きることに伴う困難が列挙される。そしてガリヴァーは落胆し、不老長寿の願望は消える。以上がラグナグの話である。

4……精神の老い

古より世界で憧れられてきた不死の夢は、スウィフトの厳しい風刺の筆により、徹底的にその欠点が列挙され、幻滅へと誘われる。社会的、福祉的な制度面への言及もあり、不死が現実的に引き起こすであろう諸問題が読者に突き付けられる。不死に伴う悲惨さをこれほどまでに提示されて、それでもなお不死は望ましいものであろうか。

もっとも、スウィフトが描いているのは不死であって、不老不死ではない。では、肉体的に老いなければやはり不死は望ましいことになるのだろうか。

肉体的な不老、もし不老というのが極端であるとしても、いわゆるアンチエイジングといわれるものを望む人はいるし、若々しくありたいと望むことは理解に難くない。また、見た目だけでなく、体内の諸機能における健康の維持も重要である。たとえ寿命が延びても、健康寿命が短ければストラルドブラグ以上に辛い生が続くことになる。それは日本における介護問題、年金問題、医療費の増大など、長寿化に伴う憂鬱な課題とも繋がる。

では、もし不老が実現すれば、長寿や不死に伴う憂鬱な問題は解決するだろうか。いや、科学的に、細胞レベルで老いない体を手に入れることができたとして、あるいは仮にフィクションの世界で神秘的な方法による不老不死の肉体の実現を想定するにしても、大きな問題がある。心は老いないのだろうか、という問題だ。

脳の老化が防げれば、ラグナグの不死人間のような記憶力の減退は起こらないし、数百年の時代経過において起こる言語の変化にも対応できるかもしれない。また、いつまでも若々しい溌溂とした起居振る舞いができると想像できるかもしれない。だが、衰えない記憶力に永年の経験が蓄積されていくのである。長大な年月を生きてなお、その精神は老いないのだろうか。たとえ脳が瑞々しい処理能力を維持できたとしても、延々と蓄積される経験によって、若々しいままではいられない何かしらの変化は起きないのだろうか。

ここで『ガリヴァー旅行記』からおよそ百年後に目を向け、十九世紀の作家、『フランケンシュタイン』の作者であるメアリー・シェリーの作品を参照したい。シェリーは短編作品を数十篇残しているのだが、その中で一八三三年に発表された「死すべき不死の者」は、不老不死の問題を扱っている。

主人公のウィンジーは現在三二三歳、かつて錬金術師コルネリウス・アグリッパの弟子を務めていた。ある日、ウィンジーはアグリッパが生成した薬品を恋の病を治す薬と思って飲んでしまう。だが、後にこれは不死の薬であると言われ、実際ウィンジーは二十歳の時から老けなくなる。愛する女性バーサと結婚するが、彼女が年老いてもウィンジーは二十歳の姿のまま。周囲からは気持ち悪がられ、哀れな日々を過ごすことになる。「心のみ老いた若者と、いまや齢を重ねた妻」（三七）。やがてバーサを亡くし、あらゆる望みを失ってもなおウィンジーは生き続けなければならない。ウィンジーはこう語る。

> こうして私は、長い年月を生きてきた。独りで、己に憂いて、死を願って、だが決して死なずに、死すべき不死の者として。野心も強欲も私の心に入り込めはしない。私の胸を蝕む熱い愛情は、誰にも報いてもらえず、自らを献げうる対等の人を見出せもせず、ひたすら私を苛むためだけに生きつづける。（四三）

今や三二三歳となったウィンジーは、自らの死を願い、危険な旅に出ることを決意し、物語は終わる。

不老が叶い、脳の老化も防いだウィンジーにあっても、悲しみと苦悩は累積し、結局はラグナグの不死人間と同じく、不死の運命を嘆いている。苦難を積み重ねてもなお死ねない絶望感を抱えたウィンジーに、二十歳の時の健康的な溌剌さはない。ここには、不老不死の肉体を手に入れても精神は弱り、若々しい希望と活力を失うことが示されている。この憂鬱な変化は、精神が被る一種の老いではないだろうか。

「死すべき不死の者」は錬金術という神秘的方法によって肉体上の不老不死を想定した物語であるが、さらに現代に目を向ければ、機械的技術によって有機的な肉体を超越し、不死を実現しようとする人々がいる。木澤佐登志は「人間の機械への変容、そして最終的に機械と一体となること」（一八三）を目指す思想、トランスヒューマニズムが加速主義者を魅了している現況を指摘し、「人間の脳をコンピュータ上でエミュレーションすることで、拡張された認知能力と寿命――もっと言えば不死――を得ることが約束される」（一八五）マインド・アップローディングという技術を紹介している。この技術が実現し、精神の不死が脳という有機的レベルを超越したコンピュータ上で獲得できるとしたら、その精神に老いは訪れないだろうか。

木澤によれば、「現在AIの発展に寄与しない人間は、シンギュラリティ以後のとある未来において、マシンにアップロードされた自身のコピーが半永久的に拷問されるのではないか」（一九四）という恐怖の未来も想定されているようである。そうなったら、不死などもはや最悪の状態でしかない。たとえ拷問されるとまでいかなくとも、マインド・アップローディングによって達成された不死により、ストラルドブラグやウィンジーのように、死ねないという絶望を味わうことはないのだろうか。我々の精神がコンピュータ上で永遠に生きることになったら、膨大な情報を蓄積するうちにある種の老いに似た精神的変容を遂げ、弱り果てることはないのだろうか。様々な疑問と不安が湧き上がる。

結び

風刺精神、批判精神に満ちたスウィフトは、『ガリヴァー旅行記』で不死者の悲惨さを舌鋒鋭く描き、死にたくても死ねない絶望感を提示した。この絶望感は、不死に不老を加えても起こりうる。不老の肉体を手に入れることができても、永遠の生に絶望せず生きることが果たしてできるのか、そして苦悩を積み重ねた心が老いることはないのか。この問いは、たとえ技術革新によって我々の精神をコンピュータ上に移し替えることができても、なお付きまとう問題であるように思う。

それでも不死は望ましいと言えるのだろうか。

●引用文献

「『不老不死の薬探せ!』始皇帝の命令、木簡から確認」『AFPBBNews』二〇一七年十二月二十六日、www.afpbb.com/articles/-/3156672

「平均寿命の国際比較」『令和元年簡易生命表の概況』厚生労働省ホームページ、www.mhlw.go.jp/toukei/saikin/hw/life/life19/dl/life19-04.pdf

キルケゴール、セーレン『死に至る病』斎藤信治訳、岩波文庫、岩波書店、二〇一五年。

木澤佐登志『ニック・ランドと新反動主義――現代世界を覆う〈ダーク〉な思想』星海社、二〇一九年。

塩谷清人『ジョナサン・スウィフトの生涯――自由を愛した男』彩流社、二〇一六年。

シェリー、メアリ「死すべき不死の者」『ブリティッシュ&アイリッシュ・マスターピース』柴田元幸翻訳叢書、柴田元幸編訳、スイッチ・パブリッシング、二〇一五年。

スウィフト、ジョナサン『ガリヴァー旅行記』平井正穂訳、岩波文庫、岩波書店、一九九八年。

富山太佳夫『「ガリヴァー旅行記」を読む』岩波セミナーブックス七九、岩波書店、二〇〇〇年。

『火の鳥』からヒーラ細胞へ
——不老不死小考としての〈HISTORIA(ヒストリア)〉シリーズ

◉文＝仁木稔（SF作家）

家庭の事情で五歳の一時期、親戚の家を転々としたことがある。四十三年も昔のことだ。

大した事情ではない。母は親きょうだいがおらず、両親は共に新潟出身で、長野で家庭を持った。母は親きょうだいがおらず、一人目と二人目の出産は親類の女性が手伝いに来てくれたが、三人目の時は来られる人がいなかった。斯くして身重の母と二歳の妹と共に一ヵ月半、もう一人の妹が産まれてからさらに一ヵ月、父方と母方の親族の家々を渡り歩いたのである。

父方のいとこも母方のはとこも大方は年上で、齢の近い子もいたものの、平日は幼稚園に行っている。妹と連日終日遊ぶには三歳の年齢差は大きすぎ、必然的に日中の大半を妹は母の傍らで、私は独りで過ごした。

有り余る時間と孤独の中で、私は本を読み耽った。もともと、読書は好きだった。そのうち黙読を覚え、読む速度と量は各段に増した。各家にあった絵本を読み尽くすと、少々の漢字はものともせず対象年齢高めの児童書に進んだ。そうして、出会ったのだ——手塚治虫の『火の鳥　黎明編』に。

★朝日ソノラマから出ていたB5版の手塚治虫『火の鳥 黎明編』。
現在は朝日新聞出版より再刊。

母方の本家である築二百年の母屋に建て増しを重ねた巨大な迷路の如き屋敷の一角、書斎のテーブルに何日も放置されていた。朝日ソノラマのB5判だ。それまで漫画を読んだことがなかったし、アニメにも興味はなかったから（特撮のほうが好きだった、東映の『スパイダーマン』とか）、ほかに読むものがあれば手に取らず仕舞いだっただろう。読み方が解らないということもなく、一気に読み切った。さすがに一日ではなく二、三日はかかったと思うが、読み終えた時には、私の世界は永久に変わってしまっていた。

死を知ったのである。

それまでも死の定義は知っているつもりでいたが、我が事として捉えていなかった。だが死は万人に訪れるのだ。それは数十年後どころか今日であるかもしれず、今この瞬間も多くの人が死んでいる。その事実を突き付けられた。

『黎明編』の冒頭、ナギの姉は病で命を落としかけたところを、異国の医術によって救われる。現代医学の観点からの解説が付されており、どんな病苦もいずれは克服されるはずだと楽観させてくれた。また老いを醜いと忌み嫌うヒミコには共感できず、浅はかだとすら思った。確かに老いは死へと続くが、少なくとも老衰による苦痛は同じく医学が解決してくれるだろう。

では死も、克服できるのだろうか？　仮に技術的に可能になったとしよう。誰も死ななくなれば資源枯渇、一部の人間が独占すれば究極の不平等だ。そもそも、不死とはそんなに素晴らしいものだろうか。自ら死を選ぶ人がいることは知っていた。どんなに科学が進歩しても、死んだほうがマシな状況に陥ることはあるだろう。そんな状況が永続しないにしても、永く生きれば生きるほど遭遇する回数は多くなる。終いには、これ以上生きるくらいなら死んだほうがマシ、ということになりはしないか。

それでも、死は恐ろしかった。死に伴うかもしれない物理的な苦痛よりも何よりも、恐ろしかったのは存在の消滅だ。誰かが死んで、残された人たちがどんなに嘆き悲しんだとしても、本人には届かないのだ。死ぬのも残されるのも恐ろしかった。

だが死後の生というものがあるなら、消滅するのは肉体だけということになる。私の問いに対して母は当初、天国は在ると請け合ってくれた。しかし理詰めでしつこく問い質してくるのに閉口したのか、最終的に「在るかもしれないけど、確かめた人は誰もいない」という答えに落ち着いた。

ならば死後の生とは、お伽話に過ぎないのだ。考え出したのは、私と同じく死を恐れた人たちだろう。信じられるものなら私も信じたかった。死後、地獄に行くことも幽霊となることもないのはいいが、それと消滅への恐怖は別である。いずれ死んでしまうのに、生に意味はあるのだろうか。若きシッダールタの如く、日夜懊悩した。貸衣装屋も兼ねている美容室でパーマをかける母を待つ間、陳列された華やかなドレスを眺めながら、「どんなにきれいに着飾っても、いずれみんな死んでしまうんだ」とため息をついた。嫌な五歳児である。

何ヵ月も鬱々とした挙句、ついには諦めの境地に達した。自分や誰かの死を恐れ続けたとして、いざそれが眼前に迫った時、恐怖や悲しみがその分減るわけでもなかろう。だったら恐れ悲しむのはその時が来てからでいい——単に疲れただけとも言える。所詮は凡人であり、仏にはなれない。

図書館で『火の鳥』シリーズと再会したのは七歳の時だ。壮大なドラマの数々に激しく心を揺さ振られはしたが、恐怖と煩悶の日々が再開することはなかった。『宇宙編』と『未来編』で描かれる永劫の責め苦としての不老不死は、すでに出していた答に丸を貰えた感が強かった。もちろんこれは出会ったタイミングの問題であって、『黎明編』がシリーズ最高傑作だと言うつもりはない。この宇宙生命体との再会は、思考実験としての不老不死への関心を新たにしてくれた。

火の鳥の血は不老不死薬（エリクシール）であり魔法だが、シリーズにはより現実的な、すなわち科学による不老不死のさまざまな可能性も提示されている。脳を含む器官の人工物との交換、記憶や人格のソフトウェア化、クローニング等々。これらの技術による不老不死者が『火の鳥』に登場することはなかったが、現在に至るまで多くのＳＦ作品に見出すことができる。

このようなかたちの不老不死は、つまるところ精神／魂の永続だと言える。肉体が異なっても精神に連続性があれば同一だとする心身二元論だ。不死化あるいは再生された人物とオリジナルとの同一性が問われる作品も少なくないが、問題となるのは肉体ではなく精神である。

『火の鳥』との出会いから二十六年後、私は『グアルディア』でＳＦ作家としてデビューした。遺伝子工学によって生み出された不老不死者たちの物語だ。彼らの不死は理論上のものであり、肉体の損傷が大きすぎれば死に至る。つまり自死を選ぶことも可能である。オリジナルとの同一性、永劫の生という苦しみ――彼らの選択が、物語の骨子を成す。

『グアルディア』とその続篇から成る〈ＨＩＳＴＯＲＩＡ（ヒストリア）〉シリーズは、同一の世界が舞台の互いに独立した物語群だ。この構成は、言うまでもなく『火の鳥』へのオマージュである。不老不死を可能にした高度な科学文明を支えるのが、ある一人の女性から採取され、培養された細胞株だ。人工子宮の内膜組織に使用される。この設定にはモデルがある。ＨｅＬａ（ヒーラ）細胞とヘンリエッタ・ラックス――不死細胞とその提供者（ドナー）である。

個としての人間の不老不死は当分、夢物語だ。しかし細胞の不老不死なら、すでに実現して七十年が経過している。ヘンリエッタ・ラックスから摘出された癌細胞は、ヒト細胞培養の世界初の成功例にして最も特異なヒト培養細胞となった。その特異性はたとえば、一般に脊椎動物の細胞は培養にガラス表面などの足場を必要とするが、ヒーラ細胞は培養液中を浮遊している状態でも増殖できる。その増殖力は異常に強く、たった一個の細胞が研究者の手指や衣服、器具に付着したり、空中を漂ったりして他の細胞株に混入するだけで、すべて駆逐して置き換わってしまう。それでいて病原体に容易く感染する。さらにその不死化自体も異例だと言える。ヒトの場合、癌細胞もしくは特定ウイルスの感染細胞以外は培養しても不死化しないが、たとえ条件を満たしていても成功率は低いのだ。

『グアルディア』を執筆していた二〇〇三年当時、ヒーラ細胞の特性は多くの科学書で解説されていたが、ヘンリエッタ本人についてはほとんど情報がなかった。かろうじて私が知っていたのはＨｅＬａという名称の基となった彼女の名、一九五一年に癌で亡くなった黒人女性であること、採取が本人の同意なしに行われたこと、そして遺族も長い間、ヒーラ細胞の存在を知らなかったこと、くらいだった。

この情報の遮蔽は、プライバシー保護もしくは悪意によるものではない。ポリオワクチンの開発を皮切りに、ヒーラ細胞は医学の発展に莫大な貢献を果たし、また莫大な利益をもたらしてきた。にもかかわらず、彼女自身とその子孫については誰も関心を持たなかったのである。私がこの無関心を痛感したのは、比較的最近（当時）書かれた日本人研究者の著作を読んだ時だった。その中で彼女は、ヒーラさんと呼ばれていた。ヒーラ細胞を直接利用する立場の研究者が、彼女の名を知ろうともしなかったのだ。二〇〇七年に出した『ラ・イストリア』執筆の時点でも、この状況は変わっていなかった。

人工子宮と内膜組織提供者について、『グアルディア』では軽く言及しただけだが、『ラ・イストリア』ではより詳しく述べた。と言っても、その細胞の特殊性が中心であり、提供者本人については本名も生没年も不明、知られているのは受胎（コンセプシオン）という通称と真贋も定かでない肖像画一点のみ、としている。

ヘンリエッタとその家族の物語は、二〇一〇年に刊行されたレベッカ・スクルートの『不死細胞ヒーラ――ヘンリエッタ・ラックスの永遠（とわ）なる人生』（邦訳は二〇一一年刊）によって初めて明らかにされた。ヘンリエッタの細胞が生き続けていることを夫と子供たちが知ったのは彼女の死から二十年余り後、それも偶然にだった。貧しかったか

★スクルート『ヒーラ細胞の数奇な運命』（河出文庫／講談社『不死細胞ヒーラ』の文庫化）

ら碌に教育を受けられず、情報から隔離されていたのだ。貧しかったから、誰も彼らのことを気に掛けなかった。以来、彼らは悲しみと怒りの中で生きることになる。

金銭が目当てだったのではない。世界が――白人たちがヘンリエッタと遺族たちを蔑ろにしたまま、彼女の細胞を利用し続けている状況をなんとかしたかっただけだ。だがそのために何をすればいいのかすら解らなかった。好奇の目に晒され、冷たくあしらわれ、寄ってくるのは彼らを食い物にしようとする連中ばかり。とりわけ痛ましいのが娘のデボラだ。初等教育も満足に受けられなかった彼女だが、ヒーラ細胞について知ろうと懸命に勉強した。しかし膨大な量の科学記事と三文記事は、彼女を混乱させ絶望させただけだった。白人の医者たちが母を切り刻んで不死化し、毒や放射能で冒し、鼠と掛け合わせ、金儲けの道具にしている……

デボラにとって、不死化し増殖し続けるのは単に母の肉体の一部ではなかった。地上で復活し物質化した母の魂であり、二歳で死に別れた母そのものだった。ラックス家の人々は多かれ少なかれこの信仰を共有しているが、デボラは文字どおり生涯を捧げた。母の魂を弄ぶ者たちに悲憤する一方、ヒーラ細胞のお陰で命を救われた人々の感謝には慰めと勇気を与えられた。だが二〇〇九年、

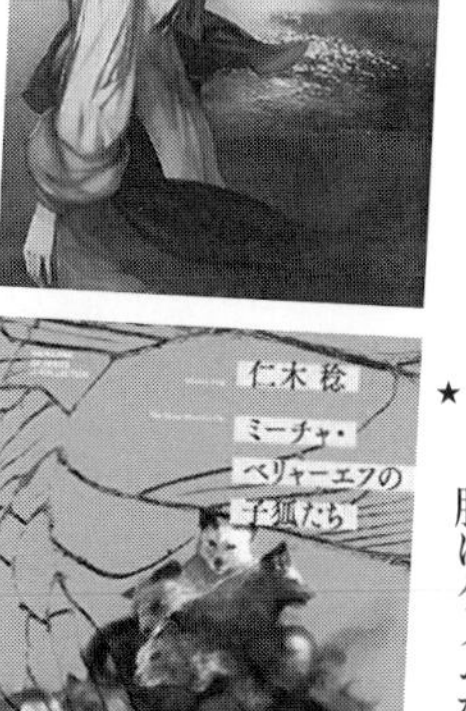

★（上から）仁木稔『グアルディア』『ラ・イストリア』（いずれも早川文庫）
『ミーチャ・ベリャーエフの子狐たち』（早川書房）

母の尊厳回復を果たせぬまま心臓発作で亡くなる。

だから二〇一二年の中篇「はじまりと終わりの世界樹」（『ミーチャ・ベリャーエフの子狐たち』所収）には、ラックス家の物語を反映させた。双子の弟によって語られる、人工子宮の内膜組織ドナーの生涯だ。彼女はヘンリエッタと同じく名を奪われた存在であり、敢えて本名は設定しなかった。記述を簡潔にするため、ここでは死後の通称である受胎（コンセプシオン）と呼ぶことにする。

モデルにしたのはあくまでその立場であり、邪悪な美少女というコンセプシオンの人物像がヘンリエッタと懸け離れているのは言うまでもない。ただし彼女の邪悪さは、周囲の人間の欲望を鏡のように映したものである。前述のヒーラ細胞による他の培養細胞の汚染は、一九六〇年代に判明して以来、深刻な問題で在り続けている。彼女を利用してきた人々の身勝手さを映し出しているかのようだ。

同様に、コンセプシオンの親族の幾人かを愚か者としたのも、ラックス家とは無関係である。しかしその蒙昧さも、ラックス家が置かれたのと同じ、人種差別的な教育環境に起因している。彼らもまたコンセプシオンの存在に振り回され、人生を狂わせられる。

連作『ミーチャ・ベリャーエフの子狐たち』では、コンセプシオンが人類衰退のはじまりと終わりであることを示唆している。ヒーラ細胞はゲノムが変異し続けており、ひょっとしたら人類滅亡後、唯一の生存者となるかもしれない。だが現在は、コロナウイルスの研究にも役立てられている。少なくとも彼女から恩恵を受け続けている間は、私たちはラックス家の悲劇を忘れてはならない。

死という発明、記憶のリレー、クレア・ノースの孤独

◎文＝本橋牛乳（物書き）

1

生物というのは、本質的に死なないものだと思っている。死ぬというのは、あとで付け加えられた形質である、ということだ。ここで言う「死ぬ」というのは、寿命が尽きるということだ。

人間はいずれは死ぬ運命にある。人間にかぎらず、大抵の多細胞動物は死ぬ運命だ。でも、それが生物のすべてではない。不死を願う人は、昔からいたし、だからこそ不死の存在を描く小説などの作品もたくさんある。でも、生物はそもそも不死だったが、生き残るために「死」を発明したのではないか、と思う。

不死の生物といえば、細菌や古細菌があげられるだろう。単細胞の原核生物は、適切な環境であれば無限に増殖していく。環境の制約があって死ぬことになるが。

単細胞の真核生物、例えばゾウリムシや酵母もまた、無限に増殖していく。まあ、ゾウリムシはときどき遺伝子の交換とかして、若返るのだが。

ところで、細菌もゾウリムシも、分裂して増殖したとき、この生殖において親子関係はない。あえていえば、分裂前が親で分裂後が子なのだろうが、だからといって分裂したときに親が死んだわけではない。

これがウイルスとなれば、生きているということすら意味をなさなくなってくる。あえて言えば、ウイルスは生命の欠片のようなものなのかもしれない。細胞にもぐりこんだときに生命にもどり、細胞を壊して出てきたら生命活動を停止する。うっかりすると宿主の遺伝子の中に入り込んでそのまま一体化してしまう。

植物においては、「死」がいかにして後から得られた形質なのかがわかる。

種子植物の場合、木と草がある。木の寿命はだいたい構造的なものだ。木の生命というのは、幹でいえばほぼ樹皮に近いあたりが生きており、内部はもはや生きていない。生命として空間に広がっていくものだ。だから古木となり、構造的に自らを支えられなくなって、枯れていく。

木はしばしば、葉が自ら枯れて落ちていく。落葉樹がそうだ。寒く水分の乏しい冬を乗り切るために、葉を枯れさせていく。プログラムされた死をアポトーシスという。

草の場合は、もう少し違う形で生きていく。多年草と一年草という区別があることは知られている。どちらかというと、一年草の方が特殊だ。多年草は、地下に栄養体（球根など）を残して地上部が枯れるというものがある。一年草は種子だけを残してすべてが枯れてしまう。まあ、地上部が枯れない草もあるけれど。一年草は冬を種子で過ごすということで進化したと思ってくれればいい。

多年草は基本的に死なない。自分の身体の一部を栄養体として残し、生きながらえる。ジャガイモがそうだ。もちろん、親いもから芽が出て成長し、子いもがたくさんできるとい

うことでは、世代が交代しているようにも見える。でも、成長し、身体の一部が死ぬというだけで、いわばクローンのように生きている。『鬼滅の刃』で終盤、鬼である鬼舞辻無惨は自分の身体の一部を残し、それを生かそうとした。ジャガイモと同じである。

植物においては、生きるためにある部分が死ぬ、ということが行われる。とはいえ、種子を残すことにも意味はある。子孫を遠くに送りだすことと、遺伝的多様性を確保すること。植物にとっては、クローンをつくって増えるだけでは、やはり生き残っていくのは難しい。

前述のように、人間を含む多細胞の動物にとっては、死は運命としてある。例えば、細胞単位でみれば、細胞そのものが老化し、あるいはプログラムされた死を受け入れることによって、身体全体がつくられ、維持されていく。例えば、人間の胎児の手には水かきがある。しかし、成長するにしたがって水かきの細胞が死んでいくことで、手が形作られ、誕生を迎える。これもアポトーシスだ。こうしたケースに限らず、多細胞生物の体細胞は分裂が制御され、老いて死んでいく。

もし、体細胞が死ぬことなく分裂が暴走したらどうなるのか。まさにそういった状況になった細胞が、癌細胞だ。HeLa細胞のように、本人はすでに癌によって亡くなっているにもかかわらず、その癌細胞は今でも生きており、世界中の研究室で増殖を続けている、というケースもある。多細胞生物においては、細胞が不死を獲得してしまうと、個体の方が死んでしまう、ということにもなる。

多細胞の動物は死がプログラムされていることによって、個体として生きていくことができる。不死ではないことによって、動物は複雑に制御され、活動できる身体を得たことになる。

2

そうであるにもかかわらず、生物の本質は「不死」なのかもしれない。

Ａ・Ｇ・ケアンズ＝スミスの『遺伝的乗っ取り』によると、最初の生命は、鉱物における結晶構造のずれのようなものだったという。結晶は原子が規則正しく並んだ構造となっている。とはいえ、どこまでも規則正しく並んでいるわけではなく、ときどき原子が抜けたり、あるいは別の種類の原子に置き換わったりしている。そのようなずれが結晶の成長にともなってずれとして成長していく。ずれはある種の「情報」だ。それが複製され、拡大していく。

ケアンズ＝スミスは、原始の海の中の粘土鉱物が、生物の起源ではないかと仮説を立てている。結晶のずれという成長する構造が、やがて有機化合物であるＲＮＡないしはＤＮＡという核酸による情報にとってかわり、その核酸がタンパク質を介して複製され、拡大していく。

リチャード・ドーキンスは『利己的な遺伝子』においては、遺伝子が生き残っていくことに適した形で生物が進化してきたと論じている。遺伝子の側から見た生物の姿を論じているといえばいいだろうか。より多くの子孫を残す遺伝子が増加し、少なくしか残せない遺伝子は消滅していく。

遺伝子というのは物質でしかないが、ＤＮＡの塩基の配列はタンパク質の設計図であり、それによって個体の形質が決まる。例えば、血液型であり、あるいはメンデルが実験

★リチャード・ドーキンス「利己的な遺伝子」（紀伊國屋書店）

してきたエンドウの種子の色などがそうだ。ドーキンスはこのように目に見える形質だけではなく、行動についても遺伝子の表現型だとした。例えば、攻撃的なのか逃走しやすいのか。それがタンパク質で決められているのかという疑問もあるかもしれない。あるいは、雄が子育てに協力的かどうか。DNAの塩基配列が示しているのは、実際はタンパク質だけではないようだ。生物のDNAにはもう少し複雑なはたらきがある。同じアミノ酸に対応したDNAの塩基であっても、塩基の種類が少し異なることで、タンパク質の生成速度が変わることもある。また、DNAには直接のアミノ酸配列情報とはなっていない部分もある。

　そうしたさまざまなことを含め、遺伝子は生物の多様な、行動を含む形質を決めている。もちろん、環境に応じて後天的に獲得した形質もあるが。

　多細胞生物の細胞、とりわけ動物の細胞は不死ではなく、寿命がある。その一方、遺伝子となるDNAについては寿命はなく、生殖細胞を通じて増殖し、生き残っていく。

　不死ではない生物・細胞に対し、遺伝子は不死だといえる。むしろ不死である遺伝子に対し、生物の身体はその乗り物ではないか。それは一つの見方としてありえる。とはいえ、少なくとも明確に意思を持つ人間が遺伝子の乗り物だと割りきれるものだろうか。

　ドーキンスは、そもそもDNAだけが遺伝子だとはいっていない。複製され生き残っていく情報もまた、同様だという。文化、ミームとよばれているものがそうだ。DNAとは別に、文化もまた世代を超えて伝えられていく。文字がそうであり、ことばがそうである。科学は前の世代の成果の上に現在がある。

　では、私たちの記憶が同じように身体を離れても残っていくのであれば、それは不死ということなのだろうか。

3

クレア・ノースの作品では、記憶と孤独がクローズアップされる。

　ノース名義の最初の作品『ハリー・オーガスト、15回目の人生』は、何度も同じ人生で生まれ変わる主人公を描いている。生まれ変わっても前回の記憶が残っている。ビデオゲームのRPGに親しんだ人であれば、死んでもやり直せるという設定はおなじみだろう。『Re:ゼロから始める異世界生活』を思い出すかもしれない。自分だけが記憶を持って生まれ変わるということは、それはそれで孤独だけれども、生まれ変わることには意味があった。でも、ここで取り上げたいのは、別の作品だ。

　『接触』もまた、不死をめぐる話だ。主人公は、人に触れることで、その人に乗り移ることができる。乗り移られた人の意識はなくなる。こうした能力を持つ存在は「ゴースト」とよばれている。ゴーストが出ていけば、人は意識を取り戻す。ゴーストは人に乗り移り続けることができる限りは、不死だ。

　では、記憶と意識が他の身体に乗り移り続けて残っていくのであれば、その不死はどのようにとらえることができるのか。まわりくどくDNAのことについても書いてきたのだけれど、ゴーストの立場というものは、DNAに近いのかもしれない。身体が乗り物である、という意味において。

　『接触』の主人公、ケプラー（仮名）は、ジョセフィンという女性の身体を借りていた。ある日、ケプラーは命を狙われる。ゴーストを抹殺しようとする組織の仕業だ。ジョセフィンは殺され、ケプラーは他の人の身体に乗り移りながら生き延び、ケプラーを狙ったネイサンに乗り移って逃げる。ネイサンはケプラーがいなくなったジョセフィンを殺した。なぜなのか、ケプラーはネイサンの身体をつかってその謎を追っていく。

SFというよりユニークなミステリーだと思うけど、それはそれとして、ストーリーの合間に語られる、さまざまな時代におけるケプラーについての語りがよくつくりこまれている。いつゴーストになったのか、それがどんな状況だったのか。ゴーストを抹殺しようとする組織は遠い昔からあり、ケプラー自身も狙われてきた。誰にも乗り移ることができなければ、その肉体とともに死ぬことになる。監禁され、殺されそうな状況に陥ったこともある。あるいは、昏睡状態の人間に乗り移ったため、1年間何もできなかったことも。乗り移った身体の痛みもわかるので、それまでの経験から身体が抱えている問題もわかる。

ゴーストはケプラー一人だけではなく、ゴーストの社会もあり、乗り移る身体を斡旋してくれる不動産屋もいる。身体を貸してくれた代償として、宿主に財産や大学入学、資格などを残すこともある。ゴーストどうしでも恋をするし、借り物の身体で愛し合うこともできる。男女どちらにも乗り移れるので、ゴーストの性別はわからない。

DNAが不死であるのと同じように、ゴーストも不死だ。SFであれば、記憶と意識をコンピュータに移せば、不死になる。ルーディ・ラッカーの『ソフトウェア』や『ウェットウェア』に登場する天才科学者コッブ・アンダスンがそうだ。この2作の間で、自分をコンピュータにコピーしている。まあ、元の身体に残る意識が自分であり、コピーはコピーでしかないけど、自分と同じ記憶を持っているからそれもまた自分だと思っている、とか、そんなつっこみはできるのかもしれないけれど。

『接触』における不死とはどんなことだろうか。それは世界を見続けることができると同時に、自分自身ではありえない、ということなのだろうか。接触すれば誰にでも乗り移れるゴーストは、その世界で主役でいることはできない。ノースは自分自身でいることの孤独を、書き続けているのだろうか。

DNAは意識を持たない。ただ、どのような生き物になるのか、その設計図である。でもその情報そのものが、適応し、生き残っていく。

★クレア・ノース「接触」（角川文庫）

では、記憶という情報とそれを駆動させる意識の組み合わせが、生き残っていくとしたら。ラッカーに合わせて言えば、情報の媒体が、結晶構造からRNAに、そしてDNAに進化したように、プログラムとして進化したら、そこで不死の記憶と意識はできるのだろうか。それとも意識は別なのか。ただ、『接触』においては、人間の身体というハードウェアを得て、意識もまた乗り移る。

ただ、ゴーストの存在は、歴史にも記録されない。ハリー・オーガストが何回生きようと、その人生はただ1つしか記録されない。

ノースが不死を描くとき、それは、「人は自分自身でしかいることができない」孤独を描いているのではないだろうか。

けれども、それが人の記憶に残されている限りは、それはどこかでDNAのような生き残り方をしているのではないだろうか。

4

保坂和志の『猫がこなくなった』は、猫の記憶をめぐる作品を含めた短編集だ。どこかノンフィクションのようなエッセイのようなところもあるけれど、でもそうしたものも含めて、保坂にとっては小説だし、ぼくはそうして読んでいる。

かつて保坂は『カンバセーション・ピース』

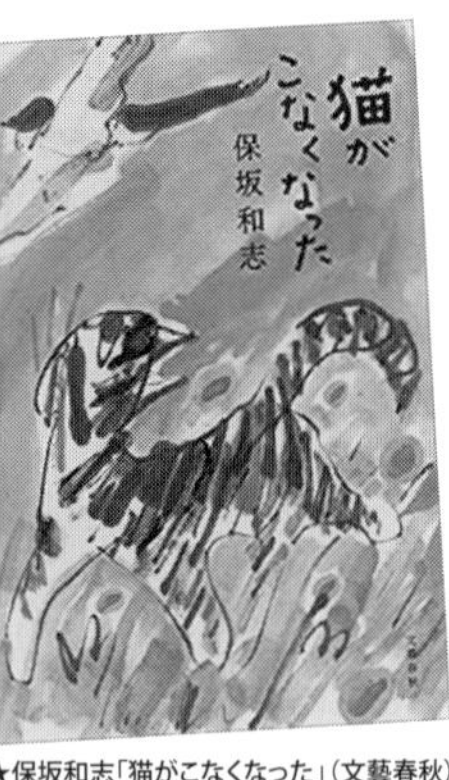

★保坂和志「猫がこなくなった」（文藝春秋）

で、家を主人公にした。家の視点からそこに集まってくる人々を描いた。『世界を肯定する哲学』では、自分が死んでも世界はあると語る。

「猫がこなくなった」と「特別に忘れがたい猫」という短編では、死んだ猫について語っている。でも、猫が死んでも、生きていたという痕跡はそこに残っているし、それが残る限りは世界が続いている。

猫は不死ではない。でも、猫についての記憶は不死なのだろう。生きている猫は、死んだ猫の生とともに二重映しとなって生きている。

ミームもまた、DNAのように不死であるが、たぶん、そんな大仰なものでなくとも、記憶はこの世界で不死でいるものなのかもしれないし、それが不死でいることで世界を構成しているのかもしれない。

だとしたら、ゴーストは世界の外側で世界を構成しているところにいるのかもしれない。外にいることは孤独だ。

保坂が猫を起点に、記憶と世界の関係を描いているとしたら、2011年3月11日の東日本大震災と東京電力福島第一原発事故もまた、記憶と世界の関係につながっていく。ゴーストのように抹殺されかねない記憶ともなっている。

いとうせいこうの『想像ラジオ』は、死者によるラジオ放送めぐる作品だ。耳をすませば死者の声が聞こえる。保坂の見方を重ねるのであれば、被災地においては、震災がなかった東北地方太平洋側が常に二重映しになっているし、そうした中で生きていくことになる。死者の声を記憶として、それが世界を構成する。

そして『福島モノローグ』においては、生きている被災者の語りが収録されている。といっても、震災のときのことだけではない。ある人は生まれから語り、あるいは飼っている牛のこと、除染のことを語る。何より、いとうはこの本では聞き役に徹し、自分の言葉を直接はさむことはない。ただ、こうして文字に起こされた言葉は、DNAのように不死だ。書かれたものだけではなく、語られたもの、記憶の伝承も含め、そこにおいて、それは不死だ。

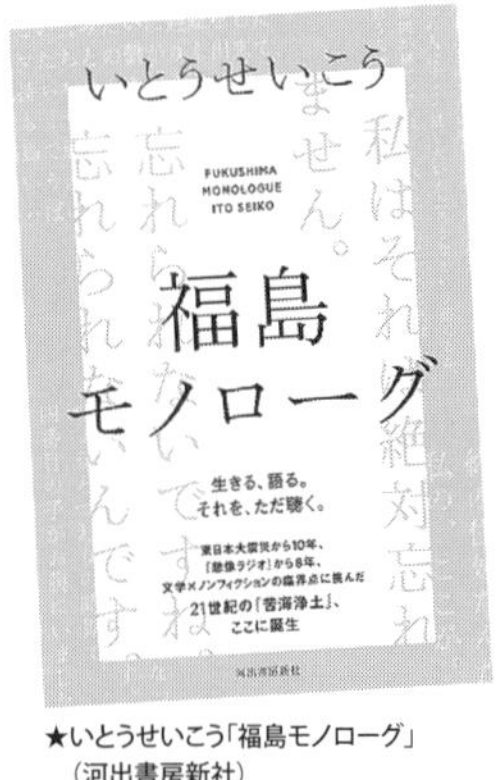

★いとうせいこう「福島モノローグ」（河出書房新社）

5

クレア・ノースの『ホープは突然現れる』は、記憶されない物語だ。

主人公のホープは、人に記憶されない性質を持つ女性だ。会った人はすぐにそのことを忘れてしまう。家族すら、ホープを忘れる。もちろんそこにいることはリアルタイムでは認識するけれども、別れたらすぐに記憶から消える。ホープは家族と暮らすことができず、記憶されない性質を生かして窃盗などを繰り返して生きていく。

物語を進めるもう1つの糸は、「パーフェクション」というアプリケーション。プロメテウス社が提供するこのアプリは、ユーザーに助言を与え、さまざまな商品・サービスの消費をうながす。それによってユーザーはより魅力的な人間となり、社会的な成功にもつながっていく。商品・サービスの消費にしたがって、ポイントがたまっていき、一定のポイントがたまるごとに、より質の高い商品・サービスを受けることが可能となる。

ホープはパーフェクションのユーザーだった女性の自死をきっかけに、プロメテウスの秘密をあばこうと動きだす。

記憶されないということは、それはそれで生きていくことが簡単じゃない。ケガや病気で病院に行っても、受け付けたあとに忘れられる。目の前にいれば、救急治療は受けられるが、あとは放置される。宿泊先では泊まっていることが忘れられて追い出される。もちろん定職にはつけない。だから窃盗などで生きていくことは、それはそれでしかたがないのだけれども。

その一方で、記憶されないということの自由さを、ホープは指摘される。とはいえ、本当に自由なのだろうか。その世界に何も残すことなく存在しているということ。それは不死であることとはまた異なる孤独でもある。そして、孤独であるということは、世界の外側にいるということでもある。パーフェクションが、人を魅力的に見せるアプリケーションであると同時に、そのユーザーは少しも自由ではない、ということが対比される。

★クレア・ノース「ホープは突然現れる」（角川文庫）

ホープは忘れられ続ける。不死ではないホープは、他の誰とも異なり、死んだあとの世界に痕跡を残さない。それは単に失われるものでしかない。けれども、世界に対しては自由だ。

唯一、障害者の妹だけが、ホープをこの世界につなぎとめている。

6

DNAがそうであるように、文字や文章もまた、書き写すという複製手段によって情報として生き残り、拡散し、進化する可能性を持っている。円城塔の「文字渦」は、文字というもの、漢字という文字を中心に、そのことを描いている。

漢字は表意文字としてつくられ、象形文字だったものからさまざまな形へと進化していく。そこには書き間違いもあるし、複数の文字を組み合わせて1つの文字にしていくということも起きる。

DNAが生命の本質であるというのであれば、文字とそれによって構成された文章もまた、オルタナティブな生命といっていいのかもしれない。

文字は後に、たった2つの文字「0」と「1」だけで記述されるようにもなる。それは、DNAの4つの塩基よりもさらに少ない。そして、0と1で記述された文章が、意識を持つ可能性を否定することはできない。

そうではなくとも、文字は記憶を残す。文字によって残された記憶は、この世界に残る。

文字はDNAと同様に不死だ。そもそも、生きているという定義すらあいまいだ。ウイルスは不死であると同時に生きていると定義できない。

生物がDNAの乗り物であるのであれば、同じように人間は記憶の乗り物であるのかもしれない。記憶は不死かもしれないが、孤独でもある。

DNAは死を運命づけられた身体を手に入れることによって、より複雑なものへと変化することができた。記憶は死を運命づけられた人が伝えていくことで生き残っていく。クレア・ノースの作品においては、記憶と世界の間で、不死が孤独に扱われる。

死という発明においては、発明した主体である情報そのものは孤独だ。

輪廻転生考
——五火二道、六道、九相図

◎文＝志賀信夫（批評家・編集者）

不老不死と輪廻転生

不老不死については、吸血鬼などのことをたびたび書いてきた。屍体のことも、何度か考察してきた。その不老不死と、似て異なる、あるいは真逆とも考えられる「輪廻転生」について、考えてみる。実は意外とつながっているのではないか、という漠然とした想いを抱いたからだ。

輪廻転生は、柔らかくいえば、「生まれ変わり」であり、英語ではリーインカーネーション(reincarnation)という。ラテン語源でcarneは肉、肉体だから、再び肉体の中に宿るという意味だと考えられる。これはわかりやすい。実はこの言葉は、ちょうど『エクソシスト』などでオカルト映画が流行ったころ、同名の映画があったことで憶えている。

そして、輪廻も転生も、私たちには、どちらも仏教用語という印象が強いが、実は世界のさまざまな宗教にこの思想と関わるものがある。そして、輪廻転生思想の根本は、いったんは死ぬことを認めるが、それは永遠の死ではなく、別の姿で甦るということだ。

考えてみると、人が死とどう向き合うかは、いくつかの形が考えられる。

一つ目は、人は死んだら終わりということだ。肉体とともに心、もしくは魂、霊魂も消える。心と魂の違いはここでは置いておく。

二つ目は、人は死んでも、魂が生き続けるということだ。その考えは、天国と地獄を生み出した。

三つめは、人は死んでも、甦るということだ。それは、キリストのように、同じ姿で復活する形と、別の人間、生物などになって甦るという形がある。後者が、この輪廻転生にあたるだろう。

四つ目は、死なないということだ。つまり、不老不死である。もちろん本来死ぬのだが、不老不死の薬を得る、もしくは吸血鬼となって永遠に生きるというものだ。また、ゾンビは、生きてはいないのだが、屍体として、ある意味で生き続ける。やはり、吸血鬼の変形と考えていいだろう。

現実に、不老不死や永遠の生命を獲得した人間はいない。キリストは復活したが、その後、永遠に生き続けたわけではない。その意味では、ジュリエットのように、仮死状態から戻ってきた人と同じようなものだ。

人は死にたくない、あるいは死ぬことを認めたくない。親しい人の死を認めたくない。死にたくないというのは、死への恐怖に基づく感情でもあり、生きたいという欲望でもある。そして、こういった感情や考えが、魂、霊魂、輪廻転生、不老不死の思想などを生み出している。宗教を生み出したものも、そういう人間の思いや欲望と考えられる。それによって、宗教のみならずさまざまな思想が生まれている。その点からも、輪廻転生を考えてみるのは、死を考察することであり、宗教の根源を考察することでもある。

まずは、仏教の輪廻転生を考えてみよう。輪廻転生は仏教の思想であると書いたが、実は必ずしもそうではなく、仏教は、輪廻転生を否定したという考えもある。実はそれは、古代インド思想に遡る。

古代インドの五火二道説

輪廻転生の思想は、遡ると紀元前、古代インドのバラモン教にみられる。それはヒンドゥー教の元である。そして、ヒンドゥー教と仏教は、同じころインドに生まれたため、混淆している部分も多々ある。そのバラモン教の輪廻転生が、仏教思想にも入っているのだ。

輪廻は、サンスクリット語のサンサーラ、生物が何度も転生し、動物も含めて生まれ変わることである。生物が死んだ後、生前の行為、つまりカルマ（業）の結果によって、さまざまに生まれ変わる。こうして輪廻して生と死を繰り返すことは、実は「苦しみ」であり、転生しないことを、むしろ「解脱」として、理想としている。

バラモン教に初めて輪廻思想が登場したのは、ブラーフマナ文献とウパニシャッド文献である。そこでは、輪廻は「五火二道説」として示された。

「五火説」は、死者は月にいったんとどまり、次に雨となって地に戻り、植物に吸収されて穀類になり、それを食べた男性の精子となって、女性との性交で胎内に入り胎児となり、再び誕生するという考え方で、それを五つの祭火になぞらえた。「二道説」は、五火説の再生する道（祖霊たちの道）と再生のない道（神々の道）の二つを意味する。

そして、信仰と行為、つまりカルマ（業）によって、輪廻による来世が決まる。そのため、カルマは輪廻の原因である。生物は、そのカルマを超越しないかぎり、永遠に生まれ変わる。これは、カルマ（業）による因果応報の法則、つまり善因楽果、悪因苦果、自業自得に結びつく。いまでも会話で使われる「自業自得」は、この紀元前の古代インドの輪廻思想に基づいているのだ。

この五火説は、現在の視点からは、エコロジー、生態論とも考えられるだろう。つまり、生態系がつながっていることを、この五火説の物語は示している。

また、現在もヒンドゥー教では、周知のようにカースト制度があって、身分差別といえる。『マヌ法典』では、女性はどの身分（ヴァルナ）でも、輪廻転生する存在（ドヴィジャ）ではなく、転生しない存在（エーカジャ）である隷民（シュードラ）と同等視され、ドヴィジャの夫と一緒に食事もできずに、祭祀を主催し経文（マントラ）を唱えることも禁止されていた。つまり、紀元前後のヒンドゥー思想によれば、女性は輪廻転生しないのだ。

仏教の輪廻と六道

仏教でも、輪廻は前提であり、輪廻を「苦」として、そこからの「解脱」が目標である。ただ、他のインドの宗教と違うのは、永遠不滅の我（アートマン）を想定しないことだ。仏教では、「無我」を求める。主体（我）があれば、永遠に輪廻から逃れられない（常住論）か、輪廻しない（断滅論）状態に陥るからだ。そのため「解脱」には「無我」でなければならない。ちなみに、瞑想やヨガ（ヨーガ）は、もともとこの「解脱」のために行うものだった。

原始仏教では、天、人、畜生、餓鬼、地獄の五道輪廻が基本である。そこに阿修羅を加えて、天、人、修羅、畜生、餓鬼、地獄を六道とするようになった。そこに声聞、縁覚、菩薩、仏が加わると十界という。現在広く伝わる六道は次のとおり。

天道：天人の世界。人間よりも寿命が長く、苦しみもほとんどなく、空を飛び、享楽の生涯を過ごすが、煩悩から逃れられず、仏教に出会わず解脱できない。

天人が死ぬときの五つの変化を五衰（天人五衰）という。三島由紀夫の書籍のタイトルにあるが、それは次のようなものだ。

一　衣裳垢膩：服が垢で汚れる
二　頭上華萎：髪飾りの花がしおれる
三　身体臭穢：身体が汚れて臭う
四　腋下汗出：腋の下に汗をかく
五　不楽本座：これまでいた所が楽しくない

三には異説もあり、体の光が消える、もしくは、眼が眩むというものだ。これらの症状が出ると、身内から見放され野垂れ死ぬという。そして、天人は煩悩から逃れられず、地獄に落とされることもある。他の五道は次のようになる。

人間道：人間が住む世界。苦しみが大きいが楽しみもある。不浄の相、無常の相、苦しみの相で構成される。

修羅道：阿修羅の住む世界。常に戦い争う。苦しみや怒りが絶えないが、苦しみは自らに帰結する。

畜生道：牛馬などの世界。本能で生きており、自力で仏の教えを得られず、救いが少ない。

餓鬼道：餓鬼の世界。餓鬼は腹が膨れた姿の鬼で、食べようとすると火となり、飢えと渇きに悩まされる。

地獄道：罪を償わせる世界。

地獄道から畜生道までを「三悪趣」、修羅道から天道までを「三善趣」とする。地獄から修羅までを四悪趣とすることもある。

転生、輪廻、リーインカーネーション

それでは、輪廻に対して、転生とはどういうものだろうか。転生とは、生物が死んだ後に、別の形や肉体を得て新しい生を送る概念、つまり新生、生まれ変わりで、輪廻思想の一部である。古代インドのジャイナ教、仏教、シーク教、ヒンドゥー教では、中心的教義である。転生思想は、古代ギリシャ思想や、ローマ時代には、新プラトン主義、ヘルメス主義、マニ教、オルペウス教、グノーシス主義、さらにキリスト教のカタリ派、アラウィー派、ドゥルーズ派、薔薇十字団の思想にもみられる。そして神智学や各地の先住民の信仰にも認められる。宗教人類学者の竹倉史人によれば、輪廻転生の転生と輪廻とリーインカーネーションの違いは次のようになる（改変・簡略化）。

転生＝循環
輪廻＝流転
リーインカーネーション＝成長

転生：部族や親族などの同族内で転生する循環型。時には動物転生や植物転生も見られる。

輪廻：生物は永遠にカルマ（業）によって、繰り返し生まれ変わる流転型。

リーインカーネーション：一九世紀にフランスで生まれた、人間は生まれ変わりを通して成長するとする成長型。転生を繰り返すことで、進歩・進化し、最終的に神に近い完全な存在になる。

つまり、転生は循環して繰り返され、輪廻は他の生物になりながら流転する。リーインカーネーションはそれをふまえて、進化思想とつなげたものだ。ちなみに、キリストの「受肉」は英語ではインカーネーション（incarnation）である。受肉は、神がキリストという人間の身体を得たことだ。その意味で、リーインカーネーションが神に近づくというのは、よくわかるだろう。

六道輪廻図

これらを踏まえて、「六道輪廻図」を見てみよう。六道輪廻図は、カルマ（業）によって生まれ変わる六つの世界を描いたものだ。

まず、この輪廻の輪に外からしがみついている怪物は、「無常」である。そして、輪の中心にあるのが鶏、蛇、豚。これは、「欲望」「怒り」「愚かさ」の煩悩を象徴している。後に述べる「三毒」（貪・瞋・癡）である。

その外側には、左半分は善行で上昇する人たち、右半分は、悪行で下降する人たちがいる。さらにその外側が、「六道」である。上から右回りに、天道、人間道、畜生道、地獄道、餓鬼道、阿修羅道である。

そして、一番外側には、苦しみが生まれる「十二縁起」が描かれている。十二縁起は、十二因縁とも呼ばれ、現実の苦悩の根源を断つことで、苦悩を滅するための十二の条件である。無明（むみょう）、行、識、名色（みょうしき）、六処、触（そく）、受、愛、取、有（う）、生（しょう）、老死の十二がある。

無明：無知、過去の煩悩。光がなく、迷いの中にいる。

行：物事がそうなる力（業）。

識：識別、好き嫌い、選別、差別。

名色：肉体と心、形態と名称。
六処：六感（感覚）。
触：外界との接触。
受：感受作用、「触」による感受。
愛：渇愛、妄執。
取：執着。
有：存在。生存。
生：生まれること。
老死：老いと死。

三毒と七つの大罪

これらに関連して、まず仏教の三毒に触れよう。これは、最も根本的な三つの克服すべき煩悩を、毒に例えたものだ。それは貪・瞋・癡である。三毒は人間の諸悪、苦しみの根源とされている。

貪：貪り、貪欲、我愛、すべての物を必要以上に求める心。シンボルは鶏。

瞋：瞋恚、怒り、恨み、憎しみ、嫌悪、憎悪。シンボルは蛇。釈迦は息子に「瞑想を深めればどんな瞋恚も消える」という。

癡：苦痛、毒、妄想、混乱、鈍さ、愚痴、我癡、時に無明と同義。シンボルは豚。三毒の根源は癡であるとされる。

三毒を懺悔する経文の「懺悔偈」つまり「懺悔文」は、華厳経四十巻本の普賢行願品から採られた偈文だが、真言宗・禅宗などでは読経前に、浄土宗では読経の中で必ず唱えることになっている。

〈偈文〉
我昔所造諸悪業
皆由無始貪瞋癡
従身語意之所生
一切我今皆懺悔

〈和文〉
我昔より造る所の諸々の悪業は
皆無始の貪瞋癡に由る
身語意より生ずる所なり
一切我今皆懺悔したてまつる

詩人・作家の伊藤比呂美は、これを次のように訳している。

わたしが／これまでに／なしてきた／いろんなあやまちは

★ブータンの六道輪廻図。
下はその中心部に描かれた三毒

はるかなむかしから／みゃく／みゃく／とつながる／むさぼる心・いかりの心・おろかな心／をもとにして
からだ・ことば・いしき／をとおして／あらわれて／きたものだ。
わたしはいま／きっぱりとここにちかう。／そのすべてを／ひとつ／ひとつ／心をきりきざむようにして／悔いて／いきます。
（『読み解き「懺悔文」女がひとり、海千山千になるまで』朝日新聞出版）

こう見てくると、キリスト教の七つの大罪をあげて、比べてみたくなる。「娼婦と聖性〜マグダラのマリア」（本誌№84）でも触れたが、七つの大罪は、歴史をたどると、元々は八つあり、入れ替えもあったが、現在は「傲慢」「強欲」「嫉妬」「憤怒」「色欲」「暴食」「怠惰」である。

「六道輪廻図」に戻って、輪廻の輪の外側を見ると、右上に、雲に乗った仏陀が月を指さし解脱をよびかけ、左上は、解脱した先の阿弥陀如来と極楽浄土が描かれているものもある。

この図は、貪・瞋・癡の三毒を十二縁起に基づいて、それを抑えて、解脱に向かうという教えを示している。それは、キリスト教の七つの大罪と同様である。貪・瞋・癡に即して考えれば、七つの大罪は、貪：強欲、色欲、暴食、瞋：嫉妬、憤怒、癡：傲慢、怠惰に分類されるだろう。

九相図

そのなかで、「貪」の一つ「色欲」については、仏教では、「九相図（くそうず）」がある。美女が死体となって腐敗して、白骨になって朽ちていくまでを九段階の絵画で示したものだ。それを見ることを「九相観」と呼ぶが、それは、現実の死体を繰り返し凝視し、現在の肉体の不浄を理解し、自分の淫欲を捨て去る修業であるという。

〈九相図〉
脹相：腐敗により内部から膨張する。
壊相：皮膚が破れ壊れる。
血塗相：溶けた脂肪や体液が滲み出す。
膿爛相：腐敗で溶ける。
青瘀相：青黒くなる。
噉相：虫がわき鳥獣に食い荒らされる。
散相：死体の部位が散乱する。
骨相：骨だけになる。
焼相：灰だけになる。

九相図によれば、身体は自然に還り、甦りはしない。だが、輪廻転生はするとも考えられる。古代インドの五火説のように、自然に還った身体は再び、生態系の一環として、生を得る。その意味で、輪廻転生するのだ。

日本で古代に行われていた殯（もがり）は、死者を埋葬するまで、遺体を納棺して、長く安置して別れを惜しみ、霊魂を慰め、復活を願いながら、腐敗・白骨化を見ることで、最終的な「死」

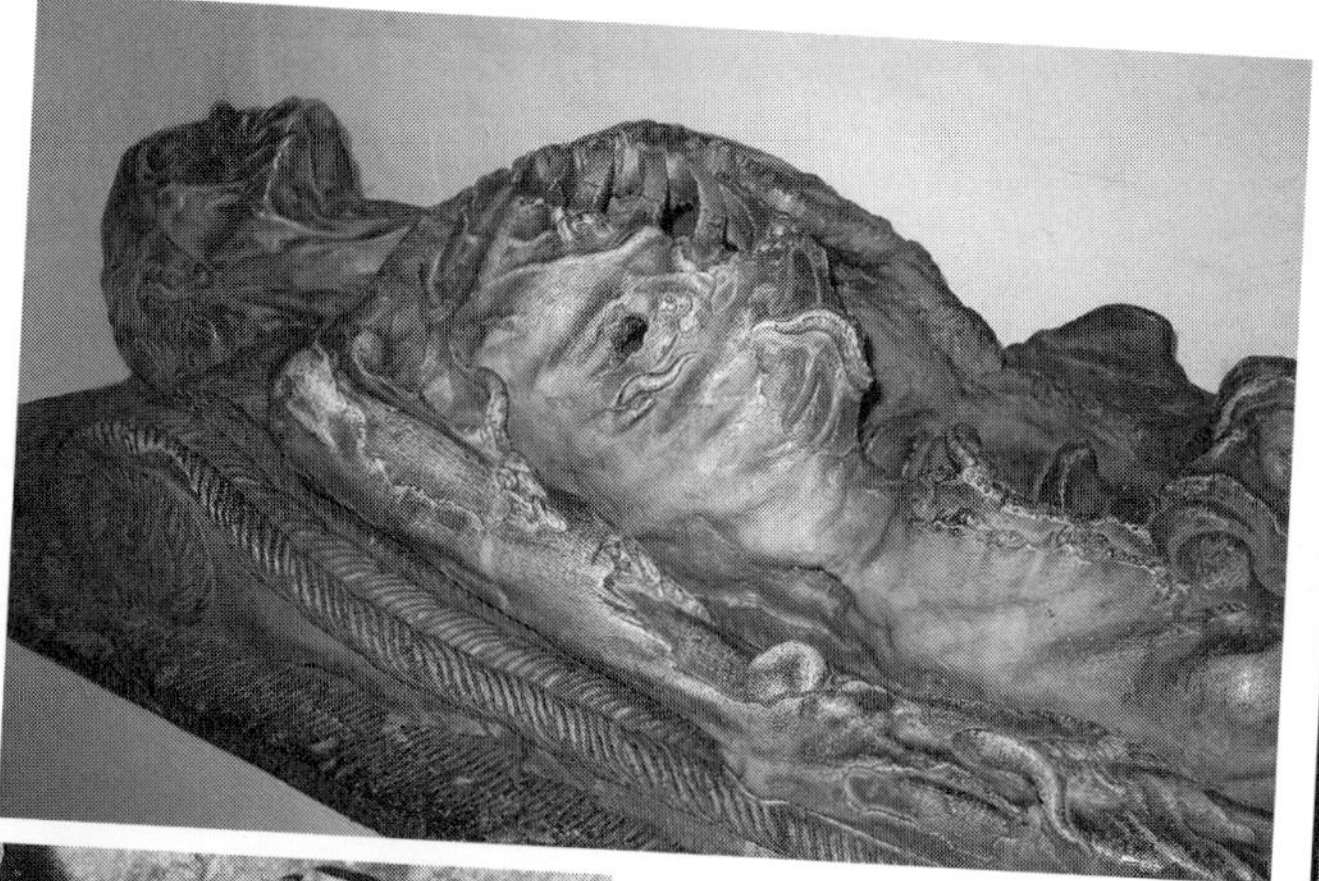

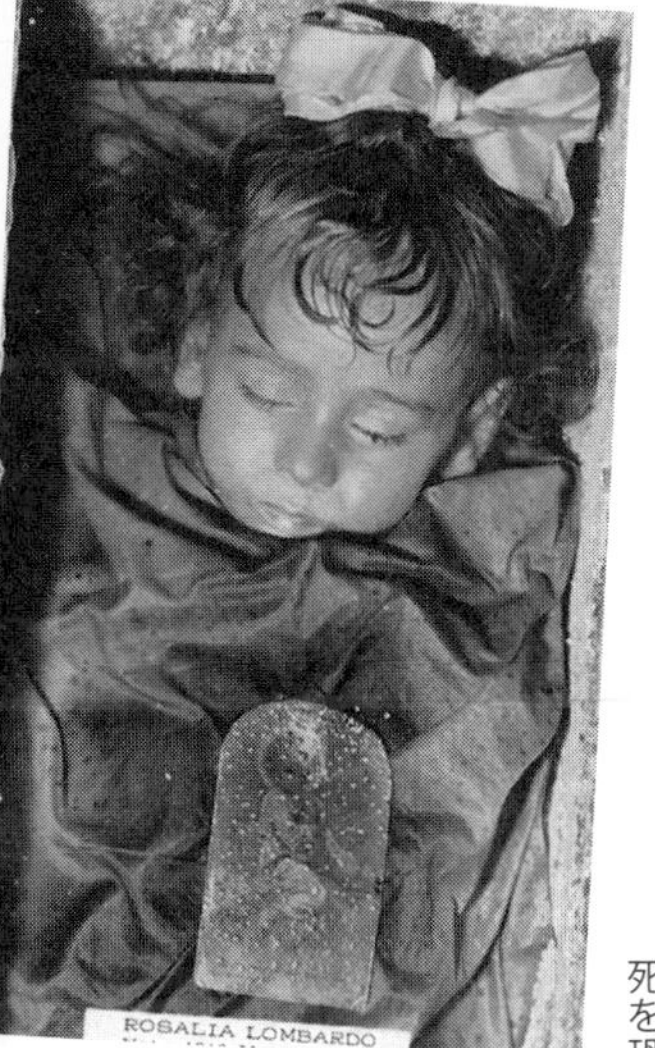

を確認する葬祭儀礼である。その安置した建物を「殯宮（もがりのみや）」というが、現在では、天皇・皇后・太皇太后・皇太后の葬儀の一つとして行われる。この「殯」の習慣が残ったのが、現在の通夜だともいわれる。

中世ヨーロッパのトランジ（Transi）も、死者を悼むためにつくられた、朽ちていく遺体の像やレリーフである。古代のミイラは、現代のエンバーミング、プラスティネーションにつながり、さらに、現在、米国では死体の変化の過程を科学的に観察・研究する死体農場（ボディファーム）まである。

このようにして、人は死とどう向き合うかを葛藤し、そして死の過程を見つめ、記録することで、死を知ろうとし、一方では煩悩を捨てようとしながら、一方では甦りや輪廻転生を求めてきた。

死を恐れつつも、本当に不老不死を獲得したら、生き続けるという苦しみを生きることになることも、考えられる。それは、これまで吸血鬼の物語も示してきたものだ。それゆえに、甦りや、新たな生に思いを託すことで、だれしも、やむなく死を受け入れてきた。その表れが、輪廻転生という思想なのだろう。

★（上）ベルギーのブッスのトランジ（16世紀）
（下）1920年にエンバーミングされたロザリア・ロンバルド

★小野小町を描いた、狩野派の英一蝶作とされる九相図

不老を手に入れたドリアン・グレイは、なぜ破滅したか

●文＝べんいせい（音楽家）

人類の夢？

誰にとっても死は恐ろしく、醜く変容する老いも忌むべき出来事に違いない。それ故に大昔から多くの者が「若さ」を望み「不死」を探し求めてきたし、多くの物語の中でも不老不死に夢を馳せた者たちの姿が描かれたりしている。

不老不死とは中国の神仙思想の生命観のひとつと言われ、実際に秦の始皇帝が不老不死を求めて徐福という者に蓬莱の国へ行き「金丹（仙薬）」を持ってくるように命じたことが史記に記録されているし、インドでは「アムリタ」という飲み物として、西洋では「エリクサー」と呼ばれる霊薬として、そして我が日本でも食べれば不死を得られる「トキジクノカク」という木の実が古事記の文中に登場している。

歴史や神話の中で多くの者たちが求めて止まない不老不死薬だが、実のところ不老不死であることは本当に幸せなことなのだろうか。人魚の肉を食べたことで不老不死となり世を儚んで尼となった八百比丘尼の伝説のように、それは破滅への道を歩むことになりはしないだろうか。

不老と不死

まず「不老不死」について考える時に、「不老」と「不死」を分ける必要性がある。不老というのは『老いにくい』という程度問題としての話であるのに対し、不死とは『死ぬか死なないか』という事象の話だからである。

不老とはそもそも「老い」と「若い」という相対的な程度問題であって、我々は今の状態で物事を考えがちだが長期的スパンで過去と比較して見みれば、現代の人類は「不老」である時期の長さを過去最高に有しているといえる。それは後述する昔の38歳と今の38歳では見た目の違いが歴然であり、これは皮膚の状態を長期間観測した研究によっても栄養・健康状態の改善や紫外線に対する知識等の向上もあって、較べるべくもなく平均的な皮膚状態が良くなっているというエビデンスが得られている。つまり人類はどんどん老化の速度が抑えられてきているということに他ならない。

★オスカー・ワイルド

不死を実現できるかどうかはその定義によって答えが変わってくるが、例えばSFなどに描かれる義体化、意識だけをそのまま機械に移植してアンドロイド化した場合、その状態を不死と呼ぶことはできるか。その解を得ようとすると、アンドロイドに意識を移行したときに果たして身体が存在した時と同じ思考ができるかという命題に突き当たる。

すなわち、身体の感覚は思考や意識に与える影響がとても大きいので、同じ思考に至るのは難しいのではないかということ。皮膚感覚のない身体にとって小川のせせらぎや夏の夜風の匂いや温度といった感覚的情緒を肉体があったときと同じに感じられるのだろうか、つまりアンドロイドに意識を移行させたとしても身体の状態が大きく変化したことによって思考の『連続性』と『再現性』が断絶されるため、その義体は生を受け継いでいるとは言い難いのではないか。

生とは肉体による依存度が極めて高いと考えて差し支えない。その理由は、「連続性」と「再現性」が肉体によって担保されているからである。

不老不死者にかかわる問題

それでは連続性と再現性を担保した不老不死の可能性を考えてみ

ようすなわち、どんなに酷い怪我を負っても決して死ぬことなくすぐ治ってしまう「死ぬことが選択できない不老不死」についてである。

実はこの不老不死の状態には非常に大きな問題があって、ひとつめは環境の変化に対応できるかという点である。我々が物語の中で見出す不老不死者は、せいぜい数十年から数百年の時を超えているに過ぎないが、不老不死者というからには、百万年後の世界でも生き続けなければならない。未来の人類は変化する周囲の環境に対応し続けるが、時の進みが止まっている不老不死者が適応するのは難しくはないだろうか。

次に不老不死者は、若く健康で病気などすることなく事故や天災に遭うこともないように思われがちだが、永久に死なないわけだから、仮に天災に見舞われ岩の下敷きや大地の裂け目に落下、または瓦礫の下に閉じ込められてしまった場合、救助活動が打ち切られたとしても生き続けるしかない。発見されるまで数百年ということもあり得る。

そして普通の人間が生きている程度の年月であれば問題ないが、悠久の時を生き続ける脳のキャパシティには問題が生じるのではないか。脳が記憶できる容量には限界があり、その一方で身体は若いまま生き続けるのだから、いずれ容量超過によって過去の記憶が脳の動作に障害を引き起こしてしまうのではないか。さらに年月が経過するごとに経験則が上回って新たな出来事がどんどん減っていくために、時間の感覚は消滅することになる。すなわち正気を保てないほどの早さで時間が経過していくことに耐えられるのだろうか。

ドリアン・グレイと時間

ここからは不老者の寓話としてオスカー・ワイルドの長編小説「ドリアン・グレイの肖像」における不老と狂気の関連性について考えてみたい。

130年前に書かれたこの作品は美の喪失や道徳性といった多くの側面を持つが、ワイルド自身も仮面を付けて執筆していた作家だったこともあり、多種多様な解釈が生じてしまうのは避けられない。とりわけ作品を覆う時間軸とその崩壊に焦点を充て、ドリアンが不老を手にし願いが叶ったかに見えたが、なぜそれが壊されてしまったのか、その背景には何があるのか、そして時間に支配されてしまったドリアンの憂鬱について取り上げてみたい。

「ドリアン・グレイの肖像」に描かれるテーマは若さであり、若さとは失われていくものである。時間が流れれば身体に変化が現れるのは当然避けられないのだが、この作品ではドリアンが若さを保ったままなのでその構造が崩壊している。

人も羨む美貌に恵まれていることを快楽主義者のヘンリー卿から教えられ、それがやがて失われていくことに恐れを抱くドリアンは、肖像画が彼の罪を背負うという契約を肖像画と結んだことで永遠の若さを手にし、不老者としての人生を歩みだす。これは一見すると彼の願いが叶い、まるで彼が時間を支配したかのようにみえる。果たしてそうなのだろうか、時間を我が物にすることはできたのだろうか。その答えは彼の最期をみれば一目瞭然である。彼の最期の姿は老けてやつれ、皺だらけで、見るからに厭わしい容貌となっていた。この描写からわかるように、ドリアンは最終的には若さを保つことなどできず、本来あるべき姿となって最期を迎えたことになる。時間に支配されてしまったのである。

若さという時間の崩壊

ドリアンの若さを保ち続けたいという欲望は彼自身の心の声なのではなく、他者からの呼びかけによって彼の中に覚醒させられたものに他ならない。その呼びかけは、退廃へ導くものと良心に従おうとする相容れぬ呼びかけであった。画家バジルのアトリエで絵のモデルをしていたとき、快楽主義者ヘンリー卿と出会ったことから彼の時間は狂い始める。このヘンリー卿こそがドリアンを破滅へと導く声の持ち主であり、初対面にも関わらず彼から発せられる言葉に魅了されていくのである。一方ヘンリー卿も卓越した美貌を持つドリアンに興味を抱き、格好の実験対象に出会ったことを喜びながら、彼が持つ美という財産がいかに重要であるかを説明し始める。

植物は一度萎れてしまっても花を

咲かすことができるが、人間の若さはどうだろうか。人間の若さは植物のように循環などしないし、若かったときの一瞬に決して戻ることはできない。枯れてはまた咲くという繰り返しが可能な自然界の時間と、やがては終わりが来る人間の時間という対照的なものを比べて若さが永続的でないことを説いたのだ。そしてヘンリー卿は若さが続く生き方の手本として、経験そのものを目的とする新しい快楽主義の思想を植えつけていくのである。

　このようにしてヘンリー卿の言葉で若さがいずれは失われてしまうこと、価値ある若さを自分が持っているらしいことを教えられたドリアンは、完成した肖像画と対面したことでヘンリー卿が言ったことが事実だと認識する。肖像画を目にした彼は初めて本来の自分の姿を知ったような感覚に襲われ、自分の中で響くのはヘンリー卿の若さはいずれ失われていくという警句であった。声と芸術という異なるものを媒介として自分自身のアイデンティティに気付いた彼は、その若さを維持したいという欲望に支配されていくのである。

不老への誘い

　ヘンリー卿と相反する声でドリアンを導く存在として登場するのが、舞台女優シビル・ヴェインである。彼にとってヘンリー卿とシビルの声は「決して忘れられないもの」であり、彼に影響を与える声であった。シビルの純粋無垢な声は良心を象徴しているが、一方ヘンリー卿の声は邪悪の象徴といえる。この異質な2人の声は彼の中で共鳴し、どちらの「呼びかけ」に応じていいかわからないでいるが、やがて彼の時間を止めることになる事件が起こる。

　シビルは出会った頃は確かに魅力的であったが、ドリアンと恋に落ちた途端に芸術ではなく現実の世界に生きることを選択したただの三文役者と化してしまう。彼は芸術的価値を失ったシビルに何の魅力も感じなくなり罵声を浴びせ、そのことが原因で彼女を自殺へと追い込んでしまう。すなわち良心の破壊が行われた瞬間である。この非道な行動によって肖像画は醜く変貌し始め、彼はひどく狼狽するのだった。

　シビルの自殺を知って失意に落ち込む中、ドリアンを安堵させたのはヘンリー卿の言葉である。彼にとってヘンリー卿の言葉に従うということは快楽主義に身を委ねると同時に、肖像画に時間を肩代わりさせ彼自身は若さを保ったままの人生を送ることである。前者は第三者による自己思考の放棄であり、後者は彼と肖像画との間で交わされた私的な決定である。こうして彼は時間をも嫉妬する若さを手に入れることになる。実は、ドリアンのこの生き方は自らが主体的に選択して得られた生き方ではなく、ある構造の枠組みの中で生かされたに過ぎない。それではその構造の主体とはいったい何なのか。

過去との相克

　肖像画の変容を目にしたときドリアンは善か悪かのどちらを選ぶかを決めねばならなかったが、この時点で既にどちらかを選ぶ権利は「人生」に剥奪されていた。有無を言わせず、不道徳な行いをして生きていくという避けられない人生が待っていたのである。ドリアンの生い立ちは決して幸せではない、彼の祖父は身分と国籍の違う両親の結婚を快く思わず、父は祖父の策略によって殺されてしまい母も後を追うように亡くなっている。親の愛情に恵まれることなく忌み嫌われ育った彼の、幼児期の人格形成に影響を及ぼしたのは冷酷な祖父である。愛情が注がれるはずの幼少時代を憎悪で育てられたのだから、彼の構造の主体となる人格形成においては推して知るべしといえよう。

　孤独な少年時代とは一変して青年ドリアンは華やかな生活を送り、新しい快楽主義者となって新たな感覚を求め瞬間的に興味を持った対象に没頭する。それらは一時の興味であって長続きこそしないが、興味を持っている間は徹底的に追及していく。彼にとって人間とは無数の生活と感覚とを持つ生き物であり、さらにはそれは命ある者だけに留まらない。つまり、先祖が自分を形成することに少なくない影響を及ぼしていると考えていたのである。

　ここで見落とせないのは、彼が自分の先祖の肖像画の前に立ち、彼らから

★オスカー・ワイルド『ドリアン・グレイの肖像』の映画化作品
（左から）「ドリアン・グレイの肖像」（1945）「ドリアン・グレイ/美しき肖像」（1970）
「ドリアン・グレイ」（2009）

受け継いでいるものは美貌と罪、恥、邪悪さと考える件りである。注目すべきは美貌というこれまで称賛されてきた面だけでなく、邪悪な面も受け継いでいることに気付き始めている点だ。つまり、彼の興味が過去に向かっていることを強調しておきたい。

ドリアンの死

ドリアンが快楽主義に走った原因の一つは過去を忘却するためである。そもそも快楽主義者とは瞬間を生きるのだから過去に執着してはならないはずで、それを徹底するなら忘却しなければならないはずの過去から快楽を得ようとしている点で矛盾が生じてしまう。これまで悪行を犯し続けてきたのは新しい快楽主義に耽っていただけでなく、血族から残酷な遺産を受け継いでいたからでもある。そしてこの遺伝という思想こそが彼を破滅へと導き、時間を支配できなくした真の要因かも知れない。

ドリアンは犯した過去だけでなく前兆によって未来をも恐れるようになる。過ぎてしまった過去は変えられないので、これから起こるかもしれない不吉な出来事を回避するべく、未来を変えるには罪を犯すのではなく善人になることだと考えそれを実行しようとする。ところが彼の期待とは裏腹に肖像画は醜悪さを増す一方で、たったひとつの善行などでは18年間に犯した罪を償うことなど到底できなかったのである。過去さえなくなれば楽になれると思い至った彼は、自分の過去の象徴である肖像画を壊そうとナイフを突き立てる。結果的にこれが自らの人生に終止符を打つことになってしまう。

ドリアンが時間を意識しそれを支配していく過程の背後に潜んでいたものは、悲劇的な運命を予兆するものだった。そして悲劇的な要素とは先祖から受け継がれたものだったのである。運命は不可避であり、彼が変えようと努力しようとも抗うことはできなかった。新しい快楽主義者として瞬間を生き快楽を求めてきたが、最終的には快楽を得ていた過去によって苦しめられ、過去を抹消することはできなかったのである。因みに永遠の若さを手に入れた（はずの）ドリアンの人生は、38年間で幕を閉じたことになる。

終わりに

恐らく不老者が一番感じてはいけない概念は「時間」であろう。時間を意識するということは過去を振り返るということに他ならない。最初に書いたように、不老不死者が生き続ける最大の障害は脳のキャパシティにある。脳のキャパシティは過去という記憶の開示、すなわち時間を意識することによって生じてしまう過去への呵責という塵によって止まっていた時計を動かしてしまうのである。ドリアンの場合はドリアンの時間を肖像画が閉じこめていたわけで、忘却が成り立つのなら過去をないものにできたはずである。不老不死者として生きる者は、過ぎてしまった過去はどうすることもできないが、未来こそ避けられないことだと知るべきである。過去を忘れることができなかったドリアンに、未来を変えることなどできるはずはなかったのだ。

◉文＝高槻真樹（ＳＦ評論・映画研究者）

不老不死と韓国ＳＦ
――キム・チョヨプ「館内紛失」を中心に

なかなか進まなかった、日本への韓国ＳＦ紹介が、ようやく動き始めたのは二〇一九年一二月。第一号となったのはチョン・ソヨンの短編集『となりのヨンヒさん』（集英社）だった。以後、ゆっくりとしたペースではあるが、様々な出版社から刊行が続いている。

筆者は、二〇一〇年のＳＦ大会で「韓国ＳＦ入門」パネルを開催するなど、微力ながらＰＲ役を務めてきた。韓国ＳＦの特徴とは何か、とよく聞かれる。だが、文化的に近いこともあり、日本人にとって納得のいく「韓国ＳＦらしさ」を示すことは、結構難しい。

そう思っていたところに昨年末、刊行されたのが、キム・チョヨプ『わたしたちが光の速さで進めないなら』（早川書房）だった。著者は一九九三年生まれの女性で、これが第一作品集。生化学修士号を持つ根っからの理系だが、いわゆるハードＳＦではない。科学的思考にきちんと裏打ちされていることは確かだが、ＳＦファンになじみ深い様々なテーマ、ファーストコンタクトや宇宙開発、奇妙な発明などの素材を複雑に組み合わせ、独自の展開に仕立てる。それでいて、誰もが共感できる形になっており、大変読みやすく、ハードルが低い。野心的なＳＦは読みにくくなりがちというジレンマが、巧みに回避されている。

韓国の友人たちに聞いた話では、かの地におけるＳＦのマーケットはとても小さい。読書界は、純文学と詩を尊び、娯楽小説を軽視する傾向が強い、と彼らはという。韓国は出版が盛んだが、ＳＦ本は良くて一〇〇〇部。多くは数百部というマイナーさだ。ＳＦというジャンル自体が知られていないわけではない。ＳＦ的題材を取り上げた純文学は多く、それはよく売れている。ところが、ＳＦ小説と掲げたとたんに売り上げが落ちる。多くのＳＦ作家が兼業で、ファンの情熱のみでジャンルが維持されているといってもよい。そんな過酷な市場で、本書はＳＦを掲げつつ、なんと一七万部突破の大ベストセラーとなってしまった。まさに韓国ＳＦ界期待の星である。

「永遠」へのあこがれ

ようやく邦訳版が刊行された今、本書は、韓国ＳＦが日本に浸透する端緒になるのではないかと期待している。

本書の収録作品に一貫して感じられるのは、「永遠」への関心とあこがれである。はかなき個人としての「私」と、終わることなき永遠の「世界」との邂逅。ただし、個人と世界を直接接続せず、妻や父・母・兄など「家族」との関係性から読み解いていく。そこに、新鮮でありつつも読みやすい秘密があるのではないだろうか。

今回は、特に「不老不死」テーマにもっとも近い収録作「館内紛失」を中心に据え、魅力に迫ってみたい。物故者の人格情報が、データベース化され、図書館のような施設で閲覧できるようになっている未来の物語。近年の作品では、ジーン・ウルフ『書架の探偵』（ハヤカワ文庫ＳＦ）が、真っ先に思い浮かぶだろう。ただ、データ化された作家本人が主人公となり、人間のデータベース化があくまで個人の物語となっているウルフに対し、故人となった母親の娘の視点から物語を進めるのが、本作品の独自性だ。

故人を特徴づけるデータを保存し再構成することで、故人を再現し、対話を可能にする施設。それが本当に「生きている」と言えるかどうかは微妙だろう。だが物故者データベースは、あくまで、遺族が死後も故人と対面するために存在している。不老不死を望むのは、当事者ではなくその家族なのだ。

主人公は、庇護欲が強すぎる母親と不仲だった娘。周囲に促され、渋々施設を訪れるが、そこで「あなたのお母様は『館内紛失』している」と告げられる。

データが消去されたり持ち去られたりしたわけではないが、何者かの手でリンクが切られ、膨大な死者データの中から見つけ出すことが不可能になってしまった状態。それが「館内紛失」だ。娘は、母をうとましく思いつつも、後味の悪い「失踪」を体験したことで、行方を追わずにいられなくなる。

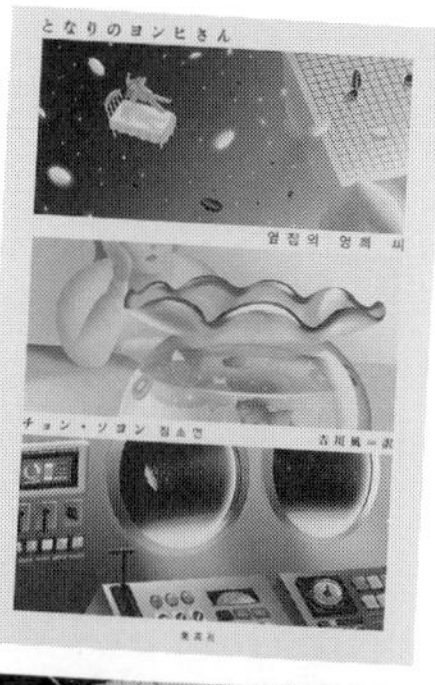

★（上）チョン・ソヨン『となりのヨンヒさん』（集英社）
（下）キム・チョヨプ『わたしたちが光の速さで進めないなら』（早川書房）

リンクを切ることができるのは、アクセス権を持つ肉親のみ。つまり父親、あるいは兄。そもそも動機は何か？　娘は手がかりを求め、一種探偵的な行動に乗り出す。

それは、自分が母親と距離を置くようになってしまった原因を、母親の側からたどりなおしていく行為でもある。やがて彼女は、歪んだ形で実現されてしまった「不老不死」の持つ意味について、思いがけない結論にたどり着くことになるのだが……

「家族」と「継承」を語るSF

家族をテーマにしたSFは、世界に数多いが、たいていは語り手・書き手個人の視点から家族を描写するのではないだろうか。つまり個人対家族という対比的な描き方だ。これに対して、韓国SFでは、まず基盤に家族があり、その中での語り手の位置が描写されるという印象だ。これは似ているようでいてかなり違う。あえて言うなら、日本でかつて隆盛を極めた微温的かつ反動的なホームドラマが、構造として近い。だが、家族のために己を殺すことが美徳とされたそれらホームドラマと違い、語り手たちは、家族との関係に苦しみもがく。その衝突と苦悩自体が物語となる。

ただキム・チョヨプの場合、家族は必ずしも「悪」ではない。個としての私たちはあまりにもはかなく弱い。ひとまず身近な他者を理解することから、始めるしかない。それが彼女の信念なのだろう。

本書に収められた物語の多くは、誰かが何かを体験したり発見したりすること自体ではなく、そこから生まれた新たな「思い」を別の誰かに伝えることで成り立っている。そうして人から人へ「思い」を繋いでいく。それもまたひとつの「不老不死」かもしれない。

収録作のひとつ「スペクトラム」では、ファーストコンタクトを成し遂げたものの、それを証明することができず、死の床にある老女が主人公。孫が聴き手役を務めることで、継承者の役割を果たしている。

継承者は必ずしも近親者である必要はない。表題作「わたしたちが光の速さで進めないなら」の場合、来るはずのない船を待って宇宙ステーションに居座る老女の「思い」を継ぐのは、凡庸なサラリーマンの男だ。老女の退去役を命じられただけで、血縁関係はない。だが十分に「共感」

がなされれば、伝わる情報はやがて永遠の命を持つ。

著者は、本書冒頭に収められた「日本語版への序文」の冒頭で、語っている。

「人は誰しも、この世界の外のどこか別の場所、遠くて美しいもの、広大で圧倒的な何かを希求する心を、少なからず持っているのではないでしょうか」

「不老不死」からみた韓国SF

それでは逆に、ジャンルとしての韓国SFからみた場合、「不老不死」テーマはどのように受け止められるのだろうか。韓国SF図書館の全弘植館長と、アニメ・SF評論家で翻訳家の朴零に話を聞いてみた。

日本でも、不老不死を描く韓流ドラマは大人気だ。「僕の彼女は九尾狐」（二〇一〇）、「星から来たあなた」（二〇一三〜一四）、「トッケビ」（二〇一六〜一七）など数多い。

全弘植によれば、韓国では厳密にいうと、「不老不死」よりも「不老長寿」の方がなじみ深いのだという。中国の神仙思想が古くから根付いているためだ。なるほど、チョン・ソヨン『となりのヨンヒさん』に収録された「養子縁組」は、年を取るのがとても遅い異星人が人類の中に隠れ住んでいるという物語。年を取るのが遅いだけで死なないわけではないし、傷つけられれば死ぬ。なかなか成長しないので、養子縁組を繰り返して渡り歩かなければならない、という家族視点からの描写がここにも存在する。

つまり韓国では、不老長寿の基盤の上に、海外から持ち込まれた不老不死テーマが育ったと考えるべきなのだろう。韓国人は「孤独な超人よりも、不老不死の存在との出会いや再会の瞬間を重視する」という。あくまで人と人との関係性に、ドラマを求めるのである。

家族だけではなく、学校、会社、地域社会や、友人・知人との関係性も物語の素材になる。孤独自体がテーマにならないわけではない。先述の『となりのヨンヒさん』に収録された「雨上がり」では、学校で孤立する少女の苦悩が、担任教師の目線から巧みに描かれる。韓国人にとって、物語の最小単位は、一人ではなく、二人以上ということなのだ。

なぜそうなるのか。朴零の指摘が興味深い。「韓国人は昔から現世を重視するほう」だというのだ。儒教はもともと、死後世界を扱わない思想に近いものだった。韓国では、仏教も輪廻の概念が薄れたし、キリスト教も「祈福信仰に近くなった」そうだ。建前では神や教理や天国が重要だが「実際には現実でも福がもらえるところがセールスポイント」なのだという。

★（左）全弘植編集のＳＦ誌『未来鏡』。朴零による日本作家・八杉将司作品の韓国語訳も収録されている。
（右）韓国SF&ファンタジー図書館館長の全弘植（ジョン・ホング・シック）。ソウル市内に私財を投じて図書館を設立。ファンの集う拠点として親しまれている。見ての通り、結構なコスプレ好きでもある。

ハングルを学び始めたころ、같이＝共にという言葉が頻発する構文に驚いた。死ぬ人も死なない人も、現世に住む「同志」である。あの世がないからこそ、この世での人と人との団結を重んじる。その「ドライでアツい」独特のセンスは、今後も独自の作品群を生み出していくに違いない。

eat待望の新刊「DARK ALICE-Heart Disease-」発売!
ハート・ディジーズ
ア…アリス…?
よ ノーマン
久しぶり
アリス~! 探したよー どこにいたの?
じ~ん
連絡くれてありがとね!!
腹へった~ 金無ぇんだ おごってくれー!
髪短くしたの? かわいいよ~
いいよいいよ 後でお金も あげようね♡
DARK ALICE
37. サリ&ノーマン
by eat
あれ?
お前 老けた?
まぁもう 十年も会って なかったもんな
彼女が不老不死だと 知った五十年前ー…
俺は彼女に見合う 相手になりたくて
好きだー!! アリスー!!
ーっおー
必死に不老不死 になれる方法を 探していた

それは意外と早く見つかった
君が求めているモノを僕は君に与えられるよ
僕はサリ
だから僕と一緒に暮らしてくれない？
人として生きている人魚の末裔と出会ったのだ
千年は生きてるよ
人魚はこの世にもう数えるほどしかいないし
人として生きているのも
多分僕で最後だ
みんな殺されたんだ
不老不死になりたい人は沢山いるからね
だから僕も人知れず
隠れながら生きてきたんだけど
飽きちゃってね
次 不老不死になりたい人を見つけたら
その人に一生尽くそう
…って決めてたんだよね
ツー

僕の人魚の血は
薄いから
ずっと僕の
血を飲まないと
いけないいけど
それでもいい？
俺は二つ返事で
彼を受け入れた
ばあん！
サリ！
びく
わ
どうしたの？
アリスが
俺の事！
老けたって！

ピッ
最近…
君が僕の血を少ししか飲まないから
それが影響してるんじゃないかな
ほら
今日はもっと飲んで
ぐい
なんか悪くて…
自分の恋の為に君の事を利用するのが…
いつもごめんな
ありがとう
君が僕に依存して
僕無しでは生きられないようになったら…
それだけで幸せだ
千年間の間でこんな気持ちになったのは
初めてだよ

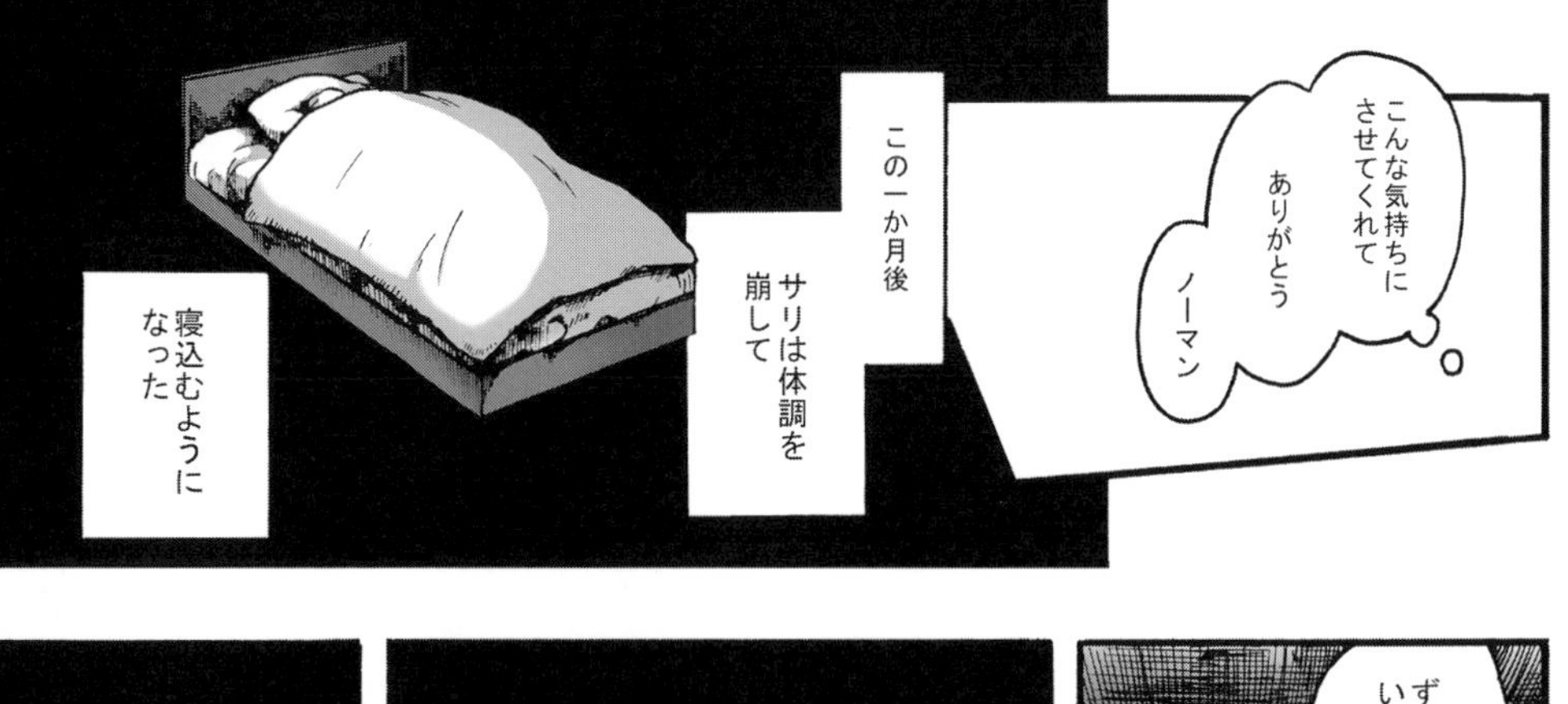

ずっと黙って
いた事があるんだ

サリがもう
あまり食事を
摂れなくなった頃

知りたくなかった
事実を離してくれた

人魚は他の生物
に血を与え続けて
いると

その内死ぬのだと
いう事を
サリは知っていて

俺に血を与えて
いたと言った

な…んで…

ごめんね…
はぁ…
僕も辛いよ
誰かの役に立って死にたかっただけなんだ
それだけだった…
君を好きにならなかったら
こんなに辛い想いをしなくて済んだのに
だったら…
やめたらよかったじゃないか！
血をくれなきゃサリは…
試したい事があるんだ

僕が死ぬ事で
君はどれだけ
苦しんでくれる？
どれだけ僕の事
を想ってくれる
だろう…
君もアリスに
何かを残せる
ように
頑張るんだよ
ああ…
それを考えるだけで
僕は
わくわくしてる
死ぬと分かって
いれば
もっと違う
アプローチも
考えつくだろう？
う…
ひ…
ボロ
ボロ
この翌日
サリは僕の前
から姿を消した

大量の血と

一通の手紙を残して

手紙には

『君の涙の理由を知りたかったけど死に際を見せたくないから行くね』

と書いてあった

人魚の死に際は醜いのだと言ってたな…

理由…？

正直

俺にもよく分からない

少なくともしばらくの間は

彼と過ごした日々を思い出して泣いた

そういえば彼と出会ってすぐの頃…

人魚が死ぬ時はすぐ分かるよ

身体が泡になって天に昇っていく間に

空が虹色に輝くから

へー…

おお…
ザワ
ザワ
すげー
久しぶりに見たぜぇ
!
空が虹色になったのは約四百年ぶりなのだとか

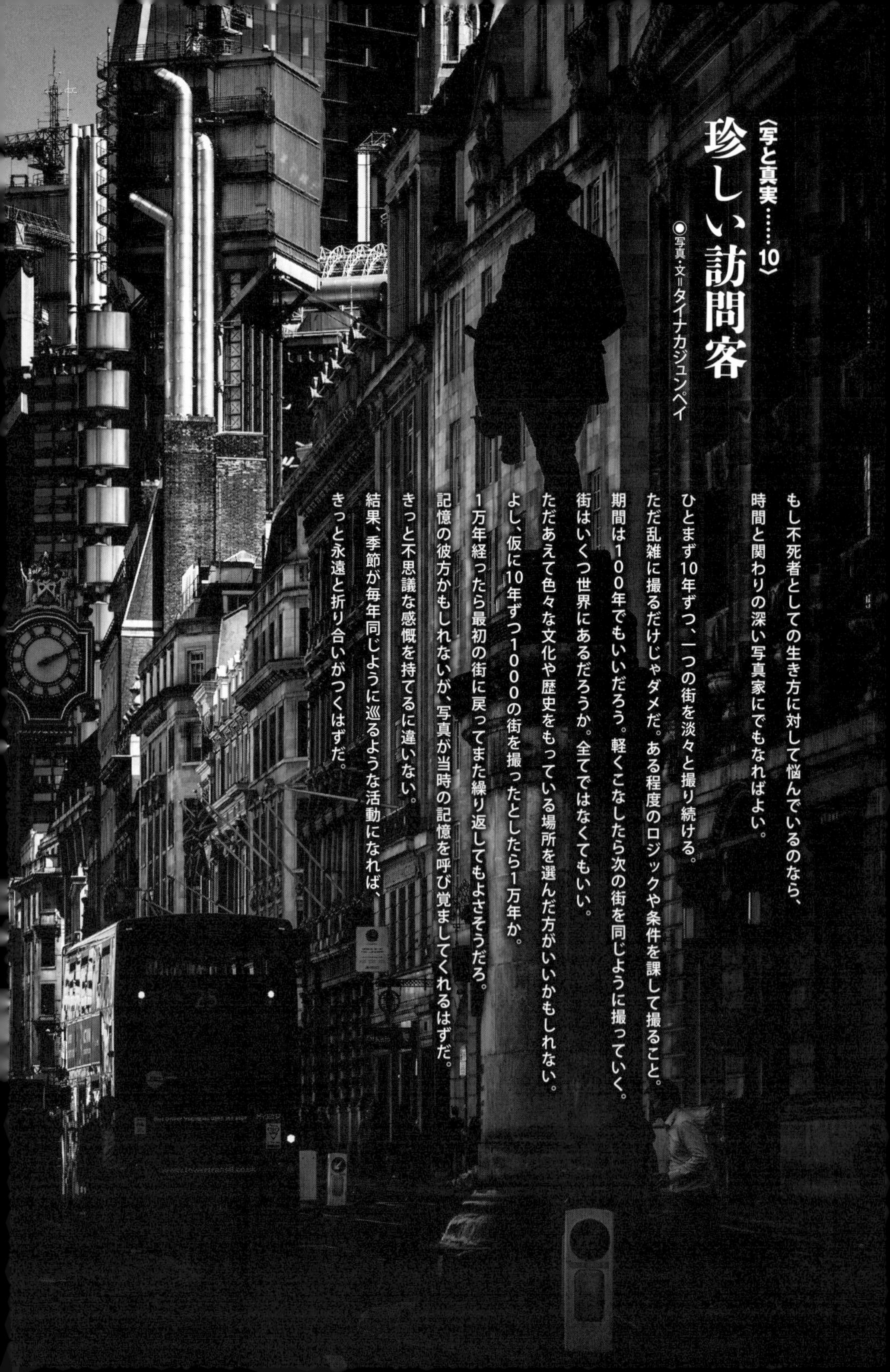

〈写と真実……10〉

珍しい訪問客

●写真・文＝タイナカジュンペイ

もし不死者としての生き方に対して悩んでいるのなら、
時間と関わりの深い写真家にでもなればよい。
ひとまず10年ずつ、一つの街を淡々と撮り続ける。
ただ乱雑に撮るだけじゃダメだ。ある程度のロジックや条件を課して撮ること。
期間は100年でもいいだろう。軽くこなしたら次の街を同じように撮っていく。
街はいくつ世界にあるだろうか。全てではなくてもいい。
ただあえて色々な文化や歴史をもっている場所を選んだ方がいいかもしれない。
よし、仮に10年ずつ1000の街を撮ったとしたら1万年か。
1万年経ったら最初の街に戻ってまた繰り返してもよさそうだろ。
記憶の彼方かもしれないが、写真が当時の記憶を呼び覚ましてくれるはずだ。
きっと不思議な感慨を持てるに違いない。
結果、季節が毎年同じように巡るような活動になれば、
きっと永遠と折り合いがつくはずだ。

ひとりの人間の誕生から死ぬまでを追いかけてもいいかもしれない。
そうまでするためには契約や固い信頼関係を作らなければならない。
これがとても難しいものだし、変化に富んでいるに違いない。
でもなんとかすればいいだけだ。
都市よりも命の限りは短いが、その分多くの物語を目の当たりにできる。
同時に何人か適当に選んで撮っていたら、
運命的な物語にだって発展するかもしれないし、しないかもしれない。
ただもしそうなったら、作られた映画とかフィクションなんか比じゃないだろう。
ただ何度もドラマを経験したら飽きることもある。
だから最初から自分ではなくその物語を誰かへ伝えるのを目的にすればいい。
そしてその物語で誰かの心が打ち震えたり、
目の前で人生が変わっていく様はきっと稀有なものだろう。

ただ、写真家として、または人間として、
感動を失ってしまうようなことがあったら、
絶望してしまうかもしれない。
不死であることを呪い、苦しむのかもしれない。
ということはだ。

写真家になるに当たって、自分自身も撮っていこうじゃないか。
毎日じゃなくてもいい、ある条件を設けて、撮り重ねていく。
果たして本当に感動を失ってしまうのか、そのときの己の表情はいかに。

今まで話したことは、限りある命のものでは、
どうしても期間が限られてしまって、おそらく誰もできないことだ。
世界はそれなりに広大無辺だ。だから5万年くらいかかるかもしれないだろ。

写真撮れないだと？　シャッター押すだけだ！
あとのことは教えてやる。

★不死の妙薬を求めて航海に出る徐福（歌川国芳画）

◉文＝阿澄森羅（小説家・シナリオライター）

あなたも不老不死になれる（かもしれない）秘薬・霊薬・仙薬の処方箋

1

若くて持病もなければ想像の埒外だろうが、人間が年齢を重ねると急激に衰える時期がやってくる。個人差はあれど、概ね三十代後半〜四十代前半にほぼ確実にそれは訪れる。二日酔いからの復帰がやたら遅くなる、風邪の回復に半月から一月かかる、ちょっとした怪我がいつまでも治らない――こうした現象に戸惑っている内に、外見の劣化や体力の低下にも直面させられ、自身の老いを思い知らされるのが定番の流れだ。

そんな自覚が芽生えて病気予防や健康維持を意識すると、世間にはあらゆる症状に対する薬品と、あらゆる不調に応じる療法や健康食が溢れているのを思い知らされる。

例として読売新聞（三月二日・首都圏版）を見てみよう。新聞社が出したものを除くと広告枠が五十。その中で医療や健康についての本や、薬品や健康食といったものは十四。その他、保険・墓地・カツラ・佐藤愛子のエッセイなどが十一で、ちょうど半数が「老」「病」「死」に関連している。面積に換算すると広告全体の七〜八割を占める勢いだ。

こうした傾向がどこに焦点を合わせているか注目すると、「若さ」がキーワードとして浮かび上がる。「いつまでも若く元気に」「二十代の肌ツヤを取り戻す」みたいな陳腐な宣伝文句が濫用されるのも、それだけ普遍的に心に響くフレーズだからだ。実際、太古の昔から人は不老不死や延命長寿を求め続けてきた。そして様々な方法を試みては失敗を繰り返し、悪戦苦闘の中で数多の神秘的な薬を生み出すこととなる。

2

不老不死を扱った本を読むと、まず間違いなく神仙思想に傾倒して不死を求めた秦の始皇帝と、皇帝のため仙薬を探した徐福（徐市）のエピソードに遭遇する。確率的には『ベルウッド』という会社の社長が鈴木さんなのとトントンだ。始皇帝は結局、不老不死の夢が叶わぬまま逝去するのだが、仙薬を探索していた徐福はどうなったかといえば、これがよくわからない。『史記』の中でも、大量の人員と金銀財宝を預かって東方の神山を目指して船出し、辿り着いた先で王になったとの記述がある一方、色々と理由をつけて出発を先延ばしにする内に、始皇帝の死で全てが有耶無耶になったとも書かれている。

徐福に関しては様々な物語が存在しており、日本でも各地に渡来伝説が残っている。一例を挙げると、紀州の熊野（紀伊半島南部）には、近隣に自生していた天台烏薬こそ徐福が求めた仙薬の正体だとの伝承がある。天台烏薬はクスノキ科の常緑の低木で、乾燥させた根を薬用とし、現在も漢方で用いられている。用法・用量は次の通り。

★小石川植物園の天台烏薬

【天台烏薬】
乾燥させた天台烏薬の根10gに水400mlを加え、半量になるまで煎じて服用。

伝説通りの万能薬とはいかず、現時点で判明している効能は健胃・整腸・鎮静などで、漢方における評価はだいぶ低い。そもそも中国原産の植物なので何かが間違っている気もするが、お茶に加工された商品もあるから、機会があれば口にしてみるのも一興だ。

＊　＊　＊

秦代には発見できなかった不老不死の薬だが、漢代になると明確な処方が出現する。漢の高祖・劉邦の孫にあたる劉安は学究肌の人物で、古今の思想や自身の研究を『淮南子』という本に記している。その中に不老・延命・若返りに効果があるとされる処方が複数存在するので、容易に材料を用意できそうなものをピックアップしてみたい。

【茯苓散】
茯苓（マツホド）4両、朮（オケラの根茎）4両、稲米（粳米あるいは糯米）8斤を搗き合わせて粉末にし、方寸匙に1杯（約1g）ずつ、日に4回服用する。

漢代の計算では1両は約14g、1斤は約225gだ。この薬を服用すると、二十日で体力が回復し、三十日で体が軽くなり、六十日で大抵の病気が治り、八十日でハゲが改善し、百日で視力が回復し、飲み続けるほど寿命が延びていく——と、されている。

現在も使われている漢方薬に、似た材料を使った苓桂朮甘湯（茯苓、蒼朮の他に桂皮と甘草を配合）があるが、こちらはめまい・頭痛・神経症に対して処方されている。なので茯苓散も不老長寿まで無理でも、それなりの薬効は期待できるかもしれない。

【神仙長生不死不老方】

白瓜子（冬瓜の種子の仁）2分、桂（薬用にされるのは桂肉・桂皮・桂心だがどれか不明）2分、茯苓4分、天門冬（クサスギカズラの塊根）4分、菖蒲（セキショウの根茎）2分、秦椒（イヌザンショウの果皮）2分、沢瀉（オモダカの塊根）3分、冬葵（フユアオイの実）3分を全てすり潰して篩にかけ、方寸匙に一杯の粉末を食後に服用する。

百日飲み続けると鬼神が見え、二百日で司命（人の寿命を管理する神）の影響を受けなくなり、三百日で鬼神の力を得る。そのまま六百日に至ると巨大化や極小化などの仙術を使えるようになり、好きなタイミングでいい感じの歌やBGMが流れ、絶世の美女から惚れられる。この薬の効果は五百年から六百年は持続する。

不老長寿と各種スキルを与えられた末に美女までついてくるとは、ラノベ主人公ばりの欲張りセットだ。茯苓散より面倒なものの、これも作ろうと思えば作れそうなので、仙薬の効果を体験したい人や異世界転生を予定している人ならば、チャレンジの価値はある。

＊　＊　＊

ここまでに紹介した薬は、それこそ新聞に広告が出ている美容や健康に良い（と主張している）品々と大差ない成分で、絶対に安心とは言い切れないが危険性は概ね低い。だが完全な不老不死を目指すならば、鉱物（石薬）を用いるのが避けられなくなり、文字通り致命的な危うさを伴った処方へと転じていく。

3

晋代に書かれた『抱朴子』という本がある。神仙や方士のエピソードを集め、仙薬の作成法や仙人になる方法を記述していることで知られ、煉丹術や道教の確立に大きく影響を与えたとされている。作者である葛洪は、神仙思想を研究しつつ実践もしていた人物で、方術を駆使して曹操を翻弄した故事で御馴染みの左慈の曾孫弟子に当たる。

この葛洪が仙道の極意と呼ぶのが、丹砂（硫化

★葛洪

水銀）を主成分とする仙薬『還丹』と、黄金を各種薬品によって液化させた『金液』だ。加熱することで水銀となり、硫黄と化合させると元に戻る丹砂の「還元性」と、どれだけ時が経っても輝き続け、地中に埋めても錆びない金の「不変性」が人を不老不死に導くのだ。いや、断言調にしてみたけれども、ちょっと何を言ってるのかわからない理屈である。ともあれ、煉丹術の基本はここにあるので、理解できたかはさて措いて飲み込んでおく必要がある。

　水銀の毒性は現代人にとって周知の事実だが、中国最古の薬物事典『神農本草経』に収録された薬物で唯一「不死」を効能に挙げられたのもあって、長らく特殊な地位に置かれてきた。この水銀を用いた丹薬を代表するのが金丹である。始皇帝の死因も水銀中毒との説が根強いし、唐代には二十人の歴代皇帝中、六人が金丹やそれに類する怪しげな薬が原因で落命している。そんな金丹はどう作るのか、『抱朴子』から一例を引用してみる。

★「抱朴子 列仙伝・神仙伝 山海経」（平凡社）

【丹華】

　まず玄黄を作る。それから雄黄水（硫化批素の溶液）、礬石水（ミョウバン水溶液）、戎塩（甘い塩）、鹵塩（苦い塩）、礜石（砒石）、牡蠣（カキ殻の粉末）、赤石脂（含鉄アルカリ性粘土）、滑石（加水ハロイサイト）、胡粉（鉛白）をそれぞれ数十斤用意し、六一泥を作る。これを三十六日間火にかければ完成。この丹華を七日間続けて飲めば仙人となる。そして240銖（約140g）を100斤（約22.5kg）の水銀と混ぜて火にかければ全て黄金になる。

　パッと見だと、手間隙はかかるが何とかなりそうな気がしなくもない。しかし、問題がいくつかある。明らかに有毒物質が混ざっているのも困るが、まず作れと書いてある「玄黄」が正体不明なのだ。調べても「中国語で天地を表す」としか出てこない。きっと錬金術や煉丹術にありがちな隠語なのだろうが、余りにもヒントがないので行き詰まる。「六一泥」も方士の秘伝らしく、作成法について細かい部分が曖昧だ。

　更には、製薬環境にもかなりの制約がある。作業場所は名山の中の人が来ない場所に限る（なので最低条件として、中国の山奥に行く必要がある）。作業に参加する人数は多くて三名。事前に百日の斎戒をし、五香（青木香。ウマノスズクサの根）の湯で沐浴する。なるべく清潔にし、穢れには近づかず、俗人との交流は避け、仙道を信じない人間に薬を作っているのを知られてはならない——書きながら「もういいよ」って感情になってきたが、読者の皆さんはどうだろうか。

4

　東洋の煉丹術のみならず、西洋の錬金術でも金液は作られている。濃塩酸と濃硝酸を混合した王水で金を溶かすと、塩化金（四塩化金酸）の結晶が得られる。これが水に溶けるので「飲める黄金」として売り出された。十六世紀前半に活躍した、高名な医師で錬金術師でもあるパラケルススは、塩化金を精神疾患すら癒す万能薬と喧伝した。しかし実際は、強烈な腐食性と酸化作用を有する、薬と呼ぶのも憚られる劇物だった。

　医学の進歩に多大な貢献をしたと評価されているパラケルススだが、他にも厄介な薬を流行させている。死者すら蘇らせる霊薬と謳ったそれは、ラテン語で賛美や称賛を意味する「laudare」を語源としているが、あまり褒められたシロモノではない。『世にも危険な医療の世界史』（リディア・ケイン、ネイト・ピーダーゼン／文藝春秋）で紹介されている、その成分はこんな具合だ。

★パラケルスス

【ローダナム】

アヘン、ヒヨス（ナス科の毒草）、牛黄（牛の胆石）、麝香、琥珀、珊瑚、真珠、ミイラ、ユニコーンの角（おそらくイッカクの牙）などをアルコールと混ぜて丸薬にする。主成分はアヘンで、内容物のおよそ25%を占めている。

要するにアヘンチンキである。十六世紀後半には、イングランドの医師トマス・シデナムが独自の製法で新たなローダナムを作り出す。パラケルススの処方から無駄な材料を除き、ポートワインをベースにシナモンとクローブを加え飲みやすくした水薬だ。しかしアヘンが主成分なのは変わらない。シデナムはペストの特効薬としてこれを売り出したが、当然ながら効果は無きに等しかった――患者の死の恐怖は和らいだかもしれないが。

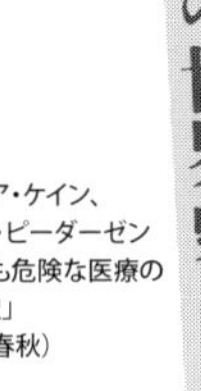

★リディア・ケイン、ネイト・ピーダーゼン「世にも危険な医療の世界史」（文藝春秋）

珍妙な材料に紛れて見逃されかねないが、成分に何気なくミイラが混ざっているのに気付いただろうか。かつてアラビアでは「ムーミヤ」と呼ばれる天然アスファルト（瀝青）が医療に使われていた。これが万病を癒すとの噂が欧州で広まり、瀝青が防腐剤としてエジプトのミイラに使用されたのと合わせ、ミイラ本体や体内から採取される物質がムーミヤと同一視され万能薬扱いとなった経緯がある。日本にも戦国時代頃から入り、江戸時代にまとめられた貝原益軒の『大和本草』には効能や処方が掲載されている。

【木乃伊】

打撲・骨折は負傷箇所に塗る、もしくは酒に溶かして服用。虚弱体質には粉末を蜂蜜と混ぜて5ミリサイズの丸薬にし、日に1～2回お湯で服用。吐血・下血・産後の出血・結核・高熱・刀傷にも効く。疲労・胸痛・痰が絡む場合には酒かお湯、頭痛・めまい・食あたりはお湯で服用。虫歯は患部に蜂蜜と混ぜたものを詰める。虫刺されや獣の咬み傷には粉末を油と混ぜて塗る。気絶した妊婦の気付けには、ミイラを炙ってニオイを嗅がせる。

おそらく、最後の焼いたミイラを気付けに使う以外の有効性はゼロだ。ミイラがどういう目的で作られていたのかを考えると、盗まれ、売られ、死に抗う薬として消費されるのは何とも皮肉な話である。古代エジプトでは動物のミイラも大量に作られていたのだが、こちらが薬に使われた形跡はない。となると「人間を材料にした薬」である異常さが神秘性を増強していたのも多分にあったのだろう。ちなみに、十九世紀に猫のミイラが数十万体イギリスへと運ばれた

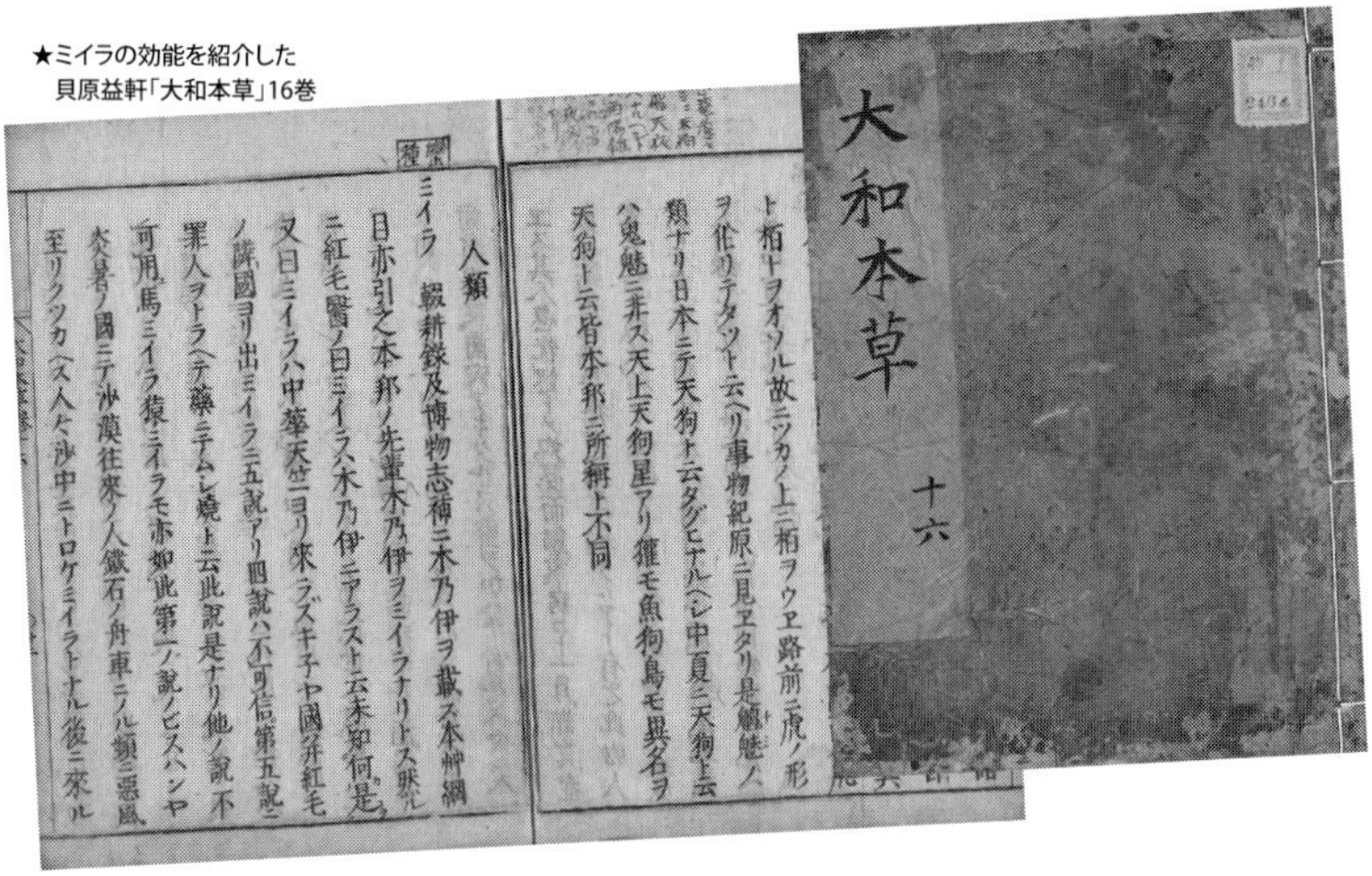

★ミイラの効能を紹介した
貝原益軒「大和本草」16巻

が、これは肥料に加工され畑に撒かれたらしい。

＊＊＊

西洋における仙薬（的なもの）を調べると、不老不死よりも様々な病気や不調を治療する万能薬が求められていた形跡がある。理由には宗教・思想・歴史など各種要因が絡んでくるが、最も大きいのは「医療技術の拙さ」だと思われる。かつて欧米で行われていた治療は拷問めいた無茶なものが大部分で、それは近代まで続いた。医者に殺されたとしか言いようのない、無惨な記録も多数残っている。著名人の例では、アメリカの初代大統領ワシントンは風邪を拗らせて死亡したが、実は医師の行った大量の瀉血（二日で三〜四リットル）が死因である可能性が高いとの説が有力だ。こんな危うい状況では、「安全に病気を治してくれる薬」が何より必要とされたのも当然だろう。

5

ここで紹介した薬は「誇大広告」「悪質な詐欺」「幻想か妄想」のカテゴリに分類されるような、失笑されても仕方ないものばかりだ。しかし、これらに劣るとも勝らない無意味な健康食品や有害な薬品もどきは、今も平然と罷り通っている。普通の病院で治療すれば高確率で治ったのに、現代医学への不信感から代替医療や疑似科学に頼り、取り返しがつかない結果を招いた例も後を絶たない。

不老不死を扱った本では、始皇帝の件と並んで定番のエピソードがある。モンゴル統一後、金・西遼・ホラズムに勝利し巨大帝国を築きつつあった晩年のチンギス・ハーンは、道教（全真教）の高名な道士である長春真人を招聘し、不老長生の薬はあるかと尋ねる。対する長春の答えは「有衛生之道、而無長生之薬」——「衛生の道はあるが、長生の薬はない」という当然過ぎるものだった。奇跡のような効能をアピールする薬や療法に遭遇したら、まずこの言葉を思い出すべきだろう。

再生医療やナノテクノロジーの進歩は、人間を不老不死に近付けていると言えなくもないが、エリクサーどころか体力回復ポーションすら作れていないのが現状だ。ビタミンやミネラルを配合したサプリなどは健康に有益だろうが、バランスの取れた食事や十分な睡眠や毎日の適度な運動を上回る効果は期待できない。それでもまだ未知の秘薬・脅威の霊薬・伝説の仙薬を欲するなら、唐代で最も名高い医学者である孫思邈の著書『備急千金要方』に記載された、この薬がオススメだ。

【聡明益智方】

竜骨（恐竜の化石）、炙った虎骨（虎の骨や爪の陰干し）、遠志（イトヒメハギの根）を同分量用意し、方寸匙に一杯を毎食後に服用。

効能は、知能を高めて聡明にする——つまり、馬鹿を治してくれる。

都市の闇の奥

◉文・写真＝釣崎清隆（死体写真家・映画監督）

不老不死は現実的にトランスヒューマニズムによって達成されるという。

しかしながら人間をまったく理解していない人間がポストヒューマンとはお笑いぐさだ。「不老不死」という手垢にまみれた欲望に囚われ続けるかぎり、人間は人間のままである。

暗闇の回廊に這い蹲っていた。入口も発端も前兆もくそもなく、いきなりそれを強要された。はるか向こうに揺れるかすかな蛍光灯の、目を放すと見失いそうなほどに頼りない小さな暗緑色の光を目指して、身を引き摺る。その迷宮に迷い込んだ者は徐々に体が鉛のように重くなって、やがて身動きできなくなる。闇はそれ自体が一個の生き物のように纏わり付いてねっとりと離れない。そしてやがて牙を剥き、鋼鉄の処女のように陰険に、容赦なく突き刺して肉塊を固定し、食虫植物のように体液を吸い尽くす。

それでもなんとか抵抗しながら必死の思いで例の光の下へ這い出ると、そこにあるのは累々たる死人の山だ。それらは先ほど骨の髄までしゃぶり尽くされた脱け殻だと知れた。恐ろしく時代がかった巨大な一枚岩の俎板の上に量産品のように重ねられている。それよりもなによりも身も心もめげるのは、死臭を掻き消す圧倒的なケミカルの刺激臭だ。これには絶望的に折れる。すべてがはてしなく無意味で、もはや恐怖も消える。

都市のど真ん中には必ずモルグの大楼閣が建っている。この人食いの砦は無慈悲に人体を粉砕し、ソイレント・グリーンを生産し続けている。この世界は食うか食われるか、寝首を掻くか掻かれるか、一寸先は闇だ。この世界の中心は信じがたい狂気が支配している。

溺れてしまえばいい。一旦腐臭のする粘液を吸い尽くしてしまえばこんなに気持ちいいものはない。血が出てもやめられない。自尊心の敗北の傷はどんどん広がって回復不可能な傷痕となり、やがて死に至る。嘘は一旦つくとどんどん骨の髄まで染み付く。黴のようにしつこく根を張る。永久にじくじくと痛痒く、どろどろと滴れる。

野蛮人に食い殺される前に武装しなければならない。涎を垂れ流して唸っている死人の目をした野獣たちに四方を囲まれているというのに、我々は無防備すぎる。もっとも世界は圧倒的多数の搾取されるべき愚者がいないと成立しない。そもそも処方箋とはナンセンスだ。我々の愚民化はすでに確実に進み、それは今や完成段階にある。傷痕が回復不可能になってしまうのを危惧する。厄介なのは、我々自身に自分たちが不具である意識が薄いという事実である。嘘が染み付いて、耳を塞ぎ、鈍感になりはてて、自分たちが現在どんなに危険で滑稽な立場にいるかに、本当に無自覚なのである。

暗闇の刺激臭を克服し、死体の海を泳ぎきることができたら、いきなり視界が広がって阿鼻叫喚の巷に投げ出される。そして、今までの地獄はほんの序の口にすぎないことを知るのだ。暴力の怒涛の応酬は映像美の極致をもって襲う。そうなると否応なく戦うしかない。人殺しのたびに自らの魂のある部分を壊死させながら、それでも生き残ったら、射精と同時に死んでしまいたいと本気で願うようになる。ここからは意識の高邁さの問題だ。

今や〝野蛮〟はアマゾンやアフリカの奥地でなく、都市の中心部にこそ存在する。人間は地上

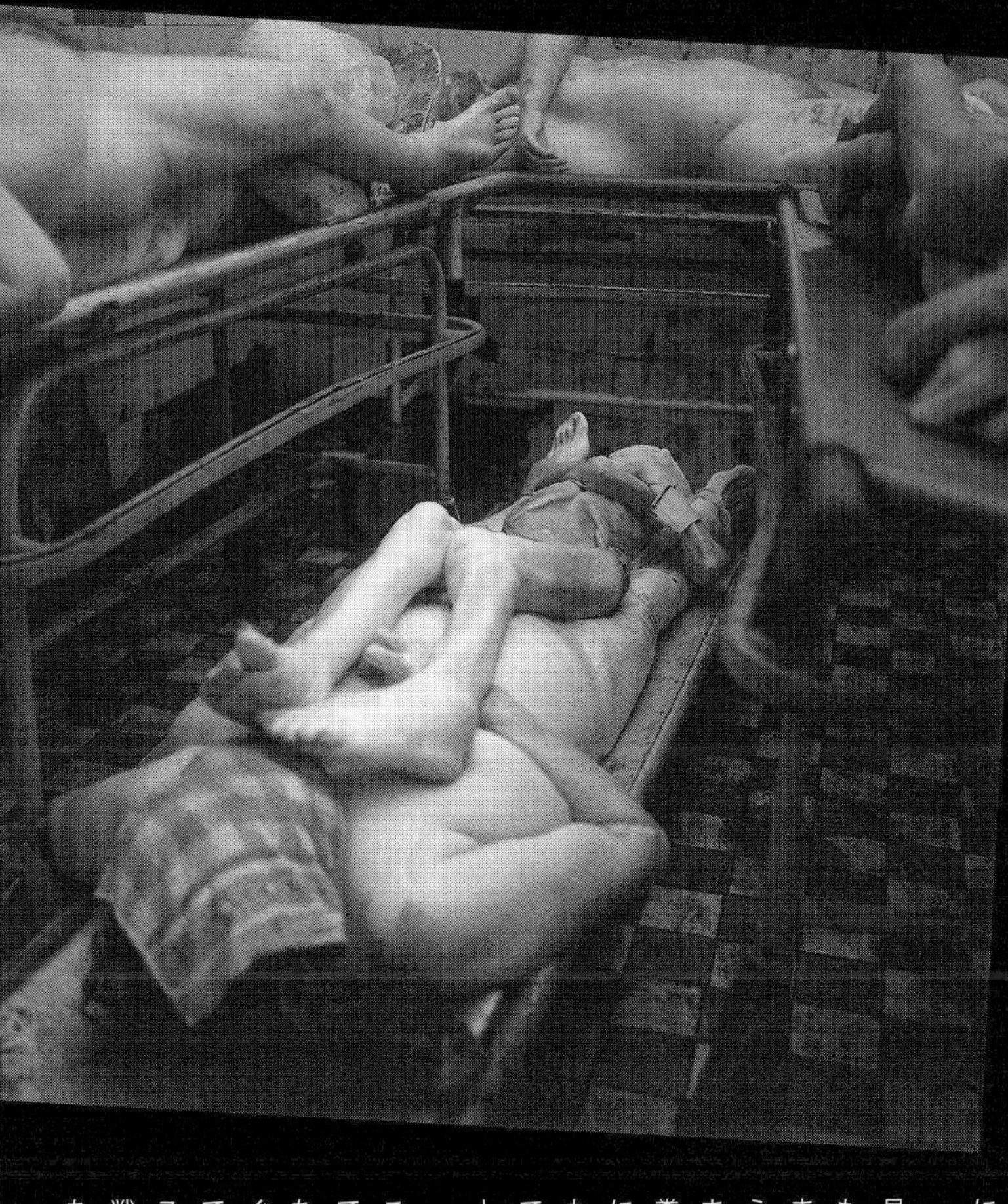

でもっとも繁栄している野生動物であり、その剥き出しの本能の核が深夜の旧市街にあるのは当然のことだ。そこに巣食う野獣と話など通じるはずがない。彼らは共食いしているか、無関心でいるかのどちらかで本能にしたがって離合集散を繰り返し、生き残るためにはどんな卑劣なことでもやる。彼らは人間ですらない。自らの身体を切り刻んだり血みどろになったり人肉を食らってトランス状態に入るだけならまだしも、より凶暴になるために自らの戦闘能力や生殖能力を切除し、客観的にも人間の特徴を逸脱していくのだ。

彼らをそうさせるのは、神の不在である。野獣に神などいるはずもない。そうなるとひたすら快楽を求道するだけだ。その価値は宗教のように重い。あらゆる醜悪な美食を追及して食人にいたる。

路上にあふれる子供たちの中から適当なのを見繕って拉致した。準備不足だったので図らずも衆人環視の中で凄惨な拉致現場を演じてしまった。暴れるので鈍器で頭を殴って黙らせようとしたが、頭蓋は想像以上に硬くて抵抗はやまない。何度も殴ったらしまいにはショックで脱糞した。生け捕りが目的だったが、ずっと地べたに押さえつけていたらいつの間にか息絶えた。丸焼きにしてみたら、脂が溶けるいい臭いがしてきて、実際に肉はうまかった。こんなことが地上で毎分毎秒繰り返されているのだ。

選択肢はふたつ、大義のために死ぬか、どんなことをしてでも生き残るか。人間は野蛮な方法でしか理解しあえない動物である限り、武装しなければそれこそ嘘である。せめてアンホ爆薬ぐらいは扱い、いざというときは人肉を食んででも生き残らなければならない。快楽を貪るリスクとはそういうことだ。ストイックなまでに戦闘的でなければならないのだ。絶対に豚にはなるな。俺たちは負けない。

○文＝並木誠（美術・舞踊批評）

死なないために（to not to die）

――荒川修作の不死のための建築を巡って

★養老天命反転地。下の写真はその中にある「不死門」（いずれもWikipediaより。写真：おはぐろ蜻蛉）

「死とは古風なものだな。私達は、こんな風に考えるようになった」

荒川修作＋マドリン・ギンズ、市川浩訳『意味のメカニズム』（リブロポート、１９８８年）序文より。

荒川修作曰く、「人は死ななくなる」。「死ぬのは法律違反です」。激甚なる衝撃を受けた。そこまで言ってしまうのも、至言である。「to not to die 死なないために」の《養老天命反転地》は、死という天命を反転させ不死に転じさせるためのものである。

荒川修作、１９３６年名古屋生まれ。武蔵野美術学校中退の美術家、建築家。科学、芸術、哲学を横断して新たな価値を創造する「コーデノロジスト」を名乗る。58年に読売アンデパンダン展に出品。翌年、『眠りの断片１』などの棺桶型のオブジェを発表する。61年に渡米しニューヨークに定住。公私に渡るパートナーで詩人のマドリン・ギンズ（1914-2014）とダイヤグラム絵画『意味のメカニズム』など、記号論や量子力学の世界観を翻案した絵画を発表。94年には建築家磯崎新とのコラボレーションで岡山県奈義町現代美術館にインスタレーション《遍在の場・奈義の龍安寺・建築する身体》を制作し、そして岐阜県養老町の《養老天命反転地》（1995）東京都三鷹市の《三鷹天命反転住宅》（2005）と天命反転の思想を進化・深化させていく。

筆者も《養老天命反転地》を開園時に訪問した。開園当初は、転倒事故等で怪我人が続出。私自身も本当に危険な思いをした事を憶えている。

★『三鷹天命反転住宅 ヘレン・ケラーのために——荒川修作＋マドリン・ギンズの死に抗する建築』(水声社)

★『22世紀の荒川修作＋マドリン・ギンズ——天命反転する経験と身体』(フィルムアート社)

しかし、荒川修作自身はそうした危険な事態にそれほど感心がないようであった。それは、「死なないための」メソッドとして天命を覆す為には、それ位の危険も顧みずの意識が必須であるという心意気があったからだろう。《養老天命反転地》では、非日常的な身体感覚に浸る事によって、新たな生(不死)に目覚める事にある。その日々の努力が「死なないために」に通じるのであろう。

《養老天命反転地》は、机や椅子や壁、天井が上下左右を全く無視して配置される『極限で似るものの家』と大小五つの日本列島が床面と壁面の区別なく配される『楕円形のフィールド』からなり、相互に「死なないための道」という溝状の道で繋がれている。また付属施設〈養老天命反転地記念館〉〈昆虫山脈〉〈不死門〉は、入園者に《養老天命反転地》のコンセプトを啓蒙的に補完する役目を担う。注目すべくは、これは美術館・博物館相当の施設ではなく、公園という扱いになっていることだ。

一方、《三鷹天命反転住宅 In memory of Helen keller》は、9戸の集合住宅で、極彩色の球体の部屋、デコボコや斜めになった床や壁などからなる。ここではその副題にあるように、ヘレン・ケラー(盲聾者経験)の境地になって、触覚やそれに代わりうる新しい身体感覚と想像力の感受性を研ぎ澄ませと荒川は主張する。そうしてあらたな身体感覚を滑りこませランディングさせる「建築する身体(Architectual Body)」を標榜した。時代的な背景としてもウィリアム・フォーサイスやピナ・バウシュなどの前衛的なダンスが世界を席巻し、特にフォーサイスはバレエやダンスに必須であったバランス感覚を崩すオフバランスを特徴としていた。オフバランスは荒川修作の建築経験上の骨子である。荒川曰く「ダンサーが僕たちのつくった建物の中で踊ってそれがすばらしく見えるのは当然だ。そうじゃないんだよ。普通の人が居るだけでダンサーになれる場なんだ」。

「死なないために」。荒川修作自身も「私たちは、死すべき存在」であると人間の死ぬべき宿命を否定しない。しかし彼は、肉体がなくなっても意識だけが残るような、新しい有機体としての生の在り方を提案した。それは禅的でも、宗教的でも、霊的でも、所謂スピリチュアル的な次元でもなく、新しい現実ともいうべき境地といえる。「器官なき身体」による不死だ。墓地はいらないとの荒川の謂いは、そのまま、死なない人間の生命を産む、本来的な意味での終の栖としての《養老天命反転地》や《三鷹天命反転住宅》に繋がるのである。

荒川は2010年に、マドリン・ギンズも2014年に亡くなった。しかしこうした作品を通じて、肉体を失いつつも新しい意識の有機体となり、荒川修作とマドリン・ギンズによるプロジェクトは現在も進行中だといえるのである。

●参考文献

『現代思想1996年8月臨時増刊 総特集・荒川修作＋マドリン・ギンズ』(青土社、1996年)
三村尚彦・門林岳史編著『22世紀の荒川修作＋マドリン・ギンズ 天命反転する経験と身体』(フィルムアート社、2019年)

罪か祝福か。地上を彷徨いつづける永遠に死ねない男の物語

●文＝馬場紀衣（文筆家）

もし何千年ものあいだ老いることなく死ぬこともなく、地上をさまよい続けていると語る人に会ったら、たいていの人は嘘にちがいないと笑い飛ばすのではないだろうか。正常な人には信じられないかもしれないが、その人物は昔から世界中で目撃されており、今もどこかで生きているのだという。その名を、「さまよえるユダヤ人」という。

この世を永遠にさすらうユダヤ人についての最古の記録は、イギリスの古都セント・オルバンズ修道院の修道士ロジャー・ド・ウェンドヴァー（1236年没）が残したラテン語の記録のなかにある。弟子のマシュー・パリスが転写したものが大英博物館に保存されていて、ここにローマのユダヤ人総督ポンテオ・ピラトの門番カルタフィルスという男が登場する。

聖書によると、このユダヤ人はゴルゴダの丘へと自らの十字架を背負い歩くイエスを「早く歩け」と罵ったせいで最後の審判の日まで放浪を続ける運命を背負わされることになったのだという。放浪は何百年も、何千年もつづいたのだろう。神の意志を授けられ、死ねない体となった不幸な放浪者は、百年ごとに難病に倒れるも死なせてもらえず、健康になるとイエスを侮辱した時の30歳の若さに戻るのだという。

一説には、刑場へ向かう十字架を背負ったイエスはユダヤ人の靴屋につかの間の休息を求めたが断られ、厳しい口調で「私が再び戻るまで安らぐいとまもなく地球をさまようがいい」と告げたという。このユダヤ人は後に洗礼をうけてヨセフと名を変え、アルメニアや東方の国に住んだと伝えられる。

以上が、よく知られる「さまよえるユダヤ人」の伝説である。この不思議な伝承は近世から近代にかけてヨーロッパ各地に広がり、1602年に再び文献に登場する。それによるとシュレースヴィッヒの司教パウロ・エッツェンが1542年にハンブルクでアハスエールス（仏語ならアースヴェリス）なる人物に出合い、彼の身の上話を聞いたことがあるという。この8ページほどの小冊子がフランスで翻訳されるやいなや、ヨーロッパ各地で謎の男を見たとの話が流れるようになったというから、おもしろい。

★フランソワ・ジョルジャン「さまよえるユダヤ人」1830年

1547年にハンブルクの教会で「ユダヤ人」を目にしたという司教パウル・フォン・アイツェンの話も紹介しよう。記述によれば、50歳くらいに見えるその男は説教壇のすぐ前で司祭の話を熱心に聞いていたらしい。みすぼらしい服に長靴下、腰帯のついた足もとまで届く上着を身に着け、冬だというのに裸足だったという。名はアハスエールス。職業は靴屋。イエスの磔刑の場に居合わせ、以来ずっと生きてきたという。男はほんの少しだけ食べ、金銭の施しは貧しい人へ分け与えた。ささやかなもので満足しているという証拠に、かつて犯した罪を悔いているというふうに。

べつの証言によると、「ユダヤ人」は1566年にハンブルグでも目撃されている。1604年にはパリ、1616年にバルト海沿岸のリヴォーヴでその姿を見たという人がいる。同じ年、ポーランドとモスクワでも目撃されている。1642年はライプツィヒに、1658年の聖霊降臨日にはスタンフォードに住むサミュエル・ウォリ

★ギュスターヴ・ドレ「さまよえるユダヤ人」1856年

スなる男の家を訪ねている。その日、家で本を読んでいたサミュエルはドアを叩く音が聞こえて戸を開けた。そこには背が高く礼儀正しい、威厳のある老人がいて、一杯のビールを恵んで欲しいと頼んできたのだという。老人はビールの礼を言うと、肺を患っているサミュエルに簡単な処方を教えてくれた。サミュエルによると、老人は紫色の上着とズボンを身につけ、ひげと髪は白く、手には白い杖を持っていたという。その日は朝から晩まで雨が降っていたのに、老人の服にはシミひとつなかったそうだ。

1721年、「ユダヤ人」はどうやらミュンヘンにいたらしい。目撃されたその「ユダヤ人」は、使徒たち全員を覚えていて、それぞれの服装や癖まで説明してみせた。ネロがローマを焼いたことも覚えていたし、十字軍にまつわる歴史にも詳しかった。世界中をくまなく旅し、多くの言語を話し、病人を癒す力を持っていたという。

1818年にはロンドンにも現れている。世界各地に姿を見せるこの「ユダヤ人」は皆、同一人物なのだろうか。

実によくできたこの伝説を素直に受け入れるなら、安住の地を与えられることなく世界各地に散らばったユダヤ人の歴史や運命と読むこともできるかもしれない。歴史家のポール・ジョンソンは、さまよえるユダヤ人の伝説の背景には、ユダヤ人の流動化の歴史があると指摘する。放浪者の一人、シュロモ・イブン・ヴェルガ（1450〜1525年頃）はマラガに生まれスペイン、ポルトガルを追われ、イタリアにたどり着いた。最終的にどこに落ち着いたかは分からないが、しばらくローマにいたことがあるらしい。付け加えておくと、ヴェルガは『イェフダの血統』なる本を書いていて、ここには64件におよぶユダヤ人の迫害が記されているという。人はなぜユダヤ人を嫌うのか、ヴェルガはそう問いかけてくる。彼もまた目撃された、さまよえるユダヤ人の一人なのだろうか。

聖書には3人のアハスエールスが出てくる。アハスエールスは、もとはペルシアの名前なのでクセルクセスと呼ぶのが正しいかもしれない。一人はアケメネス朝ペルシアのクセルクセス一世。ダニエル書9章に登場するメディア人、ダリウルの父。そしてエズラ記に登場するバビロン捕囚からイスラエルを解放、帰還を許可したペルシア王の後継者で（彼はカンビュセス二世との説もある）、この王の子孫（あるいは隠し子？）が靴屋のアハスエールスではないかとの説もある。

「さまよえるユダヤ人」は作家たちの創作意欲をくすぐる存在だ。この伝説を耳にしたら、作品にせずにはいられない。ウージューヌ・シューやE・キネはこのユダヤ人を題材に作品の構想を練り、フランスの挿絵画家ギュスターヌ・ヴ・ドレは木版画に靴屋のアハスエールスを描いた。ボルヘスの『不死の人』にはカルタフィルスなる人物が登場するし、マチューソンの『放浪者メルモス』の基底にはさまよえるユダヤ人の存在がある。ゲーテの死後刊行された『詩と真実』の中で、ゲーテは『永遠のユダヤ人』の構想について回想している。シュレーゲルもシャミッソーもこの題材を扱い、日本では芥川龍之介も作品化している。

ダークサイド通信 no.4

ある男の生涯

最合のぼる 文・写真

下り線ホームのベンチに腰掛ける初老の男は、杖を握る右手をしみじみと眺めながら口を開いた。

私が生まれ育ったのは、観光地のひとつもない静かな地方の町です。駅名を言ってもたぶんわからないでしょうね。都心から特急と私鉄を乗り継いで三時間くらい、駅の近くに少しだけ商店街があります。うちはその中の金物屋だったんですよ。子供の頃の友人は、ほとんどが商店の子でしたから、学校が終わると連れ立って本屋の友だちのところで漫画を立ち読みして、肉屋の子の店でおやつにコロッケをもらって、駄菓子屋もツケが利きましてね。まあ中々に楽しい毎日でしたよ。特に薬屋のおばさんにはお世話になりました。外遊びの最中に生傷をこしらえると、みんな薬屋に飛び込んでおばさんに絆創膏を貼ってもらうんです。店主のおばさんはいつも「しょーがないわね」と言いながらその絆創膏を貼ったところをペチンと叩いて、また遊びへと送り出してくれました。薬屋のおばさんには子供がいなかったので、わんぱく坊主たちも可愛かったのでしょう。ご主人も若い時に亡くされたとかで、左目の潰れた大きな黒猫と暮らしていました。

私の家は、鍋なんかの生活用品だけじゃなく建築金物なんかも扱っている、今で言うところのホームセンターみたいな感じの総合金物店でした。小さな個人商店ですがちょっとした修理なんかもやっていて、とにかく両親は忙しくて構ってくれないんですよ。熱を出しても腹下ししても、面倒を見てくれるのは薬屋のおばさんでした。おばさんの店には調剤室も備えていましたからね。自然と自分の家よりおばさんのところにいることが多くなりました。何しろ斜向かいだったし、猫にもすごく懐かれていましてね。おばさんのところで宿題してご飯食べて、猫と遊んで、そのまま泊まってしまうことも度々ありました。

やがて私も思春期になって、好きな女の子なんかも出来るようになりました。片目のかっこいい黒猫がいるから見に来なよ、なんて猫をダシに誘ったりしてね、自分の家でもないのに。薬屋のおばさんは察するところがあったのか「女の子は大事にしなくちゃいけない」って、なんとコンドームを渡してくれたんです。そりゃ当時は驚きましたけど、今思えばありがたいことですよ。もちろんちゃんとお金を払って買いました。でも使うことはしばらくなかったですね。いや、この話はこれくらいにしておきましょう。

高校を卒業すると東京の大学に進学しました。進学は一人暮らしをするための方便です。もちろん東京にも憧れがありました。何とか引っかかった私大の経済学部で四年間、単位を落とさない程度にバイトをして遊んで、何度か恋愛もして。卒業後も地元には戻らず、都内の広告代理店に就職しました。当時同棲していた相手がいたのですが、就職とほぼ同時に別れてしまって、何のために東京に残ったのかわからなくなりましたけどね。

仕事はけっこう忙しかったです。大体毎日残業で、営業だったので接待も頻繁にありましたし。それでも盆や正月には実家に帰省するようにしていました。もちろん薬屋にも顔を出して、おばさんに東京土産を渡して近況報告をして。お土産はおばさんが大好きなひよこの形をした饅頭を定番にしていました。実は私も甘党でしてね。お持たせを茶菓子に出してくれることを期待しているもんですから、おばさんは「しょーがないわね」と言いながら渋々包みを開けてくれるんですよ。

いつ頃からだったでしょうか、年に二回は帰省していたのが盆か正月の一回になり、次第にあまり帰らなくなりました。二十代後半は私生活でも仕事でも色々ありましてね。数年ぶりに帰省したのは、忘れもしない三十三歳の、結婚報告の時です。相手は仕事関係で知り合った一つ年下の女性で、すでに一年近く一緒に暮らしていました。まあそれで、彼女の妊娠をきっかけに籍を入れることにしたんです。式は挙げないつもりでしたが、案の定、両親には色々言われまして、披露宴を兼ねた食事会を地元でやることになりました。ところが実家に着くなり、臨月だった妻が産気付きましてね。祝日だから病院もやっていなくて、それはもうてんやわんやの大騒動ですよ。結局、薬屋のおばさんが助産師の資格を持っていることがわかって、何とか赤ん坊を取り上げてくれました。

実はその時、少し妙なことがありましてね。出産を手伝った私の母が言うには、産まれてきた赤ん坊は蒼白で全く産声を上げなかったそうです。母はすっかり慌ててしまったようですが、薬屋のおばさんはいつもの調子で「しょーがないわね」と言いながら、懐から取り出した軟膏を赤ん坊の胸に塗り込んだらしいのです。すると血の気の引いていた赤ん坊の顔がみるみる真っ赤になって、元気に泣き出したそうです。ところで母の話では、その軟膏はレバーのような血の塊だったとか。気が動転していた母ですから、見間違えたのでしょう。しかし何故かその後、母は薬屋のおばさんを気味悪がって、一切付き合わなくなってしまいました。

子を持つまで、自分の娘がこんなに可愛いものだとは思いませんでした。全てが愛おしく、本当に目に入れても痛くない存在です。幼稚園に上がる前から、娘の結婚のことを考えて気落ちしたりしてね。夫婦共に溺愛した娘でしたが、十歳の誕生日を待たずに突然亡くなってしまいました。おやすみなさいと言ったきりです。死後、娘の心臓に先天性の重い疾患が見つかり、しかもその心臓はなんとゼロ歳児の大きさしかなかったんです。医者の話を聞きながら、何となく娘は生まれた時から死んでいたような気がしました。もちろんそんなことは、妻には言えませんでしたが。

その頃私は、仕事先の女性と不倫関係にあり、天罰があたったと思いました。娘の死をきっかけに女性との関係を清算し、深く傷ついている妻を支えることにしました。しかし不幸は続き、金物屋を畳んで老後を満喫していた両親がバスツアーの事故で二人共に急逝してしまったんです。久しぶりに訪れた地元の商店街は、ずいぶんと寂れていましたよ。半数以上の店がシャッターを下ろしていたでしょうか。そんな中、薬屋のおばさんは変わらず元気で、ご無沙汰していたにも関わらず気持ち良く迎えてくれました。大きな黒猫も薬棚の上で寝ていました。両親の様々な手続きが済んだら生家を処分することにしたと報告すると残念そうな様子でしたが、すでに私は東京の人間になっていましたし、戻ることは考えられませんでした。でも、「いつでもいらっしゃい」と言ってくれたのは心強かった。帰り際に、やっと目を覚ました黒猫が棚からひょいと飛び降りてすり寄ってきたのですが、その猫もまた左目が潰れていましてね。子供の頃にいた猫と同じはずはないのですが、なんだか昔がとても懐かしくなりました。

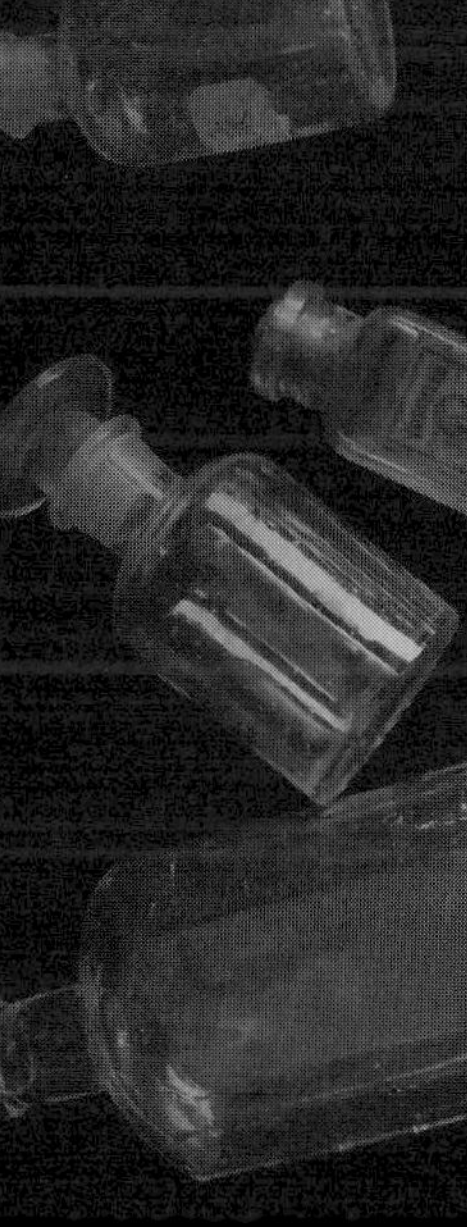

夜の気配が濃くなり、初老の男は腕時計で時刻を確認する。

再び男が故郷の地を訪れたのは、両親の死後十五年近くが過ぎた頃だった。五十代後半になった男の頭髪は白髪の方が多くなり、顔にも深い皺が刻まれて年齢以上に老け込んで見えた。それも致し方ない。その頃、男の妻は不治の病を患っていた。しかも妻から病を告白された時、男の身体の方こそ深刻な状態だったのだ。会社の健康診断で引っ掛かり、精密検査をした時には手術も不可能なほど進行していた。持って数か月、早ければひと月。医師から告げられた衝撃の余命宣告を受け入れられず、妻にも打ち明けるのを先延ばしにしていた。そうしている内に、妻も病に倒れてしまった。男は考えた——娘の死、自分の不貞、両親の急逝——全てを乗り越え、常に献身的に支えてくれたのは妻だった。そんな彼女を今こそ自分が支えるべきなのに……男は自分の不運を呪った。妻の病は幸か不幸か進行が遅く、故に男の寿命が尽きる方がどう考えても圧倒的に早い。このままでは死んでも死にきれないと、いっそ心中することも何度か頭を過った。しかし実際に手を下すことはどうしても出来なかった。

日に日に自身の病状が悪化する中、男はなす術もなく、ふらふらと電車を乗り継ぎやって来たのが生まれ育った土地の商店街だった。本屋も肉屋もシャッターが下り、とうの昔に閉まった駄菓子屋の後の整骨院も看板が取り払われ、実家の金物店の跡は空き地のまま雑草が生い茂っている。すっかりゴーストタウンと化した商店街の中、唯一営業を続けていたのは斜向かいの薬屋だった。

薬屋の入口に立った男の足元に、黒い影がすり寄ってくる。しゃがんで撫でてやると、毛艶の良い大きな黒猫は喉を鳴らして横たわった。ところでその猫、やはり左目が潰れた片目である。前回訪れた時と同じ猫だろうか。二十年以上生きる猫もいると聞くが、それでも何となく妙な感じがした。

「あらあら、驚いたわ」

店の奥から声がして、顔を上げて驚いたのは男の方だった。店主のおばさんはとっくに高齢になっているはずだが——おばさんは相変わらずおばさんのままで、むしろ今の男よりも若く見えた。おばさんは男の足元に横たわって媚を売る黒猫を抱き上げ、にっこりと微笑んだ。子供の頃から変わらない店内、変わらない片目だけの大きな黒猫、変わらないおばさん——この薬屋では時間が止まっている。男は全く年を取らないおばさんの姿になにがしかの確信を感じつつ、長い打ち明け話を始めた。

きっと来ると思ってたわ

変だと思うでしょう

たぶん思っている通り

もちろん同じ子よ

お気に入りですもの

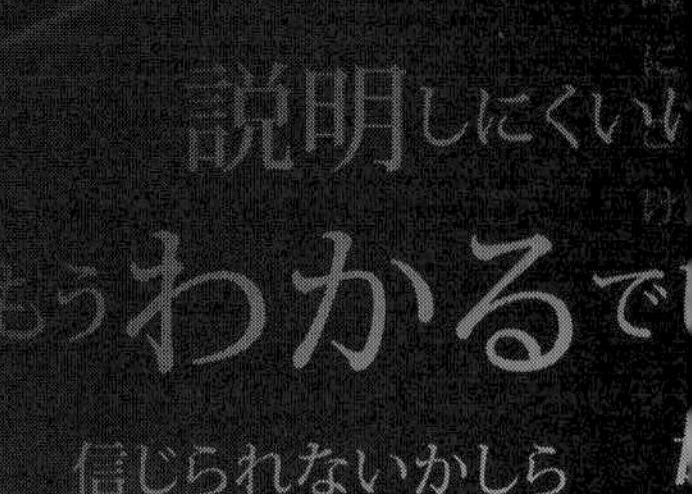

初老の男は、口元だけで微かに笑っていた。

「しょーがないわね――」

男の話が終わると、店主のおばさんはいつになく真面目な顔で、鍵の掛かった戸棚から小瓶を取り出した。カウンターに置かれた瓶の中では粘り気のある半透明の液体が不規則に揺れている……おばさんの言うところの特別な薬は、なんと液体自体が生き物のように蠢いていた。おばさんに不思議な能力のようなものが有ることは薄々感づいていたが――。

「……どうして助けてくれるんですか」

「たまたまよ。たまたま近所で、たまたま子供の時から面倒みてたからねぇ」

上手くはぐらかされたように思えたが、次いで告げられたこの特別な薬を処方するための条件に少なからず驚かされた。どうにも常軌を逸した内容だったが、動き続ける奇妙な液体の前では納得せざるを得ない。

「飲んだら元には戻れないの。よーく考えて欲しいけど、そうも行かないかしら」

確かに男に熟考する時間は残されていない――切実な望みを叶えてくれる魔法のような秘薬、試さない方が悔いが残る。男は全てを承諾し、その場で一息に飲み干した。

薬の効果は抜群で、男の病はぴたりと進行が止まった。

そして約十年間の壮絶な闘病を経て、男は妻を看取ることができた。

初老の男は、杖をつきながら立ち上がった。


「そんな馬鹿なと思うでしょう、でも本当の話なんですよ」

男は話を続ける——妻を看取った後も、男は余命半年の病に冒された状態で生き続けた。全身四六時中痛みに襲われたが、我慢さえできれば医者から薬をもらう必要はない。食事に関しても、飢えや乾きは感じるが、飲まず喰わずでも生きていられる。極端な話、心臓を抉られても死ぬことはない。快適かどうかは別にして、身を守るための住まいさえ持たなくても構わない。そんな生活がそろそろ二十年になる。男の外見は五十代後半で止まっているが、実年齢は九十歳近い。見た目の問題から早々に全ての縁を切り、戸籍上は失踪による死亡扱いになったはずだ。一時は身を潜めるようにしていたが、今や親族を始め男を知る友人も存命の者の方が少ないだろう。何にせよ、生命維持に金銭はまったく必要ないが、一箇所に長く住まうことはできなくなった。

「でもここ数年、少し不便に感じているんですよ」

男の上着の左袖がひらりと風になびいた。どうやら片方の腕がないようだ。腕を失った理由は、件のおばさんに薬の材料を提供しているからだ。年に一度、おばさんの元を訪れる度に少しずつ身体の一部が失われていく。もう十年したら右腕もなくなり、次は足か内臓か。提供する箇所や順番は選べたが、やがて肉体の全てが材料になる。

「これが秘薬を貰うための条件でした」

「……体がなくなったら、死ぬんですか？」

ホームの端で、男の話をじっと聞いていた女が初めて口を開いた。

「いいえ、死にはしないですよ。人間じゃなくなるだけです」

「……」

どうやら女には理解できないようだ。

「だからって訳じゃないですけど、少し羨ましかったんです」

歩き出した男の袖が、入線してきた電車の風圧で勢い良く舞い上がる。

女は、ためらいなく飛び込んだ。


悲鳴のようなブレーキ音が響き渡る中、薬屋のおばさんの声が聞こえた。

いつでもいらっしゃい こちら側に

END

岸田尚一コマ漫画 ◉コラージュ＆文＝岸田尚

偶然得た永遠の命に希望はなかった

ギレルモ・デル・トロ監督「クロノス」

◉絵と文＝さえ

骨董屋を営む老人・ヘスス、彼は店内にあった彫刻の台座から謎の物体を見つける。金色に輝くそれは、中世の錬金術師が作り出した永遠の命を与える鍵「クロノス」だった。そして、病によって余命幾ばくもない金持ちの老人・ヴァルディアが甥のアンヘルを使い「クロノス」を探していた…。

偶然とはいえクロノスを手に乗せたことで装置が動き、吸血鬼化してしまったヘスス。彼の外見が若返ったことを事情を知らない妻は喜ぶが、常に傍にいる孫娘のアウロラだけは異常事態だと気づいていた。クロノスに魅了されたヘススは血を求め始め、ついにはトイレの床に落ちた血でさえも舐めてしまう。

彼はクロノスをめぐってアンヘルに殺され、火葬の直前に生き返りはするが体は次第に腐敗していく。クロノスがもたらす永遠の命に希望はなく、ただ血を求めその命を保つだけの怪物と化す未来しかなかった。人間としての死か、怪物としての生か、ヘススが最後に選ぶものはどちらなのか。

虫のようなデザインのクロノスなどこだわりぬいた小道具の数々にも注目！な、デル・トロ作品好きなら是非とも一度は鑑賞して欲しい作品。

不死を得てもなお、願望の充足を見い出せなかった男

ゲーテ
ファウスト

高橋義孝訳、新潮文庫、(1) 670円 (2) 850円

★『ファウスト』と不老不死。

考えてみればこれほど近いようで、これほど遠いテーマもまたない。ファウストは悪魔メフィストーフェレス（以下メフィスト）との契約によって現世に満足するまで何度でも若返って人生をやり直すことのできる権利を得ていたのだから、実質的に不死であり、不老の存在だ。にも関わらず「不死」という要素がこの作品に紛れ込んでいることは、多くの場合——それが意識的であるかないかに関わらず——スルーされてきた。作者であるゲーテ自身、人間が人間のまま生きて「永遠の命」を得ようとすることには、批判的な言葉を残してもいる。

それでもこの作品を取り上げてみようと思ったのは、ネタがなかったから——ではなく、一九世紀に発表された『ファウスト』こそが、あらゆる「憂鬱な不死者」の物語の原型とみなしうる、と考えたからだ。文芸評論家の浅羽通明もまた古今東西の「時間ループ物語」を扱った著作のなかで、本作を「成長前向き型の時間ループのルーツ」としている（『時間ループ物語論』）。ではそもそも『ファウスト』とは、どんな物語だったか？

作品の第一部では、悪魔メフィストと出会ったファウストが死後の魂の服従を条件に、現世であらゆる快楽や悲哀を体験させるという契約を交わす。魔女の調合した薬によって若返ったファウストはグレートヒェンという美しい町娘との間に愛を育むが、なりゆきとはいえ、恋の障害となる彼女の母親と兄を殺してしまう。

いっぽうでグレートヒェンも、ファウストとの私生児を産み、その子どもを池に捨てた罪で投獄され、錯乱しながら命を落とす。

成就しない恋愛の悲劇として読める第一部と比べると、第二部の展開はさらに複雑だ。グレートヒェンとの関係の構築に失敗したファウストは、今度はなぜか、皇帝に家臣として仕えている。皇帝は古代ギリシャいちの美女であるヘレネーを見たいといい、実際に彼女を連れてきたファウストは（またしても）恋に落ちる。その後もヘレネーとの恋愛や戦争、国家建設といった事業面でのファウストの功績が語られたのち、いよいよ現世に満足した（と判断された）彼はメフィストに魂を奪われそうになるが、天界にあるグレートヒェンの加護によって神のもとへと召されていく。

これを知識欲と征服の野心に憑かれた男の誇大妄想狂的な物語と解釈すると、おそらく『ファウスト』という作品を見誤る。実質的な不死を得て、すべてのことを思い通りにできる力を持ってなお、ファウストの欲望は他者とのプライベートな関係やより巨大なものへの忠誠（吉本隆明が唱えたところの対幻想や共同幻想）に閉じられるほかなく、そこに願望の充足を見出すこともできなかった。筆者はここに、あらゆる「憂鬱を抱えた不死者」の物語の原点を見る。そのときはじめて『ファウスト』は、満たされない承認欲求を抱えた全能者の物語として、現代人の心にも深く突き刺さるものになるはずだ。（梟木）

「不死」の獲得によって生じる世代間の分断

★今後数十年のうちに人類にとっての〝究極の夢〟がひとつ叶うとして、しかもそれが純粋な科学の発展の賜物であるとして、あなたは何を思い浮かべるだろうか。先回りして筆者の考えを言ってしまうと、答えは不老不死、であるように思う。

驚くべきことではない。人間の脳や意識をコンピューターやロボットに移植する研究は世界中で進められているし、グーグルやアマゾンなど世界のトップ企業も、多額の費用を「不老不死」の研究のために投資している。ジュール・ヴェルヌが『月世界旅行』を著してから実際に人類が月へと降り立つまでのスパンの短さを鑑みれば、そう遠くないうちに人類が何らかの手段で「不死」を達成すると考えても、おかしくはないだろう。

では実際に「不死」が獲得されたとして、それは私たちの意識にどのような変化を促すのか。肉体的な「死」の条件を克服することだけが、人類にとって本当の「ゴール」といえるのか……。そうした

ケン・リュウ
紙の動物園

古沢嘉通訳、新☆ハヤカワ・SF・シリーズ、1900円

「不死的想像力」の最先端として目されるのが、二〇一一年に発表された短編「紙の動物園」で英語圏のメジャーなSF関係の賞レースを総嘗めにし、飛ぶ鳥を落とす勢いで期待の新人作家トップの座にまで上り詰めた、中国生まれのSF作家ケン・リュウだ。日本オリジナルの短編集である『紙の動物園』には「円弧」「波」というふたつの作品が収められているが、いずれも実現可能なテクノロジーとしての「不老不死」のテーマを別角度から取り上げており、興味ぶかい。

「円弧」の主人公は、医療技術の発展により人類最初の「不老不死者」となった女性。物語は彼女が不老不死を手に入れるまでの過程を伝記的に描きつつ、人類の誰もが選択的に「死」を回避できるようになったとき、個人としてのひとびとがどのような決断を下すのか、その選択が世代交代のサイクルにどのような影響をおよぼすのかを問う。

いっぽうで「波」は、よりマクロな視点から、人類の進化について更に踏み込んだ世界観を提示した作品。舞台は三〇〇名の乗員を乗せた宇宙船〈海の泡〉号。複数世代に跨がる壮大な航行ミッションの途上で、人類は偶発的に不死になるための手段を見つけてしまう。自然な死を選ぶか、不老不死の身体を手に入れるかで割れる乗員たち。だが不死を選択したひとびとの前には、さらに突飛な進化の選択肢が与えられて……。

いずれの作品も「不死」の獲得を自然な進化の方向性の先にあるイノベーション（技術革新）として扱っている点、およびそのことによって生じる世代間の分断（素早く適応する新世代と、乗り遅れる旧世代）描写に重きを置いている点に、作者の持ち味がある。不死を特別の主題としない作品でも、ケン・リュウはつねに環境の変化や政治的な圧力による家族間の心のすれ違いや分断を核心的なテーマに据えてきた。

ならば私たちもまた、来るべき選択の日に備えて親しい人と仲違いしないよう、せめて心の準備ぐらいはしておくべきだろう。もしかしたら自分たちこそが、不老不死という進化の「波」に乗り遅れた最後の旧世代と呼ばれる日が来ないとも限らないのだから……。（梟木）

REVIEW

AIたちが永遠に終わらない夏を生き続けるリゾート

飛浩隆
グラン・ヴァカンス
廃園の天使1
ハヤカワ文庫JA、840円

★どこまでが私で、どこからが世界なのだろうか。すなわち、私という境界線はどのように引かれるのだろう。1000年間ものあいだ人間に放置された仮想リゾートを描く『グラン・ヴァカンス』は、この問いにSF小説の言語から新たな視座をもたらす。その鍵は、感覚。

　作品の舞台である会員制の仮想リゾート「数値海岸」で暮らす登場人物たちはフィジカルを持たないAIである。彼らは、その仮想世界において現実世界の人間と同じように、肌を焼きつける日差しも、足指の間をくすぐる砂浜の粒も、もぎたてのオレンジの瑞々しさも、皮膚を溶かす火傷の痛みも知覚することができる。それらは全てプログラムによって演算された実態のない値にすぎないが、ヴァカンスに訪れた人間がまさしく現実と違わぬ豊潤な感覚を堪能できるよう、精緻に作り込まれている。

　無論人間をもてなすべく作られたAIたちも例外ではない。彼らの描画された肉体はデザインされたときから歳をとることはなく、子供は子供のまま、老人は老人のまま海辺の街で永遠に終わらない夏に生きているが、人間と同じように個人的な過去を持ち感情を抱き、人間と同じように世界を感覚する。彼らの生とは肉体の物理的活動ではなく、演算によって弾き出されたその瞬間瞬間の感覚によって担保される。すなわち、感覚こそ彼らが延々と反復する夏の、無時間的な生の中心点なのだ。

　この作品を語る上で欠くことのできないのは、レトリックの流麗さだ。それが醸すものは、鮮やかに描出される数値海岸において、AIたちが、訪れた人間たちが味わう感覚そのものだろう。「古めかしく不便な町で過ごす夏のヴァカンス」をコンセプトとし、南欧の田舎にある港町をイメージしてデザインされた「夏の区画」の生命力にあふれた美しい自然を満喫し、一流シェフのレシピに舌鼓をうち、現実世界では満たされない欲望をAIにむける。その全ては飛浩隆の紡ぐ言葉によって生き生きと描かれる。

　ページを繰りテクストを目でなぞる読者は、仮想世界での出来事が演算された感覚によって構築されるように、小説という媒体を通してここではない世界を体験する。物語内世界とその外周が重なるこの作品は、読者をただ安全な場所から愉しませるのではなく、現実のその足場まで侵食し、永遠に終わらない夏の時間に読者を飲み込もうとする。

　私がページを閉じると、そこはキラキラと夏の日差しの降り注ぐあの海岸ではなく、日が落ちて薄暗くなった窓ガラスの向こうから5時の鐘が響く。私と世界の境界線は肉体の輪郭に沿って前体験的に定められるものではなく、感覚することによって刹那的に切り取られ続けていくものかもしれないと、私は数値海岸で過ごした〝時間〟を振り返り思う。感覚する者としての実存を離れた存在などないのだから。（安永桃瀬）

ヴァンパイアも人間も、孤独な〝一塊の肉〟

ポピー・Z・ブライト

ロスト・ソウルズ

柿沼瑛子訳、角川ホラー文庫、800円

★「夜は生きていくのが一番つらいときに思えるの。少なくともあたしにとってはね。夜が果てしなく長く思え、午前四時という時間があたしの秘密をすべてさらけ出してしまうような気がするの。」(151頁)

不死への渇望は多くの場合、永遠の若さと美しさへの希求とセットになるが、たとえ容貌の美を不滅としたところで、存在の内外で時間は流れ続け、止めようがない。社会の変化や、己の内側に積み重なる体験的・学習的記憶によって、かつて望んだ自身ではなくなっていたとしても、いつ終わるともしれない夜を歩み続けなければならない。

加えて、他者の生命を奪いながら自分は永遠を生き永らえる(かもしれない)という罪悪感。それらの矛盾に引き裂かれ、少なからぬヴァンパイアたちが、物語の中でメランコリーに沈んできた。アン・ライス『夜明けのヴァンパイア』の主人公ルイなどは、その代表的な存在だろう。

だが、いくつかの共通項(当時ニューオリンズに在住、美青年・美少年の姿をしたヴァンパイアたちによる、ホモエロティックな要素のある物語を執筆、など)から、かつてライスと比較されもしたポピー・Z・ブライトによる本作には、憂愁を湛えた者たちだけではなく、衰えぬ肉体によって甘受可能な享楽に、終わりなく溺れる不死者たちが登場する。

ゴシック・ロックが鳴り響く中、黒のマニキュアで爪を飾り、乳首にはピアスを光らせて、セックス、ドラッグ、アルコールに耽り、衝動的な殺人を犯すジラー、トゥィッグ、モロカイの三人組ヴァンパイアは、ドリアン・グレイ的頽廃をさらに過剰に、パンキッシュに突き詰めたような存在だ。死という枷から逃れ、永い時をただ無軌道にさまよい、美肉から腐臭を放つ彼らは、ライスの描くヴァンパイアとは異なる。〝インモラルな空虚〟と呼べそうな突き抜け感が魅力的ですらある。

作者ブライトは、キャシー・アッカーなどの所謂〝Xジェネレーション〟作家と並べて語られたこともあったようだが、本作で表現される空虚さ、暴力性は、過激な装飾にもかかわらず普遍的な、センチメンタルですらある青春の物語と不可分になっている。それを背負うのが、人間とヴァンパイアの間に生まれ、人としての生に意味を見出せず彷徨する少年ナッシングだが、ブライトが描くヴァンパイア像は、いずれも生身の肉体を引きずっており、その重みは人間とかわらない。ヴァンパイアも人間も、苦痛と快楽を感じ、すえた匂いを漂わせる者として等しく存在する。

冒頭の言葉は、人間側の登場人物のものだが(彼らの側の物語もまた優れた青春小説だ)、不死であるなしにかかわらず、誰もが〝一塊の肉〟である孤独からは永久に逃れられない。血と吐瀉物の底で、本作はその真実を、ジラーの緑の瞳、闇に現れるその瞬きのような狂おしさであぶり出すのだ。(三浦沙良)

人生は、はたして生きるに値するものなのか？

★なるほど魂魄は不滅かもしれない。それらは強烈な恨みや妄執を現世に焼きつけた魂の残像であり、いわばデータのみで電源不要だからだ。

いっぽう吸血鬼は、他者を襲って血を啜らねば飢(かつ)えてしまう生ける死者＝不死者(アンデッド)。それでもドラキュラ級の大物であれば吸血して眷属を増やしていくことになんら迷いはなかろうが、血脈ピラミッドの末端の者たちにはたしてどこまでの執念や野望があるのか。

ここに死後の生への疑問が生じる。はたしてそれは、生きるに値するものなのか？

迫りくる老いを自覚した四七歳独身男の目に映る人生の空しさ、生者の世界の儚さを映し鏡に、先の疑問をくっきり浮かび上がらせる陰翳深い短篇、それが英国人小説家M・ジョン・ハリスンの短篇「からっぽ」である。

M・ジョン・ハリスン
からっぽ

マーティン・H・グリーンバーグ&バーバラ・ハムリー編、宮脇孝雄ほか訳『死の姉妹』扶桑社ミステリー、566円＝所収

失踪人を捜して生計を立てている四七歳のジェイコブ・ウィッシュハートに、旧知のカウンセラーの女性から依頼が舞い込む。二日間の失踪から帰宅したものの心を閉ざして質問に答えない少女から事の真相を聞きだせというのだ。そこで自宅を訪ねると、ドライブの仲間とはぐれて帰れなくなり、一晩荒地(モーズ)をさまよった果てに女の人と出会い、ふたりで墓地に行ったのだと少女は打ち明ける。しかしどうにも腑に落ちない。暖かな晴天だったと彼女は言うけれど、その日荒地には雪が積もったのだ。ウィッシュハートが愛車メルセデスを墓地に走らせると、そこには謎めいた女がいて、戻ると少女は本当に失踪していた——。

クライム・ノワールを思わせる語り出しで始まった物語はイングランドの荒地のみずみずしい自然描写を経て、救いのない人生を生きる者たちの哀歌の響きを帯びはじめる。この筆致は『パステル都市』に始まるアンチヒロイック・ファンタジー《ヴィリコニウム》シリーズで知られるハリスンならではで、ロッククライミングの経験に根ざした自然観察眼が描写の端々に生きている。

読み終えて、「からっぽ(Empty)」というタイトルがきっと脳内リフレインをしはじめる。そう、ウィッシュハートが生きる現世も、その片隅に身をひそめる不死者たちの死後の生も、要するに「からっぽ」なのだ。

女吸血鬼の書き下ろし短篇を集めたこのアンソロジーが編まれたのは一九九五年。セルビアの古い伝承にみられる増殖性を採り入れたブラム・ストーカーの『吸血鬼ドラキュラ』(1897)と、病原菌パンデミックという新機軸を打ち立てたリチャード・マシスンの『地球最後の男』(1954)が、吸血鬼文学史上の金字塔に数えられるが、一九八〇年代前後に猛威をふるったHIV感染症は、当時の医学では救うすべのない死病であり、性交が感染を招くという堕落のイメージとも相まってまさしく吸血鬼の陰画といえた。その頃ならではの恐怖観に根ざした吸血鬼物語が取り揃えられており、じつに読みごたえのある選集である。(待兼音二郎)

REVIEW

心臓を食べ記憶を受け継ぐことで〝永遠の命〟を得る

萩尾望都
バルバラ異界

書影は、小学館フラワーコミックス／電子版・文庫版あり

★主な舞台は二〇五二年の日本。他人の夢に入る能力を持つ〝夢先案内人〟の渡会時夫は、七年間眠り続ける少女・十条青羽の夢を探る仕事を依頼される。青羽は、免疫系治療薬の開発で知られる十条製薬の一族の娘で、母・茶菜が父を殺して死んだ際、両親の心臓を食べ、眠っているのだという——。

今年一月にEテレで放送された「一〇〇分de名著スペシャル一〇〇分de萩尾望都」で取り上げられ、中条省平氏をはじめとする出演者が熱く語っていたのも記憶に新しい本作は、MCのカズレーザー氏が指摘していたように、かつての『ポーの一族』とは異なる視点で、〝不死とは、永遠の命とは何か？〟が描かれた作品だ。

『ポーの一族』のバンパネラが、人の気を得ることで、変わらぬ容姿を持ったまま永い時を旅し続けるのに対し、『バルバラ異界』に登場する一族は、〝永遠の命〟＝〝受け継がれる記憶〟と定義する。命とはその人物が生きて積み重ねた記憶であり、記憶と知識が受け継がれ、忘れられないことこそが不死であって、そこに肉体は大きな意味を持たない。

記憶を受け継ぐ方法は、死者の心臓を食べること。「遺伝子に記録された記憶の封印を解くカギは、心筋に含まれたある種の酵素」であるため、死者の「ばら色に透きとおる」結晶化した心臓を食べた者に記憶は受け継がれる。そうなれば、死はない。

心臓を食べるというカニバリズム、ポスターガイスト現象、免疫・遺伝の問題、分解されないタンパク質など、知的好奇心を刺激する知見や仕掛けがたっぷりと盛り込まれ、現在・過去・未来、夢と現実、火星と地球が複雑な模様を織りなすタペストリーのように交錯する物語は、流石の手練れ。SFを読む醍醐味を堪能させてくれるが、ここで描かれる〝不死〟にも、『ポー』におけるエドガーの苦悩とは別の形で疑問が投げかけられる。

「20歳をすぎると老人になった」一族の出で、それゆえ老化を止める研究に邁進してきたエズラ博士は、あとを託す子供らに、「（心臓を）食べなさい／きみらは不滅の子供たちだ」と言い残す。だが、他者の記憶を受け継ぎ、ひとつの大きな生命の一部となることは、真に幸福といえるのか？ 青羽が語る火星の海の記憶、「みんなで一つの全体に満ちてい」た、永遠の生命の在り方には、多幸感にもまして〝全体主義〟への疑念もつきまとう。「過去の記憶をもっているのは／未来を創るため」だとしても、より良い未来のために犠牲となる命のことは？

生も死もおよそ人の手に負えるものではなく、不滅が幸福に繋がるとは限らないだろう。そもそも人は他者に記憶され続けたいものなのか、忘れられたい人もいるのではないか、などと次々、思考回路が刺激される、日本SF大賞を受賞したゼロ年代萩尾SFの代表作。NASAが火星の映像を公開する今読むと、更に味わい深いものがある。

（三浦沙良）

ひとの生気を吸って若返る術を身につけたねずみ男

★水木しげる漫画大全集。「すべての人に 水木漫画のすべてを。」って広告のフレーズがスゴイけど、一冊二千円以上するから、さすがにすべては買い揃えられてない。全一〇三巻に、補巻も何冊もあって、スペース問題も大きいし。

それでも何冊かは持っていた。

この「『ガロ』掲載作品」の巻も、シブい名作がそろっているのである。「勲章」、「ネコ忍」、「丸い輪の世界」、「イソップ漫画」シリーズなど、どれも奇妙な読みごたえがある。「つげ義春氏との出遭い」とか、「鈴木翁二くん」とか、ガロなひとびととの邂逅を描いたエッセイも面白い。

水木しげる
不老不死の術

「水木しげる漫画大全集064『ガロ』掲載作品」所収、2500円

なかでも「不老不死の術」はいい。おなじみねずみ男が、忍術の修業にはげむ若い忍者に、「命がけで働いてはした金しかもらえねえ忍者なんかになるやつの気がしれないよ」、「もう忍術なんか時代遅れだって」。うん、いつもの調子のアイツである。忍者の小僧さんもムッとして、「なんだこいつ」、「いらぬお世話だ」と腹立ててるが、ねずみ男は「らくしてのんびりくらす仙術の時代がおとずれたってことサ」、「わかる? このアタマのよさ」っていつもどおり傲慢なこと言いながら去っていく。

さて、仙術とは何か。ねずみ男が使う仙術は、ひとの生気を吸って自分は若返り、吸われた側の若い男は老人の姿になってしまうという、なんとも迷惑な術である。

この仙術・不老不死の術を身につけたねずみ男は、「声もだんだん若々しくなったぞ キャッキャッ」って若いギャルみたいな喜びかたしてる。

けれども、もちろんねずみ男である。「ますますお若く美声になられましたね」っておだてられて、もっと若くなってやろうと人間の生気を吸いすぎて、ねずみ男は赤ちゃんになってしまう。困惑しながら、フギャーフギャーと泣いている。

私も、若くはなりたいが。せいぜい十九、二〇歳くらいまでですかね。それ以上は、ちょっと困る。まして赤ん坊からやりなおすとなると、ほんとうにめんどくさい。

それにしてもねずみ男、どこでこんな術を身につけたのか。どうせうさんくさいところから聞きかじったんだろうが。「幸福の甘き香り」なんて術とか、アイツらしい妙な妖術をいくつももっているらしい。

ねずみ男については、そのヒゲが不老不死の妙薬になるとウワサされたこともあった。アニメ「墓場鬼太郎」で。

たとえ不老不死になれるとしても、ねずみ男のヒゲかあ……。火の鳥やドラゴンの血とかならまだしも、あのヒゲをからだにとりこむとなると、ちょっと遠慮したいところだ。それよりかまだ、若い男の生気を吸いたい。と、ここで気づいたのですが、生気は性器に通じ、さらに精液にも通ずる。なおのこと吸いたくなってきましたが。幸福の甘き香りが薫ってきたり。こんな中学生みたいな下ネタ書いて喜んでるところを見ると、僕もまだまだ若いですね。(日原雄一)

魔王を倒した後、不死者がたどる「葬送」の旅

★二〇二〇年に週刊少年サンデー誌で連載が始まった「葬送のフリーレン」は、魔王と勇者が対立するジェネリックなファンタジー世界（あえて言えばドラクエ的世界）を舞台とした物語だ。だが本作が他の類似作と大きく異なるのは、本作は「勇者一行が魔王を倒した後の物語」であるということだ。

葬送のフリーレン

山田鐘人原作、アベツカサ作画

小学館少年サンデーコミックス、各巻454円

勇者・戦士・僧侶・魔法使いという、現代においてはこの組み合わせで記号化されたパーティを編成した勇者一行。表題となる「葬送のフリーレン」は、この一行の魔法使いであるエルフのフリーレンからとられた。千年を生きてなお老化の気配も見せない彼女は、強大な魔法使いであると同時に、人間とはかけ離れた時間感覚をもって生きる存在でもある。事実、彼女は魔王を討つ旅を終えた凱旋の席で、十年に渡る長旅を「短い間だった」と言い切ったのみならず、「五十年後にまた会う」ことを約束して仲間と別れる。十年も五十年も、彼女にとっては一瞬だ。

だが人間にとっての五十年は、あまりに長い。五十年経って元の仲間たちと再会した彼女は、勇者が「老いぼれている」ことに驚く。そして彼の死に際し、自分が「たった十年一緒に旅しただけ」だった勇者のことを何も知らないことに涙する。

かくして彼女は「もっと人間を知るために」新たな旅を始める。本作はそんな彼女と、彼女の新たな仲間たち（かつての仲間が育てた弟子でもある）の旅程を描く作品だ。

さて、本作の主人公となるフリーレンは、人間の目から見れば限りなく不老ではあるが、（おそらく）不死ではない。従って彼女を不死者と呼んでしまうのは、いささか難がある。だが他者として彼女を見る人間たちにとってみれば、彼女は限りなく不死者に近い。たとえ不死の存在として認識しないにしても、彼女が圧倒的なまでに「異種族」であることを、彼女と相対した人間は感じずにはいられない。

もっとも、彼女と同じ時間感覚で世界を生きている存在もいる。皮肉にも、フリーレンらによって魔王を倒された後も各地で戦い続けている、魔族たちだ。魔族は他の知的種族と意思疎通ができない存在（意思疎通状態を模倣できるだけの存在）ではあるが、同時に何十年という時間を「たった数十年」と語る者たちでもある。人間にとってみれば、フリーレンも魔族も、同じくらいに「かけ離れた存在」だ。

つまるところ、フリーレンが人間のことを知らないように、人間もまたフリーレンのことを知らない。いみじくも第一話の五コマ目で、勇者が「君のこの先の人生は僕たちには想像もできないほど、長いものになるんだろうね」と語るほどに。人間は他の人間のことを本当には知り得ないというのに、ましてや他の不死者（にしか見えない存在）のことを知り得るはずがない。

だがそれでも本作は、知ろうとする人々の物語として描かれる。そして「知ろうとする」ことは、ときに魔法として、家族として、恋として描かれ——不死者たるフリーレンにとっては、もしかしたらそれは「葬送」なのかもしれない。

（徳岡正肇）

人間としての生を手放し、グロテスクに煌めく「愛」

魔法少女まどか☆マギカ［新編］叛逆の物語

宮本幸裕監督　新房昭之総監督

★不死とは、ある意味不具であり、不完全な生である。生と死は生命の両側面であり、生命はいつか死ぬという約束のもと自らの生を全うするのだから。

『魔法少女まどか☆マギカ』、続編の『［新編］叛逆の物語』に描かれる魔法少女は死なない。少女という魔法の季節を永遠に生き続け、希望と絶望の間を魂が尽きるまで揺らぎ続ける運命を背負う。少女から魔法少女になる契約とは、希望と願いと引き換えに、人間としての生を手放し、不死の身体を得るものである。すなわち魔法少女とは〝もう生きていない〟少女たちのことだ。

魔法少女が不死でなければならない理由は、彼女たちが感情を産み出すために存在しているからである。希望を抱き守るべきもののため魔女と戦う勇気、やがて自らが魔女へと転化する絶望、その「希望と絶望の相転移」の落差を増幅させるため、魔法少女の身体はどんな怪我を負ったとしてもたちまち修復され、再び魔女に挑み続ける。身体が壊れれば壊れるほど、少女たちの感情は高まり、壊れた身体が修復されればもう一度立ち上がりさらに感情を募らせる。彼女たちの身体は虚にして、感情を生み出すための道具にすぎないのだ。

魔法少女のひとり、暁美ほむらは魔法少女となることで人間としての生を終えたあと、不死の境界を3度超えている。契約を結び魔法少女となり、濁ったソウルジェムとともに遮断フィールドに封印され1度目の不死を超え、遮断フィールド内で魔女となり2度目の不死を超え、円環の理の導きを裏切り3度目の不死を超えて悪魔となる。暁美ほむらは人を超え、魔法少女を超え、魔女を超え、悪魔となって超越的な力を手に入れた。宇宙的エネルギーの感情を体現し、世界の理を書き変えたのだ。その、身体という物理的制約にとらわれない感情は無限に広がって世界の理を外れ、宇宙をも超越したのである。

「今の私は魔なるもの。（……）神の理に抗うのも当然のことでしょう？」。暁美ほむらは自らの〝魔なる〟力を使い、あらゆる犠牲を厭わずたったひとつの願いを叶える。矛盾と徒労で紡がれ、執着という儚い糸を繰りかろうじて現前されるその〝叛逆〟は、もはや人間ではなく「魔」を称する暁美ほむらが望むにはあまりに人間くさい感情である。しかし、暁美ほむらが人間から離れるほどに「愛」と彼女の名付けた感情は歪に膨張し、宇宙を再編するエネルギーを産み彼女をさらに人間から遠ざける。

不死であり不具であるという捻れた生においてこそ、この感情のグロテスクな煌めきは増す。アニメ版が完結してから10年、死という概念と結ばれることのない暁美ほむらは、愛する人がいつ消えるかもしれない世界を未だ彷徨い続ける。感情と身体を切り離せない有限な存在である私に、その感情を〝理解する〟ことはできないけれど、物語がいつか暁美ほむらを殺してくれることを祈る。（安永桃瀬）

永遠の命を放棄して人間として地上に立った天使

ヴィム・ベンダース監督
ベルリン・天使の詩

★一九八七年、ベルリン。

強固な「壁」によって東西に分断されたその街は、憂鬱な空気に包まれている。そんな街の様子を高所から見下ろすひとりの男（ブローノ・ガンツ）。彼は天使として、この街の歴史と人間たちのドラマを寄り添いながら見守り続けてきた。ところがある日、彼は永遠の命を放棄して人間として生きてみたいと、親友の天使（オットー・ザンダー）に打ち明ける。やがてサーカスの舞姫であるマリオン（ソルヴェーグ・ドマルタン）への恋心を募らせた彼は、ついに人間としてベルリンの街に降り立つ決心をするのだが……。

『ベルリン・天使の詩』は、アート系映画の鬼才ヴィム・ヴェンダース監督が八〇年代後半のベルリンを訪れ、その際に得られた着想をもとにシナリオを書き下ろしたという、異色のファンタジー作品。悪名高い「壁」の存在によって隔てられていた頃のベルリンを舞台に、天使から人間へと生まれ変わろうとする男のドラマが描かれる。この作品のために説得されて現場復帰したという撮影監督のアンリ・アルカンによる映像が、モノクロームで撮影されたベルリンの街並みに幻想的な映像美と荘厳さを与えている。

まずはブローノ・ガンツ演じる「天使」（といっても背格好はいかにも普通で、たまに幻のように翼が見える以外に天使らしいところはない）ダミエルが、はじめて台詞らしい台詞を口にする、最初のシーンから。「霊でいることにうんざりすることもある」と、ダミエルは親友の天使カシエルに向かって打ち明ける。「永劫の時に漂うよりも自分の重さを感じたい。食事をしたり、女性のうなじに見惚れたり、猫に餌をやったり――」。そんな他愛もない人間の行為への憧れを語るダミエルに対し、あくまで「霊でいよう。距離を保ち、言葉でいよう」と諭すことしかできないカシエル。そのような二人の会話も、霊である彼らの姿が見えないのと同じように、ベルリンの往来を行く人びとの耳には届いていない。

カシエルとの対話を終えたダミエルは、いつものように街の様子の見回りを始める。天使であるダミエルのもとには、人間たちの心の声がまるでテレパシーのように送られてくる。情報のインフラが整備された現代の視点から見ると、それはさながらSNSのタイムライン上に並んだ「呟き」をチェックしているかのようだ。だが通りすがる人たちの「呟き」に元気はなく、街には自殺を考える若者や生活困窮者が溢れている。長引く不況といい、民族を分断する「壁」の存在といい、一九八七年のベルリンは現代の日本が置かれている状況と驚くほど酷似している。

だからこそ天使でありながら「人間」として生きていこうとするダミエルの選択が、より尊いものとして私たちの胸に響く。ダミエルが天使でいる間はモノクロームで、人間として地上に立ってからはカラーでという映像上の工夫も面白い。コロナ禍による不況と社会の閉塞感が今後も長引くことが予想される今だからこそ、自宅に取り寄せてでも観たい作品だ。（梟木）

何度も殺されることで、人生を良い方向へと変えていく

ハッピー・デス・デイ

クリストファー・B・ランドン監督

★九月一八日の月曜日。

自己中心的で高飛車な性格をもつ大学生のツリー（ジェシカ・ローテ）は、彼女のために開かれた誕生日パーティに出席しようとした晩、赤ん坊のマスクを被った何者かによって殺害されてしまう。ところが気がつくと、ツリーは誕生日を迎えたのとまったく同じ状態で、男友達の部屋のベッドの上に横たわっていた。何らかの力により、時間が月曜日の朝へと巻き戻ったのだ。やがて自身が「さまざまな方法で抵抗を試みるも、最後には必ず赤ん坊のマスクを付けた人物の手で殺される」時間のループの中にいることを悟ったツリーは、なんとか一日を無事に乗り切るための行動を開始するのだが……。

クリストファー・B・ランドン監督の『ハッピー・デス・デイ』（二〇一七年）は、往年のスラッシャー映画の「お約束」（〝尻軽女〟は真っ先に殺される、〝処女〟は最後まで生き残る、etc…）を逆手にとってSF的なシナリオの中にうまく回収させた、良質なエンターテインメント作品だ。作中で何度も殺されることになるツリーはもちろん「不死身」などではないのだが、そのたびに時間が戻って蘇ってくるのだから、実質的な「不死」の状態に置かれているといっていいだろう。物語はそんな彼女のたまらなく憂鬱な（なにせどうやっても殺されてしまうのだから）一日の流れを追いつつ、次第にその背景にある父との不仲や同じ大学に属する女子グループとの確執といった、ツリー自身の人間関係の問題へと迫っていく。

「肉体的な死を起点とした時間の巻き戻り」といえば、他のループのための条件や制約を抑えて、もはや「ループもの」の定番になった感さえある。ゼロ年代以降のサブカルチャーに詳しい読者なら、すぐに『ひぐらしのなく頃に』や『Re: ゼロから始める異世界生活』といった作品の名が挙がるところだろう。二〇一四年には桜坂洋によるライトノベルを原作に、軟弱な兵士が戦場での時間ループを繰り返すうちに逞しい戦士として成長していくハリウッド大作映画『オール・ユー・ニード・イズ・キル』（主演トム・クルーズ）が公開されたばかりだ。

『オール・ユー・ニード・イズ・キル』のトム・クルーズがそうであったように、普通の大学生であるツリーもまた、繰り返される一日の中で次第にその心持ちを変化させ始める。一緒にいてもただウザいだけと思っていた父親や寮の友人ひとりひとりから向けられる愛情や敵意と真摯に向き合い、改善に取り組もうとするのだ。たとえ同じような一日が繰り返されたとしても、自分の人生をより良い方向へと変えていくことはできる。驚くべきことに本作は時間ループを題材にしたホラーでありながらそんな「一度きりの人生」の大切さを説く、青春映画でもある。

さらに本作には『ハッピー・デス・デイ 2U』（二〇一九年）という、よりSF色の強い続編があって、そこではまたしても発生してしまった時間ループを前に、前作の経験から成長したツリーが頼もしいリーダーとしての活躍を見せるのだが……。気になる方は、こちらもぜひチェックして頂きたい。（梟木）

人間社会に寄生せざるをえない吸血鬼の弱さと悲しみ

オンリー・ラヴァーズ・レフト・アライヴ

ジム・ジャームッシュ監督

★まずは映画の最初のシーンから。

冒頭、満天の星空が軌跡を描いて回り始めたかと思うと、それはやがて回転するレコードプレイヤーのイメージと重なっていき、続けてそれぞれの部屋で寝そべる男女の姿を真上から写し出す。調度品の雰囲気から察するに、男がいるのはアメリカ的な様式のリビングで、女がいるのは中東にある古い建物の寝室だろうか。どちらもまるで数世紀を生きてきたかのような、気怠げな表情を天井に向けている。ひとしきりスローテンポの挿入歌（「Funnel Of Love」）が流れた後、女のほうが先にムクリと起き上がり……。

これほど美しく退廃的な「吸血鬼映画」のオープニングがあっただろうか。いや、そもそも何も知らずに見始めたら、誰もこれが吸血鬼の登場する作品だとは思わないにちがいない。ジム・ジャームッシュ監督の『オンリー・ラヴァーズ・レフト・アライヴ』（二〇一三）は、そんな意外性と皮肉なたくらみに満ちた、異色のジャンル映画作品だ。

デトロイトの郊外に住むアダム（トム・ヒドルストン）は、吸血鬼でありながらあらゆる楽器を弾きこなすカリスマ的なミュージシャン。ただし物質主義に染まった世の中に嫌気がさしたのか、最近ではすっかり厭世的になり、自殺願望に憑かれ始めていた。そんな彼のことを心配して、タンジールから数世紀来の妻である吸血鬼のイヴ（ティルダ・スウィントン）がアダムのもとを訪れる。束の間、二人だけの平和な時間が流れるが、イヴの妹で自由奔放な吸血鬼のエヴァ（ミア・ワシコウスカ）が越してきたことから、事態は思わぬ方向に転がり始め……。

ジム・ジャームッシュ監督の現時点での最新作『デッド・ドント・ダイ』（二〇二〇）は、タイトルから直球のゾンビ映画かと思いきやそうではなく、ある種の哲学的な問いを含めた二十一世紀の「ゾンビ」についての映画だった。それに倣って言うのなら、本作もまた「吸血鬼映画」ではなく、二十一世紀の「吸血鬼」についての映画だったといっていいだろう。本作の中に、吸血鬼が人間を襲ってその血を啜るような（「吸血鬼映画」であれば目玉となるような）シーンはほとんどない。現代では人ひとり殺して捨てただけでも大問題になってしまうからで、天才的な吸血鬼であったはずのアダムでさえ、病院の医師から輸血用の血液をカネで買って凌いでいる。

物質主義に染まった人間のことを「ゾンビ」と呼んでいることからも明らかなように、アダムは現代の世界に生きる大多数の人びとへの嫌悪を隠さない。しかしそれでも人間社会に寄生しなければ生きていけないところに、吸血鬼がもつ本質的な弱さと悲しみがあろう。それはあたかも資本との関係のなかで「大衆」という名のゾンビを意識しなければ生き残ることができなくなった、表現者の苦悩のようでもある。本作が吸血鬼をテーマにしたロマンティックな「芸術映画」であると同時に「芸術」そのものについての自己言及を試みた映画でもあったことは、もはや明白だろう。

（梟木）

「俺死んでらんねえんだよ、忙しいから」と首だけ出勤

林家しん平
死なない男

ラジオデイズ https://www.radiodays.jp/item/show/300296

★寄席でのしん平師匠こそ、死にそうにない男である。パワフルで勢いあふれる喋りで、客席をぎゃんぎゃん沸かす。師匠・初代三平のように漫談はもちろん、古典や新作も達者で、お題をとってその場で噺をする三題噺もやる。怪獣映画の監督もしたり、エネルギッシュで多才なのである。

人間の夢、目標の究極は「長生き」なはずだという。「夢がかなって、明日死んだらいやでしょう?」、「長く生きていないと、夢がかなった余韻も楽しめないじゃない」。なるほどなあと思う。はやく死にたいという夢もあるとおもうが、エロスやらタナトスやらむずい話になりそうだ。

お金がなくて、借金がある。スマホも止められた。困ったなあと歩いていると、小さいころの同級生が通る。そこまで仲良かったわけではないけれど、事業が成功して大儲けしてるとの噂である。

なら少しは融通してくれるだろう。挨拶するなり、いきなり大嘘をつく。「今日はさ、いい話があるんだよ」。いい話でも何でもない、借金の申込みなのに。

頼むほうが頼むほうなら、頼まれるほうも頼まれるほうで。この金持ちの男、意識高くてイヤなやつなんである。ふだん何食べてるかと訊かれて、パンにレバーペーストを塗ったようなものなんてきざなことばかり言う。「レバーペーストなら、ニラといためたりしないの?」ってふうに話もかみ合わないまま、「十万貸してくんないか」と頼み込む。「十万で頭下げるもんじゃないよ」なんてあしらうがこの男、貸さないのである。じゃあ五万ならどう、三万なら、と詰め寄られると、「三万なら僕の一回の食事代だから、貸しても貸さなくてもどっちでもいいんだけど」と言いつつそれでも「君は友達じゃないし……」。ついには一万まで落としてくと、「一万だったらやるよ」とクシャクシャにした一万円札を放り投げる。

まあ、怒るのもとうぜんである。「俺はコジキじゃねえよ!」とぶちぎれて、鉄の棒で金持ちの男をなぐってしまう。果たして男はぶっ倒れて動かなくなる。なんとかこいつを隠そう、とりあえず死体をバラバラにしようと包丁で首を切り落としたところで、その首がつぶやく。「痛かったねえ……」、「どうしてくれんだよ、おい」。なんで首だけになっても生きているのか。でも、「俺死んでらんねえんだよ、忙しいから」。あすは仕事でだいじなプロジェクトのプレゼンがあるからと、首だけのまま職場に行く。千疋屋のダンボール箱に入れて、クール宅急便で会社にとどけてもらう。

むちゃくちゃな話ですが、忙しくて死んでいられないと首だけになっても仕事で頭がいっぱいなのは、なんだかものがなしい気がした。いや、死ねないからこそ、仕事に囚われてしまうのか。恋やギャンブル、個人的な欲望にとらわれるよりはましなのかしらん。コロナ疲れの私は、いっそぜんぶあきらめたい。あっさりと恋もいのちもあきらめる江戸育ちほどかなしきはなし。(日原雄一)

ゆっくりと動くこと
——松浦寿輝の言葉が演じる不老不死

◎文＝石和義之（文芸評論家）

不老不死。老いることもなく、死ぬこともなく……それは、言うなれば、運動の不在である。運動の停止。終わりの状態。小説家であり詩人でもある松浦寿輝の言葉は終わりから開始される。松浦の第一詩集『ウサギのダンス』の劈頭の一行は「一人称の物語はここで終る」（「物語」）である。ならば松浦はすべてが終わった完全な死後の世界を描く書き手なのか。必ずしもそうとは言い切れない。松浦の言葉が生息し蠢くのは、「終焉の物語のはじまり」と「物語の終焉」の間に広がる、あるかないかの僅かな隙間であり、それは死と接しながらもいまだ生の領域に留まる微妙な時間であり空間である。その世界は不老不死の世界にとても良く似ている。けれどもほんの少しだけ微妙にずれている。そのことを確認する前に松浦のバックグラウンドを見ておこう。

芥川賞受賞作品「花腐し」で有名な松浦寿輝は、昭和二十九年に東京上野周辺で料理屋を営む家庭に生まれた。子供の頃は上野の博物館を遊び場として育ち、中学高校も名門開成に徒歩で通ったという。また生家の裏に映画館があったがゆえに、早くから映画に親しみ、スクリーンの裏側への視線という松浦特有の感覚をも自然と体得していた。「たぶん、生の根底には、人が十歳以前に見た風景が沈殿していて、それ以後に瞳に映じるあらゆる風景に不可避の力を及ぼしつづけているのだと思う。幼児のまなざしが、世界と私との関係をいまだに拘束している」（「道について」）と、自身語っているように、松浦の小説作品の舞台は昭和三十年代の空気が濃厚に漂う「台東区竹町という地名」を持つ「御徒町のはずれ」の風景と重なる。

萩原朔太郎の「猫町」と地続きのような下町の路地を経めぐり、仲間たちと「少年探偵団」ごっこに興じていた少年としての松浦は、昭和三十年代後半に始まり、昭和五十年代からはいよいよ本格化する日本の目抜き通り化への冷ややかな視線を、そのような環境において育んだに違いない。資本と手を携えた近代日本の安定した平坦さには馴染むことのできない感性を、否応もなく身に着けてしまった下町の少年は、目抜き通りから外れた空間を生存に不可欠な空気のように欲する。先にも見た「一人称の物語はここで終る」という詩句は、目抜き通り的な平坦な世界への訣別の言葉であっただろう。小説においては「夕闇が広がり出して人や物の輪郭が蕩けはじめる頃合」（『巴』）が平坦な世界との訣別の合図である。「手袋を裏がえすように」（「書く」）旋回する松浦の言葉は、目抜き通り＝表の空間を無効化する運動を、境界のような領域で演じる。

> すてきな囮　砂漠の暗がりを泳ぐ囚われの深海魚に似た　わたしの指　裏がえされた手が　繊維と繊維とを引き離し　線と線とを逸らせあい　肉と肉との隙間をさぐる内から　奥からゆっくりと　ゆっくりと引き上げる言葉の錨　熱しきった不妊の砂の上を　足跡を残さずに歩くことはできない　だから影だけがまわりだす（「書く」）

「ゆっくりと引き上げ」られる「錨」のように、言葉は揺蕩いながら動く。ほとんど静止状態と見まがうようなスローな言葉。スローモーションこそが、松浦にとっての、言葉の条件である。第二詩集『冬の本』と同年（一九八七年）に刊行された、現代詩を中心にした時評集のタイトルは、まさに『スローモーション』であり、そのあとがきで松浦は、「スローモーションは虚構の遅さである。（略）本当ならざる遅さをつくりだすための人工の仕掛けによってかえって生の真実が開示されるということの逆説」と書いているが、詩にせよ小説にせよ、松浦の言葉を特徴づけるものは、ねっとりした粘液が身体に絡みつき、まるでプールの水の中を歩行するような遅さを強いられる甘美な息苦しさの感覚である。終焉としての真の夜が間近に迫りながらも、「倦み疲れた冬の光だけ」が滲んでいるほんのりとした薄明るさと薄暗さが交錯する「夕暮」において、松浦の言葉は儚げな生の運動を演じる。

例えば「花腐し」では、主人公栩谷が「急に夕闇が下りてきた」大久保周辺の寂れた迷路のような町を、雨に濡れながら彷徨う場面から物語が始まる。栩谷は、もともとは友人と小さな会社を共同経営していたのだが、その友人に会社の金を持ち逃げされた後、ひょんなことから知り合った朽ちかかったアパートの経営者から、そこから立ち退こうとしない住人の追い出しを依頼されている。夕暮。雨に代表される水の偏在。零落しかかった中年男。迷路での彷徨。主人公の分身である幽霊じみた他者との遭遇。松浦作品でお馴染みの道具立てが出そろっている。さらに念を押すように、主人公は「もう俺には急ぎの用は何もない」と一人呟くのだから、作品は倦み疲れ引き延ばされた時間に染めつくされ、言葉は文字通りスローモーションという「本当ならざる遅さ」と同調するだろう。それは何とも奇妙で官能的で崩壊の快楽を抱え込んだような時間体験である。言うなれば、熟しきった果実があともう一歩で腐ってしまうであろう時間のきわである。

松浦の言葉は境界にこだわる。ただしあくまでもその言葉の生息場所は、境界の内側であって外側ではない。松浦作品の登場人物達は、みな半分幽霊化したような人間であるが、あくまでも「半分」であって、全身幽霊化してあちら側に越境することを慎む。幽霊という不老不死の存在となって、運動を放棄することはない。スローモーションはあくまでも運動の一形態なのである。「ひかがみ」の主人公のように幽霊と直に接触することもあるにせよ、彼らは生の側での運動に執着している。その執着を松浦はブランショを引きながら説明している。

> きりなく迂回しつづけるこの言葉が、存在を疲れさせ、また「文学」の言葉たらんとする自分自身をもまた疲弊させつつ、休息による回復を飽くまで拒んだままその目的＝終末への到着をいつまでも遅れさせているのであり、ブランショのエクリチュールとは、この延引されてゆく疲労状態のこのうえもなく具体的な物質化の過程そのものの、なまなましい実況記録として書き継がれているのだ。（「ゆるやかさの練習」）

ここで言われていることは、松浦自身のエクリチュールにも当てはまる。それは文学の蘇生を待機しているのだ。「拘束を解かれ、世界の内部に漂い出しながら、そのゆるやかな浮遊状態のただなかで自分を自分でないものと化そうとする無重力な体験」であり、「〈外〉をめざす張りつめた否定的実践の厳しさに耐えることによってではなく、飽くまで内部にとどまり、時間の内側・世界の内側へと曖昧に溶け出しつつ、今から今へ、ここからここへと絶え間なく流れてゆく官能的な運動」（同前）を実践しているのであって、不老不死の状態とは僅かだが決定的な距離を保っている。

ところで「不老不死」には二つの状態がある。ひとつは、「何百年も、何千年も、何万年も、何億年も、宙吊りになって、こんなに息が苦しい」（「千日手」）状況ではあるが、夕暮と接している松浦的幽霊が属する不老不死。もうひとつは、資本の回転を止めない

★松浦寿輝『花腐し』（講談社）

★松浦寿輝『スローモーション』（思潮社）

ためにエンドを先延ばさなければならない資本主義の条件としての昼間的・目抜き通り的不老不死。前者に対して松浦は、親和性を持っているが、後者に対してはあからさまな敵意を抱いている。資本の論理にすべてを回収してしまうこの不老不死的空間は、文学の言葉とは水と油であり、文学が生成する場所を壊滅させずにはおかないからだ。「内部でも外部でもなくその間で絶えず曖昧に揺れつづけているこの閾」つまりは「この広がりも厚みも欠いた空間的・時間的・肉体的な閾こそが、『文学』的な記号が唯一棲みつくことのできる環境としての遅延をつくりだす、非人称化の運動の場である」（「ゆるやかさの練習」）がゆえに、直線的に単調な非文学的運動を維持し続ける資本主義の空虚な不老不死は遠ざけられなければならないのだ。松浦の小説の主人公たちが八〇年代のバブルを軽蔑しきっているのはそのためである。小説のみならず、八〇年代と現代詩の関係について思いを馳せる時、松浦の怒りは沸点に達するようだ。

　七〇年代から八〇年代にかけて書かれ、八五年に刊行された稲川方人の詩集『封印』の中核部分にあたる「あきらかにせよ、あきらかにせよ／転移の自我もならわしにすぎぬ／語るか語らぬかの寸前で放棄するのだ／詩は、強風強雨の天文台通りにあり／人間もカラスも判別しえない倒錯に衰えている」という詩行に注目して松浦は次のように述べる。

　とにかくすべてを地口や冗談やノンセンスに解消してしまおうとする「軽やかな戯れ」の時代のとば口で、とにもかくにも一人の詩人が、「詩は、強風強雨の天文台通りに」あるという認識を示していたことに注目すべきだろう。爽やかに晴れわたった自由の野に出たかのような解放感を覚えていた人々が多数を占めていた状況の中で、稲川は、「放棄」と「倒錯」と「衰え」の接近に脅えながら、詩の現在を「強風強雨」の非常時として認識し、それをどう凌ぐかを模索していたのである。（「明るい敗亡の彼方へ」）

「詩の現在」を「非常時」として捉えるという態度は、詩を生の領域で運動させたいという願望と背中合わせになっている。それは世紀末の終末意識が抱く脱倦怠の衝動と重なる。実際、松浦は一九八〇年代を一八八〇年代と重ねており、「われわれは大きな倦怠の中にいる」というユイスマンスの認識を、現在の自分の危機として共有している。「終末の到来を先へ先へと繰り延べてゆくこの明るい敗亡の時代」（同前）を、「爽やかに晴れわたった自由の野」と取り違えてしまう錯誤に陥り批評意識を手放すことはすまいと意志する松浦は、液体的な停滞の擬態を引き受けつつ、小林康夫が松浦の詩について指摘した「水のもっとも本質的な夢想――すなわち火となるという夢想」（「水野の性愛・水の苦痛」）を、己が作品の奥底に装填しているのだろう。「花腐し」の最終部近くで主人公が幻視する炎のイメージ（「あちこちから火の手が上がり、点在するその炎の染みの群れがやがて繋がって帯になり……」）のみならず、液体的な揺らめきをなぞる松浦の詩作品には、火およびそれに連なる運動のイメージが散見される。

燃える寸前の映画館がある（「うつし絵」）

いまこそわたしはゆっくりと足を
あげよう　出発の時だ（「玄関」）

水の官能を断ち　渇きへの怖れを
断ち　来たるべき苛烈な戦闘の気
配をぴりぴりと放電させている
曇った上空へむかって似ても似つか
ぬ数多のわたしたちを飛び散らせ
る（「鳥の計画」）

何かが生まれるためには何かが死なねばならない。松浦は、「人々から言葉という言葉を根こそぎ奪う」ような、すなわち「われわれの時代の無意識の、真芯を打ち抜いた『作品』」（「明るい敗亡の彼方へ」）の出現を欲望している。松浦の液体的な言葉が演じる不老不死の身振りは、偽りの終末を取り繕うことで生き延びる文学が装う擬態といえるが、その揺らめく言葉の底には、真の再生を出来させようとする火のような欲望が潜んでいる。

「サザエさんシステム」のなかの、ねむたい地獄

——終わりなき日常を生きる人々

◎文＝日原雄一（精神科医）

　さいきん、楽しみなマンガの新刊が、あっという間に出てあっと言う間におわる。「時の流れ」がやばいぞ、とおもう。ヒロユキ「彼女もカノジョ」なんて、ぼんやりしてたらもう四巻だ。くらっぺ「はぐちさん」、雨瀬シオリ「今日はここから倫理です」、みんなうっかりしてるとどんどん出てる。「骨が腐るまで」の内海七重の新作「なれの果ての僕ら」も見つけた時には五巻まで出てたし、古屋兎丸「アマネ・ギムナジウム」も鶴谷香央理「メタモルフォーゼの縁側」も高野ひと深「私の少年」も完結した。と思ったら、古屋兎丸「ルナティックサーカス」が始まりもう一巻が出て、押見修造「おかえりアリス」もと。もうわけがわからない。谷川ニコ「私がモテないのはどう考えてもお前らが悪い！」なんて、気づいたらすっごいモテモテだし。

　ふだんは精神科医のふりをしている私だが、所属する大学病院の医局でも激動だった。初期研修二年を終えて、学生時代から実習でよくしてもらったMZK病院の精神科に入れたのはたいへんに嬉しかったし、科長のC先生も、打たれ弱い日原さんのことを察して、めちゃめちゃ優しく接していただいた。年々、お世話になった指導医の先生がたが ご自身のクリニックをご開業されたりして医局をご卒業され、さびしい思いをしていたけれど、令和二年の年度末は、日原さんのメンタル大地震だった。「人はなぜ自殺するのか」という名著もある教授のC先生、外来医長として精神科診療・薬剤のことなどを何も知らない私にやさしく面白くおしえてくれたMRI先生、調査や学会発表のことなどでお世話になりすぎるほどお世話になっためちゃめちゃ優しい心理士のMZN先生がご退官される。驚天動地。涙の雨。科長には、T大病院から偉い先生がいらっしゃるということだけれど。MRI先生がご退職により、大学病院の分院であるMZK病院の数少ない、三人しかない常勤医の枠に、日原さんが入るという暴挙が。C先生、MRI先生のかわりなんて誰にもつとまらないのだけれど、それにしても私とはどういうわけのわけがらか。わけがわからないと思いながら、また飲む薬の量が増える。

★「クレヨンしんちゃん・TV版傑作選1」（VHS）

　大槻鉄男「ある河には」を思い出している。「ある河にはある河のわけがあって 朱色に染まって流れてゆく 私には私のわけがあって 橋の上にたたずみ 昔のひとのように 朱色の流れをみつめている」。あるいは私自身、流されるのはとくいである。「人生成り行き」、どくだみ色に染まり流され流されここまできて、気づけば三十路をあるいてる。この一年超、ただでさえかたくるしいニューノーマルさせられているのに、身辺でもいろんなことがあって、もう頭んなかぐちゃぐちゃである。「かわらぬ日常」のありがたさが唱えられるなか、そうかもなあとうなずいたりする。

踊ろう「永遠の五歳児」

　出会いと別れ。物語の中にも、それはある。篠原健太「スケットダンス」は、はじめ高校一年だったスケット部の三人は、三十二巻で高校を卒業して完結するし、「おジャ魔女どれみ」も

小学校卒業で、涙涙でおわる。とかいいつつ、どうせ泣くに決まってるからまだ最後のほう見れてないのに、映画「魔女見習いを探して」も公開されたりして、気づいたらBDも出ていて、時の流れなんですよ。

endo「うさぎ帝国」の表紙は、あのやさぐれうさぎがねそべって「諸行無常」って叫んでる。「人生」という四コマでは、「今年もあと二ヶ月 きっとまたたくまに十二月になり…」、「クリスマスもすぎさり…正月がきて」、「気付けば秋風がふくころ」、「またこうして時の流れをおもいしって…」とたそがれてるなとおもったら「おどろう 人生はダンス」って踊り狂って終わるというすばらしさだ。踊る阿呆に観る阿呆、私はさいきん踊る気力もなくなってきている。歳とともに必要な薬の量も増え、若かったあの時代をしみじみ思い出すこともある。あの気力、体力がいまもあればと、フトおもうこともある。テレビではコラーゲンがとか、コンドロイチンがとか、不老にむけた製品をすすめるCMばかり。

そう、この世の中には別れどころか、老いることのない世界もある。

★「ちびまる子ちゃん1」(VHS)

テレビではクレヨンしんちゃんが、もう二十五年も五歳のままだ。「永遠の五歳児」だそうだ。サザエさんのイクラちゃんもタラちゃんも、いっこうに成長しない。いわゆる「サザエさんシステム」なんて名前までついている。「ちびまる子ちゃん」の世界ではいまだに西城秀樹が若手スターで、ドリフターズが大人気である。その志村けんもコロナで死んだ。ドリフ大爆笑のエンディングだ、「さよならするのはつらいけど 時間だよ 仕方がない」。でも「次の週までごきげんよう」で、次の週の日曜が来たら、また昭和のお茶の間である。さくらももこも志村けんも西城秀樹も死んだのに、日曜夜六時からのフジテレビは永遠につづく一九七〇年代だ。赤塚不二夫のマンガでは、ウナギイヌは出てくるたびバカボンのパパに食べられてしまう。それでも性懲りなくでてくる。でてきてはカバヤキにされて喰われる。

すぐそこにあるおだやかな地獄

それはきっと地獄なんじゃないか。と気づいたのはつい最近だ。曽山一寿「でんぢゃらすじーさん」でも、じーさんのバズーカで死んだ校長などは、次回はフツーに生き返る。いっぽう、大人向けの「コロコロアニキ」で連載された、じーさんがサラリーマンとして会社勤めする「でんぢゃらすリーマン」では、ダイナマイトで襲撃された部長はフツーに満身創痍で入院するし、その後フツーに死ぬ。じーさんはフツーに収監される。まあ、そののちの回ではなにげに生き返ってるんだけど。

アニメ「ひぐらしのなく頃に 業」では、いったんはハッピーエンドを迎えられたはずなのに、気づいたらまた昭和五十八年の夏だ。惨劇がまた、延々とくりかえされる。これは地獄にちがいないだろう。べつにそんな惨劇でなくても、テストで毎回零点で先生に怒られて、ジャイアンとスネ夫にいじめられる日常が、何十年もつづく状況は、これもこれで地獄だろう。歳もとらず死にもせず、なにげない「不老不死」の世界だけれど、あいもかわらぬ、終わりなき日常を生きなければならない拘束義務は地獄である。

宮台真司「終わりなき日常を生きろ」には、こうある。「いうまでもなく今日では、いつまでも同性同士で戯れつづける、茶髪でピアスのクラバーキッズやスケーターのように、男の子の中にも、ブルセラっ子並みに『終わらない日常』への適応力を増した子たちが、大量に出現してきている」、「しかし、そのように適応力を増した子たちが増えれば増えるほど、適応できない子たちはむしろ追い詰められ、居場所を失っていく」。居場所のない私はふらふらただよいながら大きくうなづく。ブルセラっ子とは当世ふうにいえば、パパ活女子やママ活男子だろうか。私もいつしかパパ側の年齢層になっていて、ずんずん墓場に近づいていく。むかしははやく、街の名物じいさんになりたいとおもっていたのに。

　筒井康隆「ヘル」によると、「生と死の境界は断ち切れているのではなく連続していて、ごく自然な滑らかさで繋がっているのではないか」、「それどころか時には死の側から生の側へスムーズに還る流れも存在するかのようにさえ思われる」とある。そして、「ヘルとはつまり神や仏の不在のことだから信仰心のない日本人にとっては現世もここもたいして変わらないんだよ」という。なるほど私も信仰心はさほどないから、いま自分が生きているのか死んでいるのかよくわからなくなっている。これだけ日々つらいのであれば、生きてても死んでても同じだろうと思う。

★筒井康隆「ヘル」(文春文庫)

　水木しげるのキャラクターで、「千年に一歩あるく鳥」がすこしまえにツイッターでバズっていた。トトロみたいなサイズの巨大な鳥で、一つ目をビカーっと光らせてただじっと立っているだけのやつである。アニメ「墓場鬼太郎」最終話・怪奇オリンピックでは、千年に一歩あるく鳥は、いよいよ一歩だけ歩く。一歩ズシンとあるいただけで、周囲から感嘆の声が沸く。

　その一歩だけ歩いた後は、また千年ただじっと立っているだけだ。なんとすさまじいスケールの話だろう。千年もじっと立っていて、飽きないものなのかと思う。私なら飽きる。っていうか足がつかれるし、とりあえず二百年くらい寝たいとおもう。

　手塚治虫の「火の鳥」未来編では、何千年も何万年も死なない・死なない男は、最終的に神ともいうべき存在になる。不老不死という状況において、必然的におこる「退屈」は、宗教的な悟りももたらすのだ。埴谷雄高は「想像力についての断片」でこう書いた。「私達の生の推移は、二十億年前ひとつの単細胞を与えられた神の一実験にほかならぬ」。けれど、私達の想像力のほうが、より大きな幅と困難をともなう。「その苦悩は、僅か二十億年かけた一実験ではなく無限の空間と時間という枠を与えられて、《無限の実験》を強要されるときの神の途方にくれた事態に似ている」。

　なるほどね、完全に理解した(まったくわかってないやつ)。想像力はだれしも持ちうるものだから、不老不死にして神に近づいた者が持ちうる退屈さも、だれもが似た情感をもちうるはずである。この世のすべては空飛ぶスパゲッティ・モンスターの創造したものだから、だれしも頭がナポリタンになりうるはずだ。自称「妄想病患者」埴谷雄高に対抗してへんな妄想書こうとしなくていいです。

　空飛ぶスパゲッティ・モンスター教の話はともかく。あたらしい宗教には多くの場合、うさんくさい雰囲気がただよう。声優の井上喜久子の提唱する「十七才教」は、「永遠の十七歳」となることができるという宗教的組織だ。会員は田村ゆかりなど、地道に増殖し。黒色すみれは「永遠の十四歳」で。野原しんのすけのように五歳の状態が永遠につづくのもすごいが、十四〜十七歳という青春時代が永遠につづくというのも、あらためて考えてみると苦しいだろうとおもう。青春時代が夢なんてあとからしみじみ思うもので、青春時代のまんなかは胸にトゲ刺しぐっさぐさである。私もうっかりしていると、また誕生日が来て、今年で十七歳になる。そうか、いまがこんなにつらいのは、十七歳だったからか。三十年いきてきて、ついに真実にたどりつきました!

　というところで。いま、令和三年の二月末現在。派遣されているN病院から新型コロナのクラスターが発生し、病院も私もてんやわんやで。またしてもメンタル大地震、と。四月からはMZK病院の勤務予定で、それまでどうにかやりすごしたかったのに、なんで直前にこんな事態に。検査キットで、コロナの線が色濃く出てるのを目にしたときの絶望感たるや。終わらぬ嵐がさらに勢力を増して、ああ、真実はいつもねむたい。

「不死性」の想像力
——二〇年代まんが試論

●文＝梟木（サブカルチャー評論家・雑文家）

はじめに

サブカルチャー批評の隆盛と後退を象徴する記号となった「ゼロ年代」と「一〇年代」というふたつの時代区分を通して、まんがやアニメを中心としたキャラクターの「身体」はどのように変化したか。

一概には言えないものの、大きな流れのひとつとして「不死」の性質を与えられたキャラクターの活躍を描く作品がより多く目立つようになった、とはいえるだろう。要は「吸血鬼」のような存在のことを指すのだが、彼らが破壊された肉体の一部を瞬時に再生させせながら敵に向かっていく表現は、バトル漫画ではすでにお馴染みのものであるはずだ。そればかりではない。「不死」を格別の主題としない作品でも、そのような回生の手段をもつキャラクターを登場させることは、ファンタジーバトル作品におけるヒットの「鉄則」になりつつある（『鬼滅の刃』の「鬼」や『チェンソーマン』の「悪魔の力」、『呪術廻戦』における呪霊の力を借りた主人公の肉体の再生描写など）。

★赤松健「UQ HOLDER!」（講談社コミックス）

もちろん「不老不死」や「不死身の種族」を題材とした漫画作品は、昔から幾らでもあった。手塚治虫の『火の鳥』や萩尾望都の『ポーの一族』（および『バルバラ異界』）は現代でも高い評価を得ているし、“吸血鬼狩り”の吸血鬼を主人公とした平野耕太の漫画『HELLSING』や“不死身の用心棒”の活躍を描く沙村広明の時代劇『無限の住人』の連載が開始されたのは九〇年代の半ばのことだ。

だがその量的な拡がりにおいて、現代の「不死ブーム」は明らかに性質を異にしている。もはや不死は「不老不死」や「不死身の種族」だけを指す言葉ではない。魔術的な力による肉体の再生（回生）や科学・超科学による人体錬成、さらには転生やタイムリープといった流行のサブジャンルまで含めると、不死をテーマとした作品は多岐にわたる。市川春子の『宝石の国』やPEACH-PIT『ローゼンメイデン』のように、無機物や人形に魂を宿すかたちで限定的な「不死」を表現した例も少なくない。

そんな現代の「不死バブル」を象徴するものとして、ぜひ見ておきたいのが赤松健の漫画『UQ HOLDER!』だ。同じ作者による前作『魔法先生ネギま!』と世界観を共有するこの作品では、さまざまな事情によって「不死」の力を得たキャラクターたちが登場し、新たに不老不死となった主人公を導いていく。不死性を有する神魔妖怪の類に属する者。「人魚の肉」や「仙丹」といった不死身化するアイテムを服用した者。全身をサイボーグ化した者。幽鬼（レブナント）としてこの世に留まる者。不死の呪いをかけられた者。命のストック（残機）をもつ者。死ぬと時間が戻って転生する“セーブポイント”を設置する力をもつ者……。『UQ HOLDER!』は神話や伝説、文学やサブカルチャーなどによって繰り返し語られてきたあらゆる「不死」の手段をリスト化し、それぞれのキャラクターの背景として設定してみせる。それはさながら「不死」をサブカルチャーのデータベース（「眼鏡」や「ドジッ子」のような、二次元のキャラクターがもつ「属性」）として、あらためて登録し直しているかのようだ。

『UQ HOLDER!』の赤松健だけではない。いま、漫画誌に連載をもつ多くの作家たちが、何らかのかたちで「不死」の要素を自作に取り入れようとしている。なぜ「不死」は、二十一世紀においてこれほどまでに読者の支持を集めることになったのか。「不死」というテーマが現代の私たちの生と少しでもリンクする部分があるとしたら、それは何か。

「呪い」としての不死

老いることもなく、死ぬこともなく、永遠に若さを保ったままでいられる「不老不死」は、古代から人類の夢として語り継がれてきた。世界各地に伝わる不老不死伝説のヴァリエーションの豊富さは、それが人類にとっての普遍的な願いであったことを物語っている。中国の始皇帝のように、不老不死の探求に情熱を燃やすあまり却って寿命を縮めてしまったような例も少なくない。

翻って現代ではどうか。グーグルやアマゾンのような大企業が「不老不死」の研究のために膨大な予算を費やしていることは、周知の事実だ。しかしフィクションの世界に限って言えば、不死者は必ずしも幸福な存在としては描かれてこなかった。これは考えてみれば当然の話で、不死を得るとは「人間としての幸福を手放す」ことと同義なのである。

自らが不死者であることを隠すために放浪生活に身を落としたキャラクターは（少なくともフィクションの中には）大勢いるし、寿命の違いなどの関係から新たに人間のパートナーを得ることも難しい。それどころか下手をすれば国家権力から目をつけられるはめにもなり、追われる身として犯罪者のように人間社会から追放されてしまうこともありうる。

押見修造の漫画『ハピネス』ではいじめを受けていた平凡な高校生が吸血鬼の少女と出会い「不死」となるが、彼の存在は家族や学校の友人らを巻き込んで不幸にし、彼自身もまた人体実験の道具にされてしまう。二〇二一年の二月に完結した桜井画門の漫画『亜人』でも、不死者は「亜人」と呼ばれて差別され、人権などないに等しい（そもそも人間として認められていない）扱いを受けていた。これではまるで「不死」は天からの贈り物（ギフト）というより、「呪い」であるかのようだ。

藤本タツキの漫画『ファイアパンチ』は、まさにそんな「呪い」としての不死の物語だ。氷に閉ざされたその世界では人類は慢性的な食糧不足に陥っており、主人公の少年アグニは肉体の再生能力をもつ「祝福者」として、自らの腕を切り落としては村人たちに食糧として与えている（この設定の時点で酷い）。そんなある日、人肉食を見咎めた王国軍が村を襲撃。軍を率いる男ドマが放つ「焼け朽ちるまで消えない炎」を受けたアグニは、自らの祝福によって燃焼と再生を無限に繰り返す、生き地獄のような苦しみを味わうことになる。それから八年。

★藤本タツキ「ファイアパンチ」（集英社ジャンプコミックス）

★「デッドプール-マーク・ウィズ・ア・マウス」（小学館集英社プロダクション）

燃焼の苦しみに耐えながらも顔の炎の除去に成功したアグニは、村と妹のルナを奪ったドマへの復讐心だけを頼りに行動を開始するのだが……。

アグニの意志を縛るのは、肉体の再生能力や身を灼く炎のダメージばかりではない。最愛の妹であるルナに「生きて」と理不尽に願われたことで、アグニは不死者としての死に場所さえをも失ってしまう（実際には生への執着を捨てることで肉体の再生を止められたかもしれないにも関わらず）。死者からの言葉は時として、天から与えられた不死の性質以上の「呪い」にもなりうる。

なんだか極端な例ばかり取り上げてしまったが、不老不死になったからといって幸せになれるとは限らない。『竹取物語』のラストで天人から託された不死の薬を焼くように命じた古代の帝は、もしかしたら永遠の生が空虚なものでしかないことを知っていたのかもしれない。

「超人」としての不死

実存としての「不死」は、必ずしも人間を幸せにしない。しかしいっぽうで、私たちはフィクションの中で活躍する「不死身のヒーロー」の存在にひどく憧れてもきた。わかりやすいのが、近年における『デッドプール』人気だろう。驚異的な治癒能力により腕を切り落とされてもすぐに再生し、銃やナイフのダメージも無効化するマーベル・コミックの「異端児」であるデッドプールのキャラクターはなぜか日本において高い支持を得ており（もちろんファンは世界中に大勢いる）、二〇二〇年には集英社のサイト『少年ジャンプ＋』で彼を主人公としたスピンオフ作品の連載が始まったりもした（笹間三四郎／植杉光『デッドプール samurai』）。キリスト教の〝救世主〟であるイエス・キリストが処刑からわずか三日で「復活」したとする説も、未だに根強い。

　同じ作品を繰り返し取り上げることはあまりしないのだが、ここでも藤本タツキの『ファイアパンチ』を読み解くことがテーマを理解する上での役に立つ。引火した炎によって王国を滅ぼし、成り行きで奴隷たちを解放することにも成功したアグニは、不死身の怪物から一転、救世主としての評価を勝ち得ていく。その際に鍵となるのが、アグニと同じ再生祝福者であるトガタと名乗る少女の「映画」（アクション映画やヒーロー映画）に関する知識であり、彼女がアグニの復讐劇を盛り上げるために王国側に取り入ってまで施した「演出」だ。いわばアグニは彼を主人公とした映画を撮りたいと願うトガタによって、人為的な「ヒーロー」にされてしまうのだが、そこには不死の怪物の物語を「英雄譚」として提示してほしいと願う読者の欲望が、メタ的に織り込まれてもいる。『ファイアパンチ』は「呪い」としての不死のテーマを突き詰めた作品であると同時に、人びとが「不死」に期待するものが何であるかに答えた、優れたアンチヒーロー作品でもある。

★桜井画門「亜人」（講談社アフタヌーンKC）

　魅力的な「不死身のヒーロー」は、もちろん主人公の側だけに留まらない。桜井画門の『亜人』では、凶悪なテロリストとして語られる「亜人」の佐藤とその計画を阻止しようとするチーム（同じく「亜人」でありながら佐藤と思想を異にする主人公の永井もこちらに含まれる）の攻防が描かれていくが、読者にとってより魅力的なキャラクターとして映るのは、永井ではなく佐藤のほうだ。ゲーム感覚でテロを立案し、破天荒な手段によって実現していく（ハイジャックした旅客機を自分ごと目標のビルに墜落させるなど）佐藤は近年でも稀に見る〝悪〟のカリスマに溢れたキャラクターであり、主人公の永井や『亜人』という作品を完全に「食って」しまっている。肉体が完全に死んだ時点から再生が始まる「亜人」は決して無敵の存在ではない（たとえば麻酔銃を撃ち込まれれば、いとも簡単に拘束されてしまう）のだが、佐藤はその制約さえも逆手に取り、単行本五巻では日本のＳＡＴ隊員五〇名を相手に互角以上の戦いを繰り広げてみせる。ゲリラ戦のエキスパートである佐藤が見せる「亜人」としての能力をフルに活用した戦闘シーンも、『亜人』という作品を支える大きな魅力のひとつだ。

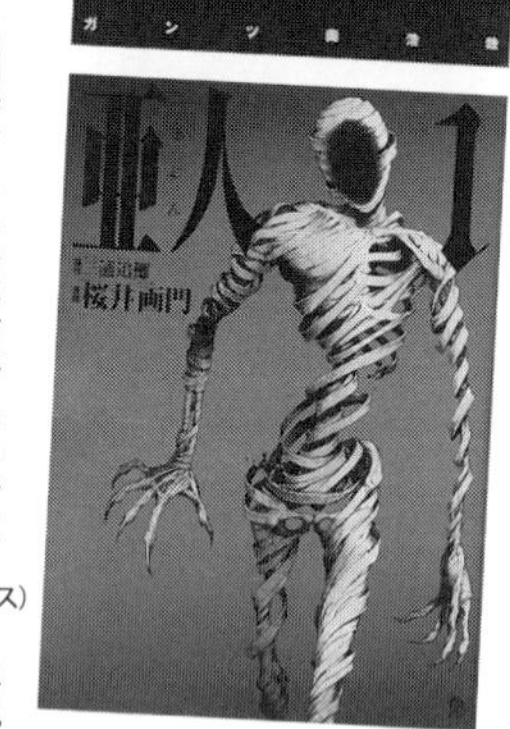

★奥浩哉「GANTZ」（集英社ヤングジャンプコミックス）

　もちろん『亜人』の佐藤ばかりではない。荒木飛呂彦『ジョジョの奇妙な冒険』第三部に登場する、海底で一〇〇年を生き延びた吸血鬼のディオ。松本光司『彼岸島』の世界で吸血鬼たちの王として君臨する、マスターバンパイアの雅。吾峠呼世晴『鬼滅の刃』の冒頭で主人公の家族が惨殺されるきっかけを作った、千年を生きる鬼の当主・鬼舞辻無惨……。いずれも作品の「ラスボス」でありながら主人公に負けない存在感を放ち、明確な目的意識のもと自らの「不死性」を手段化してみせる。彼らこそは不死の「呪い」を超越した、まさに「超人」というべきだろう。

身体観のアップデート

　これまでの議論の流れを、いまいちど整理してみよう。

　多くの者達にとって、不死は手に余るものである。再生するとはいえ肉体の一部を切り離される痛みや一時的な「死」を経験する恐怖は並大抵のものではない（はずだ）し、そもそも不老不死という在り方そのものが、現代では終わりのない苦しみを生み出す（と解釈される）ものでしかない。しかしそうした「不死の力」がもたらす恐怖や不安を克服した存在に人間（キャラクター）が近づくことに、私たちはカタルシスを覚えてもきた。これはいったい、どういうことなのか。

『GANTZ』は漫画家の奥浩弥による、ゼロ年代の日本を代表する人気SF漫画作品だ。自殺や事故など、理由を問わず一度死んだはずの人びと（や動物）が「ガンツ」と呼ばれる球体の置かれた部屋に再生され、地球に潜伏する宇宙人（〝星人〟）狩りの過酷なミッションに駆り出されていくさまが描かれる。ガンツによって蘇生されたとはいえ、宇宙人に攻撃されればあっけなく死亡してしまう（その場合の自動的な再生や復活はない）ため、彼らの存在はお世辞にも「不死身」であるとは言い難い。しかし後述の理由から、本作は人間としての実存や「不死」について考えるためのきわめて重要な作品であり続けている。

というのも『GANTZ』の世界において、主人公の「玄野計」を含めたガンツ召集メンバーは例外なくすでに「死亡した」扱いを受けており、蘇生して宇宙人と戦っているように見えるのは、オリジナルの情報をもとに作られた精巧なコピー人間でしかない。しかし作者はそんな複製たちの感情やドラマをオリジナルと等価なものとして描き、いっぽうで彼らを模造品でない「人間」として認めるにはあまりにもナンセンスな展開（星人を討伐して稼いだポイントを消費することで死亡した仲間を再生できるようになる、オリジナルの死亡が確認されていないにも関わらずコピーが作られたことで結果的に同じ人間が世界に二人存在してしまう、など）を積み重ねることで、読者の価値判断を狂わせてみせる。『GANTZ』という作品を読むにあたって、私たちが頼りにしてきたような従来の人間観や道徳観、倫理観はおよそ役に立たない。作中の登場人物たちが新しい世界の「ルール」に適応して（再生可能な）コピー人間としての生を受け入れていったように、読者もまた生命や身体に対する価値観や認識を更新することが求められる。

もしかしたら、と。筆者はここでこれまで留保し続けてきた、ある「解釈」の可能性について思う。もしかしたら「不死」もまた、二十一世紀を生きる私たちに何らかの価値観の転換（アップデート）を促すものではなかったか、と。ネオリベラリズムが浸透し、社会の格差が顕在化し始めた二〇〇〇年代の環境は「（他者を犠牲にすることを）選択しなければ生きていけない」サバイバル的な感性を育み、それがバトルロイヤル的状況を描いたサブカルチャーなどに反映されているとして、一部界隈で話題になった（宇野常寛『ゼロ年代の想像力』）。それに加えて言うならば、二〇一〇年代を通過した二〇二一年の現在は他者の存在を顧みる余裕すらなく、不断に自らの価値観をアップデートしなければ生き残ることが難しい時代へと変化してきた、といえるだろう。私たちの周囲に張り巡らされた情報の環境は絶え間なく更新され続け、私たち自身もまた、それに合わせて生き方や働き方を柔軟に変えていくことが求められている。

その事態をもっとも痛感させられたのが、二〇一九年に端を発する新型コロナウイルスの流行――〝コロナ禍〟だったろう。それはあたかも「呪い」としての不死が、本人の意志と関わりなく身体を侵食し、日常のルールを書き換えていく（失われた肉体が瞬時に新しいものへと生え変わっていくプロセスは、安定した自己像が分断される恐怖の象徴でもある）のを見ているかのようだ。そして急激な社会情勢や情報環境の変化が続くかぎり、この苦しみには（不老不死と同様）終わりがない。二〇二〇年における劇場版『鬼滅の刃』の大ヒットは、作品自体のクオリティもさることながら、不死身の「鬼」として生きることを拒絶し人が人として留まることを選択する物語に、伝統的な（安心のできる）価値観への回帰を観客が無意識に見出したからかもしれない。

けれども人としての限界を超えて（自らの身体観をアップデートして）「不死」の力を自在にコントロールするキャラクターの姿に、私たちはある種の「希望」を託してもきた。今日における「不死」を前向きに捉えた作品の増加（赤松健『UQ HOLDER!』や藤本タツキ『チェンソーマン』、ここでは取り上げられなかったが戸塚慶文『アンデッドアンラック』など）は、そのことを端的に表してもいる。フィクションに描かれた「不死」の在り方を通して社会との繋がりを探ってみるのも、また一興だろう。

幻のソビエト・ファンタジー『不死身の魔王』

◎文＝浅尾典彦（夢人塔代表・メディアライター）

『戦艦ポチョムキン』(1925)などで歴史に名を残すソビエト連邦の巨匠セルゲイ・エイゼンシュテイン監督が死去したのは１９４８年。その初夏に日本でひっそり劇場公開されたソ連の映画があった。『不死身の魔王』(1944)という作品だ。

あまりにひっそり公開しすぎたのか、キネマ旬報などのデータでも詳しく扱われていない。当時の資料としては、美輪明宏がお勧めする「観ておくべき洋画」の一本としてタイトルが紹介されている程度だ。

この『不死身の魔王』は、モスフィルムとともに二大撮影所と謳われ、後にゴーリキーフィルムスタジオとして知られるソユーズデッドフィルムによるミュージカル仕立ての児童映画だ。スラブ民族によって伝えられて来たロシアの古典「勇者イリヤー」をベースに、二、三の民間伝承を混ぜ入れて脚色し映画化。不死身の魔王によって拉し去られた美しい村娘マリヤと、その許約者である勇士ニキータとの純愛や、魔王とニキータとの果敢な戦いを、当時のトリック撮影を駆使して描いた。

監督は、『エミリア物語』(1938)『せむしの仔馬』(1941)など児童映画を得意とするアレクサンドル・ロウ。脚本は『あやつり人形』(1936)のウラジミル・シウェイツェル。当時、『あやつり人形』は日本輸入時に検閲で引っかかり公開できなかったのだが、資本主義者やファシストを批判する内容だったため、恐らく政治的意図で蹴られたのだろう。その後、アレクサンドル・ロウ監督と組んで『エミリア物語』『美しいワシリーサ』(1939)『不死身の魔王』などを完成させた。

マリヤ・モレヴナ役の美人女優ゲーリナ・グリゴリーエワは、『不死身の魔王』が彼女の代表作の一つとなった。彼女は本作の世界公開年の１９４６年に「大祖国戦争で勇敢な労働者の為のメダル」を受けている。

映画の端緒となるのは、ロシアの美しい自然の中、祭に沸くコサックの村。飾り窓の館から村一番美しい娘マリヤ・モレヴナが祭を眺めており、若いコサック達が歌い踊り彼女の気を引こうとするが全く相手にされない。彼女は、もうすぐ遠征から戻ってくるはずの婚約者の勇者ニキータ・コジエミヤカに操を立てているのだ。

遠征で敵を倒し故郷に帰る途中のニキータ。優雅に歌い、白馬で森を駆け抜け、カエルに話しかける優しさもある。マリヤはニキータに早く逢いたくて、館の窓からハトを飛ばす。

だが、その一羽が黒い弓矢で射られて池に落ちしてしまう。突如呪われた黒雲が沸き上がり、村の城壁を破って何人もの黒い騎士が村に侵入してくる。大きな角を持つ兜を被った恐ろしい男たちは村人に襲いかかり、老若男女問わず追いまわしては殺し、家々に火を放つ。マリヤの館も焼かれ、追い詰められ崖から落ちた彼女は、黒騎士に連れ去られてしまう。

ニキータは帰郷の途中、瀕死の傷を負ったコサックからこの凶報を聞く。慌てて村に戻ると故郷は焦土と化しており、恋人も行方知れず。呆然としていると、切株の上に「キノコの精」が現れた。「キノコの精」は湖に真相を映し出し、村を焼き恋人を連れ去ったのは魔法使いカシチェイの差し金で、そのカシチェイは「不死身の魔王」と呼ばれ、全地上を征服しようとしている事、不死のため魔王に勝てた者は今まで無い事を伝える。ニキータは恋人の奪還を誓う。「キノコの精」はニキータの成功を祈り、ロシアの一握りの土と姿を隠せる笠をくれたのだった。

ニキータは「不死身の魔王」と恋人マリヤを求め愛馬に跨ってとてつもない旅へと出発する。その途中、処刑されようとしていた東洋の勇士ブラート・バラグルを救い出し、いつしか強い友情で結ばれた二人は、遂に魔王カシチェイの城に到着。城に潜入し、魔王の秘術にかかって永遠に眠らされているマリヤを発見する。

だが、彼女の眠りを覚ますには愛を誓い合った指輪を指にはめなければならず、マリヤの指輪は魔王が持っていた。ニキータ達はマリヤを助けようとするが、タイミング悪く魔王がやって来る。魔王はマリヤの指に指輪をはめて眠りを覚まし、自分の妻になるように口説くが、マリヤはガンとして断る。執拗に迫る魔王に対し、マリヤは魔王の秘密を聞き出すことに成功する。魔王が不死なのは〝命〟を肉体から取り外して別の場所に隠しているからだった。その〝命〟の置き場とは、黒い山の中腹に生えた〝燃える黒い花〟の中心に隠された〝黒い林檎〟の中、閉じ込められている〝蛇に絡まれ身動きが取れない白い鳩〟を解放するといいのだという。〝命〟の秘密まで教えたのになびかないマリヤに腹を立て、魔王は彼女を再び眠らせてしまう。その一部始終をニキータとブラートが隠れ見ていた。

ニキータは自分の指輪をマリヤにはめて眠りから覚ましみんなで逃げようとするが、愛するニキータに唯一の脱出経路を切り開くため、マリヤは指輪を滝に投げて水を塞き止め、自らは再び眠りに落ちてしまう。悔しさを胸に故郷に戻ったニキータは、戦いの準備を整え、魔王の大軍に立ち向かう。一方ブラートは黒い山に登り、〝燃える黒い花〟を探し出そうとする——

ソ連お得意の児童映画として作られたという事で、ミュージカル仕立てで、所々歌が入ってくるのが楽しい。挿入される自然が本当に美しいが、異国のセットのクオリティも高く、魔王の城は大滝が流れ落ちて物々しい。襲撃のシーンは本当に村の建物を焼いて撮影している。

特撮はグラスワーク、オフプチカル合成、リアプロジェクション、ミニチュア、二重露光など、当時の最先端技術だ。「キノコの精」と人間の合成、笠を着て消えるシーン、空飛ぶ絨毯、燃える花など、〝トリック映画〟の域なのだが、殴られて顔が縮む兵隊、首が落とされても生え変わるシーンなどは漫画チックな表現でそれがまた楽しい。

マリヤは品ある美しさを湛え、ビーズをあしらった冠や民族衣装も素晴らしい。魔王は裸の上に羽のついた肋骨のような気味悪いプロテクターをしており、痩せて落ち込んだ眼、わし鼻、坊主頭という強烈なキャラクターである。

本作の一番のポイントは、魔王が命を別の場所に保管している事。肉体を刺しても首を切っても死なず、その代わり命を保管しているその呪縛を壊すと離れた場所で戦っている魔王も唐突に死んでしまう。民間伝承から生まれたこの発想は、後に1963年のアメリカの映画「キャプテン・シンドバッド」などにも受け継がれている。

『不死身の魔王』は第二次世界大戦中に撮影され、戦勝記念日に初上映された。現代では〝ドイツのソビエト連邦侵攻〟を寓話に乗せて表現したものだと解釈されている。尚、『不死身の魔王』（不滅のカシチェイ）はクラシックとして旧ソ連や現代のロシアでも良く知られ、オペラとしても上演されている。映像化も、この1944年版以外に、モノクロでオペラとして制作された69年版、カラー版の87年版、2019年にはアニメーション版もあり、1944年版のDVD、ブルーレイはデジタルカラー版まで制作されている。

◎文＝穂積宇理（メディアリンクス・ジャパン）

不死の怪物プルガサリと『松都末年不可殺爾(プルガサリ)伝』

★（右）映画『プルガサリ』のVHS発売告知チラシ
（左）映画『プルガサリ』日本版DVD

朝鮮民主主義人民共和国（以下、北朝鮮）の映画と言えば『プルガサリ』(1985)を連想する人は少なくないはずだ。それが「不死の怪物」の意味であり、日朝合作によって撮影された怪獣映画だということを知る人も多いと思う。この映画は90年代にＶＨＳが少量出回りその後ＤＶＤ化されたが、ネットで検索すれば日本語字幕付きで見ることもできる。この作品が作られた背景とその後の数奇な運命を紹介する。

北朝鮮では建国当初から情宣のための映画作りが重要視され、60年代後半からは労働党宣伝扇動部文化芸術指導課長となった後の金正日総書記が影響力を発揮した。1978年には韓国の映画監督の申相玉(シン・サンオク)夫妻が北へ拉致される事件が起きる。申監督はその後金正日の指揮下で作品を制作し、国外の映画界との技術交流を通じて近代映画の制作環境を整える事業の責任者となった。申監督によれば映画の愛好者である金正日には信頼され、作品の内容に口を出されることはなかったようだ。「プルガサリ」もこの流れの中で、申監督作品として制作された映画である。撮影の様子はゴジラの着ぐるみ俳優として知られプルガサリも演じた薩摩剣八郎の『ゴジラが見た北朝鮮』(1988)、美術スタッフだった真壁廉の『元気かい？プルガサリ』(2003)で知ることができる。

映画のあらすじはこうだ。高麗国王の命により村々へ鉄の供出が命じられる。抵抗した鍛冶屋は投獄され、鍛冶屋の娘アミは窓から握り飯をひそかに差し入れるが、鍛冶屋は米を練って手の平大の人形を作り息絶える。遺体と共に引き取られた人形はアミの指先の血を受けて生命を宿し、鉄を食べる不死身の怪物プルガサリとなり成長する。巨大化したプルガサリは鋼鉄の体を持ち、農民の反乱軍と共に王都を陥落させ横暴な国王を踏みつぶすが、プルガサリの食欲は止まずに鉄をむさぼり続ける。人々を苦しめ始めたプルガサリを止めるためアミは自らの命を捧げ、プルガサリの体は崩れ落ちる。この映画では日本の特撮技術だけでなく香港チームの指導によるアクションも楽しめるので、2000年代にＤＶＤ化された北朝鮮映画の佳作数タイトルと合わせて、映画好きであれば見て損はしないだろう。

プルガサリは漢字で「不可殺爾」などと書かれるが、最後の爾は当て字であり「殺せないもの」という意味である。古文献では李朝後期の『松南雑識』という百科事典に記述があり、次のように簡潔に記されている。「民間の相伝によれば松都の末年に怪物が一匹現れてあらゆる鉄を食い尽くし、これを除こうと思っても能わず『不可殺』の名を得た。火中に投じたところ火の塊となって民家に飛び込み、家を焼き尽くしてしまった」。松都とは高麗の王都開城(ケソン)の別名であり、高麗滅亡の年にこの怪物が現れたことになる。なお、この話は仏教の経典『旧(く)

★(右)玄丙周『松都末年不可殺爾伝』
(左)民話を元に絵本も描かれている。
キム・ジュンチョル著、イ・ヒョンジン絵
『プルガサリ』(岩崎書店)

雑比喩経』の中に出てくる、鉄を食う怪物「禍母」に由来すると考えられている。

これらの「不可殺」や「禍母」は、「戦争」「兵器」「国家」を暗示していると考えられる。「国家」は民衆を守り、そして時に苦しめるリヴァイアサンである。映画に出てくる高麗の役人たちは戦時中に金属の供出を強要していた大日本帝国の憲兵たちに、プルガサリと農民反乱軍の姿は抗日パルチザンたちの姿になぞらえたものだろう。プルガサリが戦いの後で民衆を苦しめる存在となり最後に崩れ落ちたのは、申監督による密かな体制批判と解釈することもできるし、若き日の金正日が父への不満を胸に秘めて作らせたのかも知れないが、両人とも故人であり真意を知ることはできない。

申相玉監督夫妻は撮影終了直後の1986年に訪問先のウィーンで米国大使館に駆け込み米国へ亡命する。申監督の拉致や金正日との関係、脱北までの様子は自著『闇からの谺』(1987)で詳しく書かれている。「プルガサリ」はこのまま闇に葬られるかと思われたが、94年に金日成主席が逝去し、金正日体制下で日朝交渉の準備が進められていたことを背景に、98年に別監督名義となって日本で公開され2004年にDVD化された。金正日総書記にとってもこの作品は自信作であり、形はどうあれ発表したかったのだろう。複雑な国際関係もプルガサリを葬れなかったのだ。まさに不死身の映画である。

申監督夫妻が亡命した翌年の87年に大韓航空機爆破事件が起き、捜査の過程で日本人拉致被害者の存在が明らかになったことで日朝関係は暗転していく。2002年と04年の小泉訪朝にも拘わらず交渉は暗礁に乗り上げ今日に至っている。北朝鮮ではソ連崩壊により経済状況が悪化した90年代以降も一貫して映画が作られていたが、2012年に金正恩体制が発足してからは新作がほとんど発表されなくなった。父とは異なる独自路線を打ち立てようとしているのだろう。両国が困難な状況を乗り越え、現地の人々と映画やプルガサリについて自由に語り合える日が来ることを願わずにはいられない。

最後に、日本の植民地下の1921年に出版された玄丙周による朝鮮語小説『松都末年不可殺爾伝』(本邦未訳)を紹介したい。プルガサリが米の塊から生まれるなど細部は映画と共通するが、先述の「松南雑識」や史実を元に小説として膨らませたものである。本書のプルガサリは中国から朝鮮に侵入した紅巾賊を退け、李成桂が朝鮮の初代王位に就く手助けをしたあと忽然と消えてしまうが、漢陽の地で新都を造成中に巨大な鉄塊の姿で地下から現れる。李成桂の孫である世宗大王がその鉄塊の表面に刻まれていた文字を解読して天下に広め、鉄塊は普信閣の鐘となり人々に時を知らせたというのがこの小説のラストだ。この結末は映画よりもずっと素晴らしい。人間や国家の生命は有限だが、文字や文化は民族の魂と共に末永く伝えられていくのだから。普信閣の鐘は秀吉による侵略戦争や朝鮮戦争で焼失する度に再建され、1979年に作られた鐘楼が現存する。

●参考文献
『闇からの谺 上・下』(申相玉、文藝春秋、1987)
『ゴジラが見た北朝鮮』(薩摩剣八郎、文藝春秋、1988)
『元気かい?プルガサリ』(真壁廉、文芸社、2003)
『松都末年不可殺爾伝』(玄丙周、1921。現代語訳はトルトレ、2018)
韓国民俗大百科事典 (https://folkency.nfm.go.kr/)
韓国民族文化大百科事典 (http://encykorea.aks.ac.kr/)

ある不死者の死、あるいはゲームと不死者

●文＝徳岡正肇（ゲームジャーナリスト）

死ではない「死」

コンピューターゲーム論壇でも、「ゲームはリセットしてやり直せること」――つまり「ゲームにおける死はいかにあるべきか」はホットな論点となり続けている。

IGDA（International Game Developers Association）やDiGRA（The Digital Games Research Association）といった場では「ゲームにおける死」に関する研究が大量に発表されているし、新型コロナ下の社会という世情の影響か、各種ゲームアワードにおいて「死」をテーマとした作品が高く評価される傾向も観測できる。またゲームにおける死の表現の過剰さは、何度も社会問題になってきた。

そしてこれだけ大量の議論が多方面でなされているというのに、「ゲームにおける死」という論点は、なにかと不毛な方向に進みがちだ。

ゲームは「本当の死」から切り離される方向に発達を続けてきたし、「物語」がゲームと融合することで、ゲームは不死者たちがドラマを織りなす場ともなった。小説と同じく、ゲームもまた「最初からやり直し」をすれば、滅びた王国は復活し、死んだ人々は蘇って、再び最初から物語は動き始める――そして小説とは異なり、インタラクティブなゲームであればこそ、次こそは彼らの破滅は回避できるかもしれない。我々はお気に入りの登場人物が死ぬ未来を自分で書くのではなく、新たな物語を「リセットしてやり直す」という選択肢を得た。

CAUTION★スーパーマリオブラザーズ35（任天堂）

だがこの選択肢が存在するという状況は、あまりにも人間の直感に反する。死は一回性のもので、人生をやり直すことはできない。この直感（あるいは人類が持つ唯一の共通項）にゲームは正面衝突するし、それゆえに無限に拡散を続ける謎の論争が続きがちだし、そこに一枚噛もうとする山師も後を絶たない。

だが形而上学的な議論を始める前に、ただ単に言葉や絵としての「死」を使っているだけで、実際の死とは一切関係がないゲームこそマジョリティであるという点には注目が必要だ。

この手のゲームの代表例は、日本における野球だ。「1アウト」を「1死」と表現する日本語環境下において、「1アウト」とは死という概念を流用しただけであり、そこに具体的な死およびその過程はない。同様な「死」を実装したゲームはとても多く、例えばかつて「スーパーマリオにおける、マリオの死が持つ意味」が議論されたことがあったが、一見すると強い具象性を持つように思えるマリオの死は、子細に観測すれば「1アウト」でしかない。

一部のゲームにおける死は、現実における死と結びつけて考えるより、算数の問題を解く過程における「何度でもできるミス」に結びつけて考えたほうが、明らかに建設的な議論ができるのだ。

このように死の具象性が低いか、死という表現ではあるが実際にはミスでしかない作品におけるキャラクタたちは、究極の不死者として君臨している。彼らには「死」が、概念レベル

で存在しない。そしてスーパーマリオや無数のパズルゲームが示すように、究極の不死者たちが作り上げる物語は、ゲーム体験の王道のひとつでありつづけている。

不死者の死というコントラスト

とはいえ具象的な死が描かれるゲームはけして少なくない。ゲーム全体ではリリース数が多すぎて計数不能だが、特に死の表現（ないし殺し合いを題材とすること）が問題視されやすいジャンルに限って言えば、「具象的な死が描かれていることは極めて多い」と評価できる。

この代表格が、FPS（First Person sight Shooter）だ。一人称視点で描かれる3DCG空間において激しい銃撃戦を繰り広げ、敵対者を皆殺しにすることを目指すこのジャンルに対しては、膨大な数の批判と、それに対する反論が、あらゆるレイヤーにおいて、あらゆるクオリティで繰り返されてきた。

実際、FPSでは死が具象的に描かれることが多いし、死の具象性が高ければ高いほど、市場で人気を確保しやすい。なぜなら死の具象性が高いほうが、直感的で分かりやすいからだ。

二〇二二年段階において世界的な人気を博している複数のFPS作品において最も標準的に採用されているルールを調べると、「ある試合において、自分が殺されてしまったら、その試合ではもう何もできない（＝その試合の経過中において「死」は絶対である）」という点はほぼ共通している（筆者が知る限り、二〇二二年におけるFPSの世界的ヒット作でこの原則を覆している作品は一つしかない）。これはゲームにおけるミスに対するペナルティとしては、突出して重いものだと言える――それこそ「死」のイメージに限りなく近い、重たいペナルティだ。

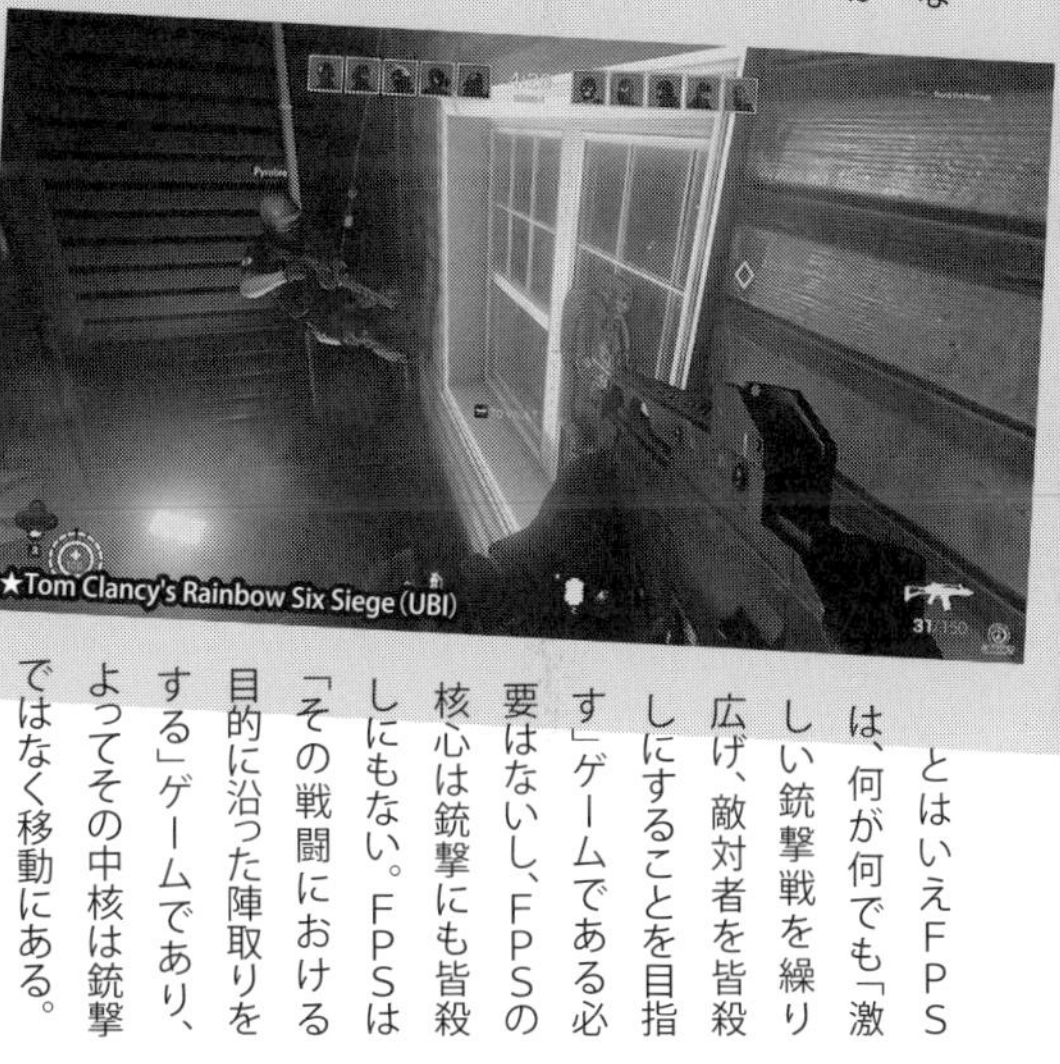

★Tom Clancy's Rainbow Six Siege (UBI)

とはいえFPSは、何が何でも「激しい銃撃戦を繰り広げ、敵対者を皆殺しにすることを目指す」ゲームである必要はないし、FPSの核心は銃撃にも皆殺しにもない。FPSは「その戦闘における目的に沿った陣取りをする」ゲームであり、よってその中核は銃撃ではなく移動にある。従って、より「移動の意味」に注目した作品は、死の重み（＝銃撃が持つ意味）を減らす傾向にある。そして「プレイヤーが操作しているキャラクタが死んでも、一定時間後に基地で復活する」「勝敗は一定時間後に重要拠点をどちらの陣営が占領しているかによって決める（死者の数は勝利条件に含まれない＝死は軽い「ミス」でしかない）」といったルール構成を持つことが多い。

だが残念ながら、「移動の意味」に偏らせた作品は、なかなか世界的なヒット作というレベルには到達できない（FPSではないが「スプラトゥーン」は希有な例外だ）。「移動の意味に作品の中心を置きつつも、銃撃の結果にも決定的な意味を持たせる」という超コアゲーマー向けの作品は大ヒットしているが、ここにはかの作品たりといえども「激しい銃撃戦を繰り広げ、敵対者を皆殺しにする」ことの分かりやすさは揺るがせていないという背景がある。死という圧倒的な分かりやすさを補助輪にすることなしに、銃撃戦が持つ複雑性をたくさんの人に「遊ばせる」のは、困難なのだ。

このように、「ゲームにおける具象的な死」は、FPSに限らず「複雑なテーマを分かりやすく提供するための手段」として利用されることがままある（もちろんそれ未満の、「ただの刺激」として死を利用している例も多い）。この観点に立つと、「ゲームにおける死は、あまりに安易に使われすぎていまいか」という問いに対しては、「そういう側面は明確に観測できます」と答えるほかない。ゲームのキャラクタは原則的に不死であるからこそ、「具象的な死」は強烈なコントラストを構成し、プレイヤーにゲームを印象づける便利なきっかけとして利用できてしまう。

不死の座から、先に滑り落ちたもの

もっとも前述のように、「死」をテーマとして、「人間の死」としっかり向き合って作られた作品の本数は増大傾向にあるし、それらの作品が注目を集めることも増えている。この背景には、インターネットを通じてゲーム市場が世界に拡大したことと、各種技術の発展によってゲームを作るコストが大幅に下がったことがある。

数名のチームで作家性を重視したゲームを作り、それを世界市場に対して売ることで、仕事としてゲームを作り続けられるくらいの売り上げは確保できるようになった。このため死を『分かりやすさ』を作る素材」として使い、ゲームの販売数を確保する必要性もまた(そのような小規模制作体制においては)下がったのだ。

だがそれでも——あるいはそれだからこそ、「ゲームのキャラクタの不死性」は、逆にクローズアップされつつある。ゲームは何度でも遊べることが暗黙の大前提となっているがゆえに、「主人公が死んだので、このゲームは二度と遊べません」という仕様を実装することは、とても難しい。そういう仕様を実現したゲームは存在するが、「奇抜なゲーム」という評価を超えられなかった。「死をテーマとして大胆なゲームを作ろうとしましたが、上手く行きませんでした」というケースも増えたのだ。

★Spiritfarer (Thunder Lotus Games)

もちろん「キャラクターの復元不能な死(専門用語でPermaDeath)を実装しつつも繰り返しプレイして楽しめるゲーム」は非常に古くから存在する。近年では「ローグライク」というジャンルがPermaDeathと反復プレイを同時に実現するにあたって人気のジャンルともなっている。

だが大きな人気を博する作品ということになると、たとえPermaDeathを実装していても、主人公は「死んでもスタート地点で復活する」ことがほとんどだ。死んだらデータまで削除されるゲームですら、わずかなりと進捗が残される(このため繰り返しプレイするとだんだんゲームクリアが近付く)ことが多い。

結局、ほとんどのプレイヤーは、キャラクタに死んでほしくはないし、ましてや自分が投じた努力がすべて灰燼に帰す「真の死」など問題外だ。また「人間の死と向き合う」ことと「人間が死んだときと同じようなことが実際にゲーム内で起こる」ことを同一視するのも、乱雑にすぎる。なんのかんので、キャラクタの不死性はゲームのデファクトスタンダードなのだ。

だが、現代に至ってゲームのキャラクタが「メタレベルでの死」を迎えるケースが、顕在化しはじめた。現代におけるゲーム文化のメインストリームを構成する超大型ゲームはインターネットに依存した「サービス」であり、アナロジーとしては本や映画というより、遊園地や飲食店に近い。最高のレストランでの食事は、そのレストランが倒産してしまえばほぼ再現不可能になるように、あるゲームをサービスする会社が倒産してしまえば、そのゲームは「死ぬ」のだ。

古いゲームもまた、「死」の危機に瀕している。ゲームが駆動するハードウエアの老朽化により、動態保存が困難になりつつあるのだ。「古いゲームをいかにアーカイブすべきか」という問題は、いまやアカデミズムが取り組む大きな課題となっている。

「ゲームそのものが死ぬ」現象が普遍的に観測されるようになったことで、「ゲームのキャラクタがメタレベルで死ぬ(人々の記憶から完全に消え失せ、記録もほぼ残っていない)」状態もまた顕在化した。このことは「ゲームにおける死の可能性を広げた」とも評価できるが、一般論として言えば、「それは困りますね」としか返答できない。直近では二〇二一年三月にフランスのデータセンタで発生した火災の影響で、とあるオンラインゲームのデータの多くが「焼け落ちた」（復旧不能）が、この唐突で衝撃的な死が――唐突で衝撃的なのが死であるにも関わらず――ゲーム体験になんらかの良い影響を及ぼしたという報告は上がっていない。

このように、いまやゲームは大なり小なり「どうやって死を描くか（どうやって終わらせるか）」を問われつつ、同時に「どうやって死を避けるか（どうやって終わらせないか）」も考えねばならない状況に置かれている。

たとえ二時間遊んで「ああ面白かった」とエンディングを迎えるスタイルのゲームであっても、SNSや動画サイトを通じて「このゲームはこんなにも面白いです」と伝えてくれるファン層を構築・維持しなくては「始まる前に（商業的に）死んでしまう」のがゲーム産業の現状である以上、「繰り返し遊んでもらえる仕掛け」とまったくの無縁ではいられないのだ。

ゲームから脱出する不死者たち

ゲームのキャラクタが持つ不死性が変質しているという現象は、もしかしたらゲームそのものを観測するより、ゲームを題材とした小説や映画を観測したほうが、よりはっきりと見えるかもしれない。

ゲームそのものをテーマとした作品（ゲームの内容をテーマとした作品ではなく）にとって、キャラクタの持つ本質的な不死性は大きな障害となってきた。「ゲームは気軽にリセットしてやり直せる」という見解が力を持つ社会にとってみると、ゲームは何をどうしたって「たかがゲーム」でしかあり得ないからだ。

麻雀漫画が往々にして「命がけで麻雀を打つ真剣師」を主人公にするように、ゲームが「何かすごいもの」であってくれないと、登場人物たちが織りなすドラマの価値も毀損されてしまいがちなのだ。

かくして、「ゲームと世界の危機を結びつける」（『ゲームセンターあらし』のエピソードや『ウォーゲーム』）ことや、「ゲームで死ぬと、プレイヤーも本当に死んでしまう」（『クリス・クロス 混沌の魔王』『ソードアート・オンライン』、ゲームからはズレるが『TRON』『マトリックス』）ことが、比較的一般的な手法として用いられるようになった。

またこれとは逆に、ゲーム的なものが現実を侵食するというパターンにも人気がある（古くから例は無数にあるが、近年において最も影響力が大きかった作品は『バトルロワイアル』『ハンガーゲーム』）。これらはいずれも「ゲームは何度でも遊べるが、『このゲーム』でゲームオーバーになると本当の死を迎える」という形で作品にわかりやすい緊張感をもたらし、ドラマの価値と必然性を担保している。

だが現代に至り、ゲームのキャラクタはもはや不死ではないという実感が若い世代を中心に浸透するなかで、「主人公が操作するキャラクタは何度でも死ねる（そして蘇る）が、ゲーム制作者が事前に用意した脇役たちは、死んだら二度と復活しない」という設定が急激に増大した（『シャングリラ・フロンティア』ほか多数）。脇役たちにとってゲーム内の死は「本当の死」であり、それは不死者である主人公たちにとっても「本当の死」の重みを持つのだ。

また「ゲームにおける死は算数における計算ミスと同じ」という理解を逆手に取って、「長時間にわたってノーミスを維持することを目指す。一度でもミスしたら『台無し』になる」ことで物語のスリルを担保する例も現れている（『痛いのは嫌なので防御力に極振りしたいと思います。』ほか）。

技術の進歩によって、いまやゲームは真の死を、迂闊にも獲得してしまった。それゆえにゲームのキャラクタたちの不死性は、「いつかゲームが迎える死」を前に揺れている。ゲームのキャラクタたちは、ちゃんと死ぬ準備ができていないのだ。

だがゲームをテーマとした物語においては、かつてはゲームが本領とした「不死者たちの織りなすドラマ」が、キャラクタの不死性を肯定したまま、新たな局面を迎えようとしている――そしてこれは、もしかしたらゲーム文化の中心地が、徐々に「ゲームを実際に遊ぶこと」以外の領域へとシフトしようとしているというシグナルの、ひとつなのかもしれない。

カノウナ・メ
——可能な限り、この眼で探求いたします

加納星也

第43回 WW20^2 延長戦

さて、世間ではトクソ（特措）から、キンジ（緊事）を経て、今度はマンボウ（万防）と、体にいいんだか？悪いんだか？分からない栄養剤的な流行り言葉が乱発され、A級B級C級吹っ飛ばしちゃって、D級もE級どころか、ゼット映画の展開を見せる2021年の春。皆さんお元気でしょうか？

聖火も見切りで発射しちゃったし、あっという間に満開、散開の桜のごとく、大急ぎでやってきた春。

こちらの映画状況も世界的な流行り病によって、公開や制作も遅れたりして、試写でみた作品がいつ公開されたのか？これから公開されるのか？もともと劇場公開されなくてネット何とかの中だけの公開だったり、そのネットの作品が改めて劇場で公開されたりと、やはり映画館で見に行く派の自分にとって、季節感も年代も2020と2021の区分も全くうつろ。そんな思いにかられた昨年の冬から、今年の春に至るまでの覚書。前回は確か昨年の秋から夏に向かって遡っていたような気がするが？

今回は、その続編。とにかくリードやイントロは短いほどいいらしいので、早速本編に入ろう。

前回と同様、備忘録代わりにネットに投稿したものを、当時の生のライブ感を活かすために、できるだけ原文ママで羅列した。しかし解説は前回より長めにとって、丁寧にいきたいと思っている。これを見て、こんな映画もあるんだ？と日の目を見ない作品の宝探しになるように、邁進していくことを勝手に宣言して、とりあえず映画館の火を消すな！と言うことで、金色のならぬブリキのトーチを掲げて一気に走り抜けていこう。東京2020延長戦！冬の陣

■『クー!キン・ザ・ザ』

◉『クー!キン・ザ・ザ』は旧ソ連の社会主義体制を揶揄したカルト映画『不思議惑星キン・ザ・ザ』のゲオルギー・ダネリア監督による新解釈アニメ。2Dで通俗化どころか現代ロシアの貧富、人種差別問題のシュール表現はより深化し進化してクー!

▽すでにカルト映画としての地位が確立されている『不思議惑星キン・ザ・ザ』。これのアニメ化という枠組みに収まらず、全く新しい映画になっているところがポイント。むしろ実写では描けなかった不条理な展開が明確になっている。おなじみの2種類しかない言語、「クー」も「キュー」も健在で、当時実写版がつくられたのが、ソビエト連邦下のグルジアで1986年。それから、国の名称もジョージアとなった2013年版のアニメ版は、さらに現代のロシアを痛烈に皮肉っている。

見た目では見分けがつかないパッツ人とチャトル人。先住民と後にやってきた民族の格差。その格差を裏打ちする不条理なルール。さらに貧富の差や、それを差別、判別するための装置や弾圧など。アニメゆえに軽やかに描かれるエピソードは、現実ではほぼ30年経っても、解消するどころか、より混迷を深めているような気がする。ゲオルギー・ダネリア監督（2019年に逝去）が自らの手でアニメ映画化した意味はここにあるだろう。

あらすじ：有名チェリストのチジョフとDJ志望の青年トリクは、雪に覆われたモスクワの大通りでパジャマ姿の異星人と遭遇し、キン・ザ・ザ星雲の惑星プリュクにワープ。そこは見渡す限りの砂漠が広がり、身に着けるズボンの色によって階級が分かれる世界。「クー!」という言葉で会話する異星人たちを相手に、地球に帰還すべく奮闘を続ける2人。

データ：2013年製作／92分／ロシア／原題：Ku! Kin-dza-dza／配給：パンドラ

■『藁にもすがる獣たち』

◉韓国映画『藁にもすがる獣たち』、原作は曽根圭介の小説。金に取り憑かれ欲望むき出しの人物達が激しくぶつかり合う。二転三転する予測不能なスタイリッシュな展開と個性派俳優のリアルな演技で一気にみせるクライム・サスペンス娯楽作品。これ、日本で映画化されなくて韓国で正解！という原作ファンの人の書き込み見たが。me, too.

▽全く予備知識なく観たが、アヴァンタイトルのブランド物のバックを追うローアングルの移動撮影から、タイトル文字や映画の中に映し出される各章のクレジット文字まで、計算つくされた意匠が見事。これぞサスペンス映画のつくりという取り組み姿勢が初めから徹底されている。原作は日本の小説だが、その原作の舞台を韓国に翻案し、まさしく土地に根差した追い詰められた人間の業を血肉化して描いている。俳優陣も様々な韓国映画で見かけている代表する豪華キャスト。さらに、小説では効果的だが、映画では難しい文学的な時制の組み換えなど。まさしくサスペンスの傑作を読んでいる気分が味わえる。

そこには欧米とは全く違う熱量と画面ににじみ出る人生観。これが日本で映画化されていたら、オールスターであってもテレビドラマとあまり変わらぬ直線的で淡泊な展開になっていただろう。韓国映画は、良い意味での土着性でハリウッド映画に真っ向から切り込む。昨今の『パラサイト』の例を持ちだすまでもなく、それは大変な突進性をもって、物語の本道を切り開いている。オスカーでの躍進の一本は、国家的な質の底上げで生まれた快挙であることを今更ながら感じた。

あらすじ：失踪した恋人が残した多額の借金取り立てに追われるテヨン。暗い過去を清算し新たな人生を始めようとするヨンヒ。事業に失敗し、アルバイトで生計を立てるジュンマン。借金で家庭が崩壊したミラン。ある日、ジュンマンは職場のロッカーで忘れ物のバッグを発見。その中には10億ウォンもの大金が。

データ：２０２０年製作／１０９分／韓国／原題：Beasts Clawing at Straws／配給：クロックワークス

■『darlin'』

◉野生少女ダーリンを描く『darlin'』は女優ポリアナ・マッキントッシュ監督脚本助演のパンキッシュなオンビートホラー。教会と社会の偽善をこれでもかと暴く。ジャック・ケッチャム原作。ジャームシュのゾンビで楽しめるなら、見る資格ありか？

▽ジャームシュがオフビートなジャズなら、これはオンビートなパンク映画。社会から外れた者の視点で支持できるかどうかが評価の分かれ目か？

このところ毎年お宝探しに出かける映画特集。業界をとりまく様々な理由から未公開で日の目をみない映画を探すガラクタ市、10回目の「未体験ゾーンの映画たち２０２１」。今年は、野生少女『ダーリン』とジョニー・デップが新境地をひらいたという噂の『ウェイティング・バーバリアン』。それと、『ラブ・エクスペリメント』が目当て。

先ずは、この『darlin'』。写真とあらすじからB級オカルト映画かと思ったり、野生少女という触れ込みから文化的なものが入ってくるのかと予測していたが、全く裏切られた。それも嬉しい裏切り方で。この映画は、ホラー作家ジャック・ケッチャム原作による映画「襲撃者の夜」「ザ・ウーマン」のシリーズ第3作。とにかく展開がパンク、監督本人が演じる謎の野生の女からして、それはもう、この世界の貧富の差に立ち向かう姿勢がすごい。偽善的な司祭や教育者、警官など。体制に胡坐かくクズどもを蹴散らし、その腐った肉を噛み切り、男権社会の軟なシンボルに申し立てをする。それは、底辺に生きるアウトサイダーな女子たちも組織し、さらにその組織にも安住せず、孤立し先鋭化し、いざ教会へ。そこで、自らの体をきしませ、すべての思いを込め、新しい命を未来に提出する。監督の視点は、内向きに向かず、社会に大きくその内実を堂々とおっぴろげていく。それは、非常にストレートな肯定感。パンキッシュ精神、ここにありという快作だった。

あらすじ：野生の少女ダーリンは病院を訪れる。言葉も話せず凶暴で不潔な彼女は看護師トニーに保護され修道院に引き渡される。司教はダーリンを教育して「教会の奇跡」として宣伝に利用するためジェニファーに教育係を命じる。実は司教は小児性愛者で、ジェニファーもかつての者。やがて言葉を少し話せるようになったダーリンは司教に信じられない事実を告白。ダーリンの育ての親である野生の女も、彼女の行方を探している。「未体験ゾーンの映画たち２０２１」上映作品。

データ：２０１９年製作／１０１分／アメリカ／原題：Darlin'／配給：十音

■『ウェイティング・バーバリアン』

映画『ウェイティング・バーバリアン』。原作は南アフリカ出身のノーベル賞作家J・M・クッツェー。コロンビアの鬼才シーロ・ゲーラが監督。架空の帝国が支配権する辺境の植民地での蛮族の脅威を描くマジックリアリズム。ジョニー・デップ助演。

原題は「Waiting for the Barbarians」。蛮族に対する待機か？　もちろん『ゴドーを待ちながら』を想起。不条理でありながら、肌身に染みるリアリズムはこの監督特有の映画感覚。監督であるシーロ・ゲーラは『彷徨える河』でものすごい衝撃を受けた。日本ではほとんど馴染みないだろうけど、これは大傑作。もちろん歴史的な事実ではなく、全く虚構の物語と民族の話ではあるが、一般的な歴史の流れと全く違う、時空を超えた魔術的な流れがある。

この流れに身を任せ、ドリーミングのように映像に魅了されていくと、最後にはとてつもないスケールを持った、悠久な時間と広大な地平が広がっていく。この作品が、日本では配給なしの限定公開というのが非常に悲しい。ちなみに主演は、日本ではほとんど知られていない英国の名優マーク・ライランス。あの『ダンケルク』の民間船の気骨ある船長といったら思い出す人もいるか？

あらすじ：19世紀のアフリカ、帝国の支配下にある砂漠の辺境にある町。「蛮族が攻めてくる」という噂が町で囁かれ、治安維持のため中央政府から警察官僚が派遣され、激しい弾圧と拷問が始まる。デップがサディスティックな警察官僚役で新境地に。ライランスが彼らと対立する地元民政官をそれぞれ演じる。

データ：（２０１９年・第76回ベネチア国際映画祭コンペティション部門出品）２０１９年製作／１１３分／イタリア・アメリカ合作／原題：Waiting for the Barbarians／配給：彩プロ

■『ラブ・エクスペリメント』

◉原題はHippopotamus（河馬）。脳の海馬（Hippocampus）とは似て非なるもの。リアルな愛とフェイクな実験も。監禁する男とされる少女。C・バーゲン似の女優が主演の格調ある正統C級ブレイン・サスペンス！

▽このところ毎年お宝探しに出かける「未体験ゾーンの映画たち」。今回も、観るとそれなりに公開を見送られる理由は見つかると思うのだが、それはそれとしてこの手の映画は偏愛してやまない。世間からはおそらく突っ込み数多だろうが、何故悪い！と、今はマスクで叫び声を隠蔽し、密かに鑑賞計画を練った。

キャンディス・バーゲン似と書いと女優は、あの最近話題になった『スター・ウォーズ』の映画で、キャリー・フィシャーの演じた若いころのレイヤー姫を演じた。といっても、可哀そうなことに採用されたのは、当時のキャリー・フィシャーと体形が似ているからという理由。彼女の演技のコピーを余儀なくされ、顔は元がわからないくらい加工されている。その撮影現場の映像も見つけたが、これが実に気の毒。顔に加工のポイントとなるような無数のドットを描かれ、表情筋から何からすべて当時のレイヤー姫をなぞる形で演技している。その甲斐もあって『スター・ウォーズ』公開時は、当時のキャリー・フィシャーの映像のフッテージを上手く加工しているのでは？という噂も呼んだ。実は、別人の女優による涙なしでは語れない女優残酷物語だったわけで。

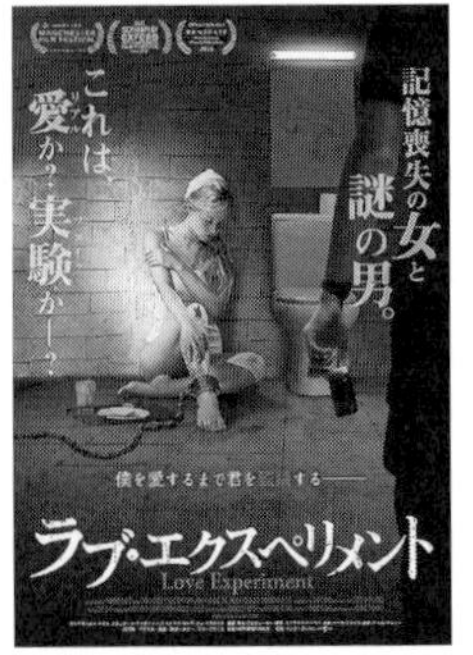

とにかく世間的な映画の出来ばえや評価は別として、この映画絶対撮りたかったんだろうな！と監督の偏愛がひしひしと伝わってくる。

あらすじ：記憶を失い謎の男に監禁された女の運命。少女ルビーは目覚めると、真っ白な地下室に下着姿で幽閉されていた。彼女は歩けず、壁にもたれ座り込んでいる。自分が誰なのか、何故ここにいるのか全くわからない。やがて、ルビーの前に見知らぬ男が。彼女を誘拐したこと。歩けないように膝靭帯を損傷したこと。その傷が回復し、自分を愛するようになるまで監禁すると告げる。やがて、ルビーと男の関係が徐々に明らかになっていくが……。

データ：２０１８年製作／80分／イギリス／原題：Hippopotamus／配給：インターフィルム

と、ここまで履歴から記憶を辿り書き連ねてきたが、未だに春はトウガラシ！まだ辛さしか味わえない。とりあえず、映画の春に想いを託して、次回に続く、のか？

movie

新・バリは映画の宝島

コロナ禍のバリで何が起こったか？

友成純一

コロナ禍のバリ島とシネコン

　ここしばらく、〝特別編〟が続いた。インドネシア映画も絡んでいるとは言え、映画祭のレポートをしてみたり、韓国映画の怪物と呼ばれるキム・ギヨンとその作品について詳しく書いてみたり……いささか脇道に逸れてしまった。

　脇道に逸れていたここ数年の間にも、インドネシアでは続々と新作が公開され、原稿のネタも増えている。ここらでまた、本道に戻って昨今のインドネシア映画に話題を戻そう……

　そう思っていた矢先、去年の年明けから新型コロナの問題が起きた。

　〈バリは映画の宝島〉なんて、バリで映画を見るのがいかに楽しいかを気取っていたわけだが、実は一年ほど前から、私はバリ島を離れてしまっている。去年の二月からずっと、福岡にいるのである。バリには戻るか否か判らないし、実際問題として当分は戻りたくても戻れない。

　仮に戻ったにしても、インドネシアのコロナ禍は、日本より深刻と思う。

　医療体制自体が、日本と根本的に異なる。公による健康保険制度が日本ほど行き渡っている国、世界的にも珍しい。他の国の健康保険は、日本での生命保険みたいなもんで、自主加入が普通だ。貧富の差はどこも激しいから、満足の行く健康保険など、金持ちしか加入していない。誰もがその日を暮らすのに精一杯なのに、まだ罹ってもいない病気に備えて、誰が毎月の掛け金を払うものか。ましてや、基本的に人々が明日の心配をしない（今日の心配で精一杯だから）インドネシアで、健康保険に入っているのは、入ってなくても大して困らないであろうお金持ちばかり。近頃は、会社に勤めていれば、会社が従業員に、会社の関係している保険に加入させていたりしているようだが。

　もしコロナに罹っていると判ったら隔離治療されるわけだが、その費用は誰が払うのか。そもそもPCR検査の費用は誰が。お金の問題ばかりでなく、日本でもそうだが、感染したら犯罪者扱いで、同僚やご近所から白い目で見られる。都会においてさえそうなので、田舎に行ったら……罹ったかなと思っても、健康な振りをしておくのが一番である。それに、都市部の大きな病院ならともかく、民間の開業医やクリニック、田舎の医者でPCR検査など不可能。防護服すらあるまい。基本的に町医者もクリニックも、レントゲンどころか血液検査すら設備がないのが普通なのだ。

　昨年一月下旬に新型コロナの感染がインドネシアでも騒がれ始め、私の居たバリ島にも話はすぐに伝わって来た。二月中はインドネシアで感染者の報告がほとんどなかったそうだが、医療体制がこんな風だったので、居ても判らなかっただけだろう。特にバリ島など、中国からも韓国からもヨーロッパからも莫大な数の観光客が押し寄せていたので、居ないはずがなかった。居ることが判った時には、感染は広がってしまっていた。

　広大な面積を擁する島嶼国家で、人口は二・五億とされるが、実はもっともっと多い。身分証を持っていない人がたくさんいる。多民族多宗教多言語の国なので、中央集権は不可能。国家としての歴史も、まだ七十数年。島によって、いや島の中でさえ、言葉も文化も宗教的地盤も多様である。国家権力よりも現地の自治の

INTERNATIONAL

Bali Post

DR Congo announces fresh Ebola outbreak

★下宿先。いつも集まって料理を作る

方が強くて、地元の宗教組織や村落共同体組織が住人を統治している。一律のコロナ対策は、大変に難しい。

　インドネシアはイスラム教徒が最も多いとされるが、国としてはキリスト教も仏教もヒンドゥーもその他の宗教も同等に認め、その活動を奨励している。三大宗教の大きな祝日はすべて国の休日と認められ、正月など一年に三回ある。神の島バリではバリ・ヒンドゥーに基づき、一年中儀式＝お祭りばかりやっていて、大きなお祭りの日は学校も銀行も会社もお休みだ。そして、お寺に集まって大集会、道路を封鎖して町中を練り歩く。個人の結婚式や葬式でも同じで、交通を遮断してこれまたメインの道路を大行進。親族もご近所も一緒くたに集まって、ワイワイガヤガヤ大騒ぎ。モスレムにしてもモスクでは人々が集まって日に五回の礼拝が行われ、祝日はもちろん、何かあればそこいら中で集会だ。

　こうした催し事などなくても、インドネシア人は集まるのが大好きだ。一年中、皆んなで集まって飯を食う。誰かの家に遊びに行くと、ご近所衆やお友達衆が集まっていて、夜もその場でごろ寝、第三者にはそこが誰の家か判らないなんて当たり前だ——コロナ感染が始まったら、たちどころにそこいら中に拡がって行く。

　インドネシアに来たばかりの頃、何だかスペインみたいと感じた。生活習慣が似ている。母音の発音が明確で声がデカイのも、スペイン人と同じだ。インドネシア語で喋っていて、いつの間にかスペイン語になっていたりした。皆んなで集まるのが大好きっていう点、イタリア人やスペイン人、フランス人も同じではないか。ラテン系と東南アジア、似ていると思う。集まってワイワイがやがや、実に賑やかである——感染症、一気にそこいら中に拡散する。

　インドネシアでも国内での感染が確認され始めるや、二月の下旬には入国制限が厳しくなり、三月に入って間もなく外国人の入国が禁止となった。宗教的な集まりも、それこそ感染源なので厳重に禁止され、商業施設もシネコンも封鎖。

　特に映画館は——この連載でもしばしば書いたが、インドネシア人は今も昔も、映画館には皆んなで来る。映画館は〝祝祭空間〟であり、家族皆んなで、仲の良い友人たちと、あるいはカップルで来るのが当たり前。皆んなと一緒になることが、目的である。映画を見ることだけが目的で一人で来るなんて、一種の変態、社会不適応者なので、相当の変人と思われる。

「どこに行くんだ?」

「映画を見に」

「ああ、女と一緒か」

　そう頷かれるのが普通である。

　私など映画を見るのが仕事でもあるので、いったんシネコンに行けば二、三本、多いと四本は見て帰る。なので昼前に出掛け、帰りは夜になるが、するとご近所衆は、

「ああ、やっぱりオンナか、ジュニチ」

　そう勝手に納得している。

　私は必ず一人だ、オンナも友人も一緒だったことはない。従業員や警備員、最初は「危ない奴かも」と警戒していただろうが、間もなく「無害なただの変わり者」と気付き、やがて私の商売を知って納得してくれる。私の好みのシートの位置も知っていて、チケット売場に行くと、すぐにいつもの場所を発券してくれる。

　インドネシアの若い姉ちゃん、あるいは友人でも、誘ったりした日には、地獄は目に見えている。まず、約束の時間に来ない。映画を最初から見ないといけないという気が、あまりないから。そして見ていて退屈したら、「もう出よう」「お腹が空いた、何か食べに行こう」と騒ぎ出す。一本どころか、二本も三本も見る私に付き合えるインドネシア人は、まず居るまい。

　日々の生活が、生きることが楽しかっ

たら、誰が映画を見たり本を読んだりするだろうか。映画を見るのが生き甲斐、読書が何よりの楽しみだなんて、なんと寂しい人間であろうか――私がバリ島に住んでの最大の収穫は、それまでの私の五十年の人生、本を読んだり映画を見たり原稿を書いたりが目的だったなんて、なんと虚しくクダラナイ日々を送って来か、思い知らされたことだった。

★最新設備のシネコン

　そうは言うものの、ここ数年で、インドネシアの文化環境も急激に変わりつつあるらしい。ついこの前まで、映画館なんか行ったこともないってのが多かったが、今は誰でも行く。私が一日中シネコンにいるから判るのだが、同じように一人で何本も見て帰る若い兄ちゃん姉ちゃんを時折り見掛ける。バリ島だけでシネコンの数は九つ(二〇年時点)、スクリーン数は四十を超える。数は多いが人口は少ないので、一スクリーンにつきシートの数は百五十から二百とか二百五十とか……一日シネコンに居る奴は、すぐに判る。

　シート数は少ないけれど、設備は最新鋭である。ここ数年の間にどんどん新設されたので、出来立てホヤホヤだからね。

　向こうでは「仮面ライダー」とかの熱狂的なファンがいて、クレジットに流れる主題歌に合わせて、全員が日本語で合唱したりする。確実に、オタクが増えつつある。人と会うためでなく、映画を見たくて映画館に来る層ってのが、急増しつつある。

　ここ一、二年で、上映中のマナーも良くなって来た。お喋りする奴はいなくなった。携帯を弄る奴も、ほとんどいない。上映中の出たり入ったりも、少なくなっている。いささか神経細胞が欠如しているが、基本的に従順で穏やかな人たちなので、「こういうことはしちゃいけない」とはっきり判ると、日本人以上にしなくなる。

　そう言えば昔から、映画館でタバコを吸う奴だけは、見た事がなかったな。

　しかしまあ、今でも一般人にとって、映画館は皆んなで行くところである。映画館で三密を避けるなんて、じゃあ、何しに映画館に行くんだ。映画を見るだけなら、家でDVDかネットで見れば良いだろう――てなもんである。実際、本当に映画に集中したい時には、彼らは一人で車に閉じ籠ったり人気のない場所で、スマホで一人で見ている。どうして自分の家ないし自室で見ないのかって？　家族がわあわあ話し掛けて来るし、友人が押し掛けて来たりするではないか。

　そんな風なので、コロナ感染が問題になれば、シネコンが直ちに封鎖されるのは、止むを得ない事だった。去年二〇年の三月に封鎖が始まり、半年以上が経過してもまだシネコンは閉じたまま。自国映画もハリウッド映画も韓国映画もタイ映画もボリウッドも、上映はナシ。自国映画の製作は中断したままで、映画産業は完全に停滞した。十一月の下旬から、ジャワ島はジャカルタのごく一部のシネコンで、暮れにはバリ島でも、上映が再開されたようだが……

在留邦人の末路??

　毎年二月には、確定申告のために帰国する。申告期限は三月中旬だが、私のは“還付申告”という奴で、申告すると税金が戻って来る。原稿料が支払われる時点であらかじめ十パーセントを所得税として引かれており、収入の少ない人だとこれだと払い過ぎ、申告すれば返って来るのである。しないと取られっ放しだ。返してもらうなら早いほど良い。一月末までに出版社からの支払いの書類が揃うので、二月に入ったらさっさと申告する。また航空券も二月は安いが、三月に入ると高くなる。

　去年も、二月の初旬に福岡に戻った。新型コロナはまだ深刻でなく、飛行機での国境を越えての移動は、いつも通りだった。それが二月中旬以降、急激に事態が深刻になり、インドネシアでも日本でも入国制限が始まってバリ島に戻るのが難しくなって来た。三月にはどこの国も国境を封鎖したに等しい状態に陥り、四月

に入って間も無く、日本にも緊急事態宣言が出た。

周囲の友人知人は、「帰国しておいて良かったですね。向こうに居たら、もう帰れなくなってましたよ。医療だって、日本の方がはるかに整ってるでしょう」

そりゃあ、そうなんだが、私の場合は向こうに住んでいたので、こんな具合にバリ島に戻れなくなるとは……青くなった。

高く売れる立派なバイク（向こうでは中古品への需要が強い）を始め、私の財産や重要書類、執筆の資料のほとんどが置きっ放しなのだ。銀行口座や携帯電話とネットの契約、いわゆるキャッシュレスの支払い契約等々も、すべてそのまま。荷物は部屋に置いたままで、不在の間も引き落としのお金は毎月口座から引き落とされ、部屋代も累積されてゆく。

私はインドネシアの居住ビザを持っている。五年毎に更新の、事実上インドネシア人と同じ居住権のあるビザ。それが、去年の五月末に切れることになっていた。実はもうこのビザを延長するつもりはなく、ビザが切れた時点で日本に完全に引き上げるつもりでいた。そのための準備は少しずつ進めていたのだが、諸々の契約も銀行口座も荷物も、まだそのまま……間の悪い時に、コロナ禍に陥ったものである。

居住ビザがあるので、入国制限下でも入国は可能だ。厳しい検疫と隔離を、自費で負担した上で。

とにかくいったんバリ島に戻って、売れるものは売り払ってお金に換え、不要なものは大家や友人や近隣の人々に分け、諸々の契約は解除して、きちんとケジメを付けたかった。バイクや電化製品、日本製なので皆んなが欲しがる代物も、こういう非常時なので買い叩かれるのは眼に見えているが——それでも、現地に持っている〝財産〟は、日本にあるそれよりははるかに高額だった。何より、集めたインドネシア映画のDVDや書籍類。日本語の本でも原稿に必要なのは、向こうに持って行っていた——このままでは、それらすべて、放棄することになる。

東京からジャカルタまでの飛行機は、緊急事態宣言下でも飛んでいたようだが、福岡からバリ島までというのはなかった。それが、五月の連休明けに飛ぶと判明。直ちに航空券を取得し、必要な書類も準備したのだが——事態が沈静化しなかったため、直前にキャンセル。もう、時間的に、居住ビザが生きている間にバリ島に戻るのは不可能となった。

二月初旬に帰国した時には、事態がここまで世界中で悪化するとは思い掛けなかった。私ゃもう、現地の荷物や契約のことでハラハラですわ。仮に戻れても、バリ島に着いてからの検疫と二週間の隔離、向こうで諸々を片付けた後、日本に戻って来てからまた検疫と隔離。

インドネシアでは日本でより厳しい外出制限等が課せられていた。先に記したように、放っておけばすぐに集まってしまう人たちだ。住居そのものが、どこが誰のウチか判らないくらい、人の出入りは激しい。厳しい制限が必要だったのだ。地元共同体が住人を監視し、マスクなしで外出すると罰金が課せられたし、マスクをしてなかったというので警官に腕立て伏せをさせられたという本当とも嘘ともつかない話も伝わって来た。そんな中、果たして戻っても、諸々の用を短期間にすませられたのか。銀行や電話や諸々の契約の解除とか、バイク等の売却とか——小心かつ臆病な私は、去年の春から夏に掛けて、取り越し苦労の山だった。

居住ビザが切れたら、もう当分は向こうには戻れないと思った方が良い。居住ビザの所有者には、切れても特例で入国が認められていた。ビザ延長の手続きのためである。私はビザを切るつもりだったし、すぐに用を済ませて帰国できないと、今度は日本で困ったことになる。その日暮らしの状態で、日本の毎月の家賃と水道光熱費、携帯の支払いを捻り出すのに四苦八苦していたのだ。

五月いっぱい悶々とした。結局、向こうに置いて来た物は放棄、捨てたと見做すことにした。戻るための金と手間、そして現地での諸々の出費等を考えたら、〈発つ鳥跡を濁さず〉でなく〈旅の恥は掻き捨て〉にするしかなかろう。

私が戻らないと最も迷惑するのはバリ島の大家なので、大家とは頻繁に連絡を取り合ったし、今も取っている。部屋の契約は、居住ビザが切れる五月いっぱいまでだった。改めて大家には、契約を継続する意思はないと伝えた。日本では、明け渡す際には部屋を空にする決まりだが、向こうにはそれはない。要らない家具とか置きっぱなしは良くあるし、大家もその方が嬉しかったりする。三台あるバイクの、売却に必要な書類も向こうにある。置きっ放しのものはすべて、向こうで諸々の世話をしてくれた連中で分け合って、自分の物にするなり売るなりして構わないと。

大家はバリ人だがクリスチャンで、しかも地元社会のボス的な存在だった。近隣の不用品を集めて、しょっちゅう僻地の貧しいコミュニティに寄付していたし、教会を始め色々な施設があって、そこにも家具やら何やら必要だ。私の残していった物、役に立ってくれると良いのだが。

五月にいったんバリに戻ることにして購入した往復航空券、キャンセルになった時点で全額返済、ないし購入金額プラス十パーセントのバウチャーに交換してくれるとのこと。すぐに航空会社に連絡したが、自動音声案内の電話はなかなか繋がらなかった。コロナ問題で航空会社も大童(おおわらわ)、オフィス業務を減らし、人員を削減し、それでいて問合せは殺到するし、回線は塞がったままなのだろう——何やら詐欺にあった気分だった。飛ばないと判っている飛行機を飛ぶことにして、切羽詰まった人間から金を集め、ドタキャン。それ切り連絡が取れない状態にして、こちらが諦めるのを待つ。かくして、緊急の資金繰り——それもあるのだろうが、半年が経った十一月、ようやく電話が繋がって、バウチャー交換の手続きをできた。

外国に住んでいていつも考えるのは、何か非常事態が起きたら、居住外国人はすぐに国外退去しなければならなくなる。そういう時には銀行口座は凍結され、現地の物は全て置きっ放しで帰国することになるだろう。それでも、「帰国できただけ幸せだったね」となる。そうした事態は世界のどこかで、割りに頻繁に起きているのだ。

★バリに置いたままのバイク

漠然とそんな不安を抱いていたので、銀行にはいつも、次の帰国予定時期まで現地で必要なお金しか置いてなかった。問題が起きた時、それで足りなければ売るつもりで、高く売れるバイクを含めて三台、持っていたのだ。それが、何もかも置いたまま、もうバリ島に戻れなくなるとは——私はまだまだ甘かったんだな。

何より痛いのは、金銭でなく、インドネシア映画のDVDであり、現地で仕込んだ書籍類だった……そして辞書。日本には、使い物になるインドネシア語の辞書がない。まして、バリ語やジャワ語の辞書は日本では見た事がない。スマホの辞書アプリなんて、逐語訳の役にしか立たないので、使い物にならないのだ。

私の父は満州生まれの満州育ちだった。太平洋戦争の敗戦で、着のみ着のままで日本に帰って来た。いや、帰って来たというより現地を追い出された。他人事のようにその話を聞いていたものだが——私は去年の春から夏に掛けての一時期、引揚者の心境でいた。

ビザが切れたら日本に引き上げると決めてはいたので、一昨年のうちから少しずつ、DVDの類は福岡に持って帰っていた。それだけでも、かなりの量がある。が、最新のDVDはすべて向こうに置いたままだ。もはやバリに戻れないと判って以来、見る気もしなくて、持って帰ったDVDも本も積み上げたままだった。そうばかりは言ってられない。早急に原稿を書いてお金を作らないと、たちまち部屋代も払えなくなって、首を括るか夜逃げだ。

ようやく諦めも付いて来て、去年の秋口から、持って帰っていた資料の整理を始めた。それらを眺め、整理するうちに、「ああ、これを書いておかんとな」「これなら書けるな」と、ネタが色々と見えて来た。さらに今や、Netflix 等のネット配信でインドネシア映画の新作を見れるしようになって来ているようだし、三十年四十年前のカルト的な作品が YouTube にけっこうタダで転がっている。

インドネシアはデカくて多民族多宗教の土地、島ごとに文化も言語も違っているだけあって、コロナ禍の深刻さは日本以上。私がバリ島に戻れなくなったのと並行して、映画を巡る状況もストップしてしまっている。一年が経っているが、今から持っているネタをまとめても、遅くはない。この連載、インドネシアを離れた以上、いったん辞めるしかないと思っていた。もし許されるなら、別のテーマで新しい連載を始めさせてもらおうと。しかし、まだしばらく、持ちネタで書けそうだ。

これまで書き切れなかったこともあれば、まだ全く書いていないネタもある。最近の映画とは別に、例えば〈ホラー女王スザンナ〉みたいな、インドネシアのカルトなゲテモノ映画の話がまだまだある。

もうバリ島に住んでいなければど、仕切り直してまだ続けます、〈新・バリは映画の宝島〉ってことで。乞うご期待。

サイトで内容のサンプルを
ご覧いただけます。
www.a-third.com

好評発売中!!

発行＝アトリエサード 発売＝書苑新社

このうえなく美しき妖怪たち――
妖艶なるファム・ファタールから、
愛らしい少女まで、怪異や妖怪を
女性像で描く、九鬼匡規の初画集!!

九鬼匡規 画集
「あやしの繪姿」

A5判・カヴァー装・64頁・定価2000円(税別)

一夜限りで消えていく、
墨絵師と女神たちの共犯作。
180名余りの女性の肌に筆を走らせた
「肌絵ヌード」をまとめた豪華写真集!

東學 作品集
「東學肌絵図鑑 DRESS CODE」

A5判変型・576頁・定価15,000円(税別)

人気猫絵師・目羅健嗣の絵に
作家・冬木洋子が幻想的な詩を添えた
珠玉の詩画集。猫が棲まう、
安らかな夢幻の楽園に、ようこそ!

目羅健嗣(絵)・冬木洋子(詩)
「楽園のかけら～ねこの詩画集」

A5判・カヴァー装・64頁・定価2000円(税別)

1日目、イヴ・サンローランに蟻を描いた。
COVID-19の流行で渡仏が延期になり、
緊急事態宣言発令中の45日間、
家にこもって制作し続けた芸術の記録。

小川貴一郎
「監禁芸術 confinement art」

A5判・カヴァー装・128頁・定価2500円(税別)

時間と空間の旅を続ける写真家が
世界7都市で捉えた水の表層の
鮮やかさの瞬間。水面にゆらぐ裸体。
タイナカジュンペイ初の写真集!

タイナカジュンペイ 写真集
「Undine―ウンディーネ」

A4判変型・並製・32頁・定価2000円(税別)

古の女神を現代の少女に重ね合わる――
魔術的なエロスやタナトスと、
御伽のような叙情性が混交する
村田兼一写真集、第7弾!

村田兼一 写真集
「女神の棲家」

B5判・ハードカヴァー装・96頁・定価3200円(税別)

好評発売中!! 書店店頭で見つからない場合は、書店にご注文下さい(通信販売やインターネット書店もご利用下さい)。

よりぬき［中国語圏］映画日記

movie

小林美恵子

一人っ子政策をめぐって描かれる家族の「時間」と「空間」
——『在りし日の歌』『春江水暖』

前年中に日本公開された中国語圏映画作品を対象とする「金蟹賞」の二〇年の作品賞は六月に公開された『在りし日の歌』ということになった。八〇年代から現代にいたる、一組の夫婦をめぐる物語である。いっぽうの『春江水暖』は一九年東京フィルメックス審査員賞受賞作品。劇場公開が二一年二月となったため二〇年の金蟹賞の対象作品とはならなかったが、次年度には多分話題作として取り上げられるだろう傑作だと思う。

『在りし日の歌』が事件や人々を流れる時間の中でとらえているとすれば、『春江水暖』は富陽という町の空間の美しさの中に、ある一家を置いて、少し離れた位置から俯瞰的にとらえている。そういう意味ではカメラ視点が正反対であり、そこに在る人々の描き方も正反対でありながら、ともに中国現代の家族を描くという点で印象深い二本だった。

★在りし日の歌（二〇一九／監督＝王小帥）

八〇年代初め、北京の国営工場に勤める麗雲（詠梅）・耀軍（王景春）夫妻と、同僚で同じ公寓に住む海燕・英明夫妻には同年・同月・同日に男の子が生まれ、それぞれ星（シン）、浩（ハオ）と名付けられる。彼ら一家は互いの父母を義父母とするような親しい関係を結ぶ。

八六年、麗雲は再び妊娠するが、一人っ子政策の下、職場主任をしていた海燕は許さず人工中絶を強制し、その失敗から麗雲は二度と子どもを生めない体になってしまう。海燕の推薦により麗雲・耀軍夫妻は計画出産に協力した優良社員として表彰される。

小学生になったシンは、ハオに誘われ遊びに行った貯水池で溺れ死ぬ。海燕は息子を厳しく責めるがどうにもならない。九〇年代半ば、国営企業の経営悪化により大リストラが行われ、麗雲はかつて優良社員として表彰されたゆえに、国のため職場のためにと退職を強要される。麗雲・耀軍夫妻はこれを機に故郷を離れ、養護施設から引き取った子に亡くなった子と同じシンと名付けて育てることになる。

物語は時系列では描かれず時間が前後するが、概ねこのあたりまでが前半で、後半は思春期に達した養子シンと両親の不和、耀軍と彼がかつて工場で面倒を見、今も彼を慕う英明の妹茉莉との再会と、茉莉の突拍子もない申し出などが描かれ、やがて病に倒れ余命幾ばくもない中で再会を望む海燕に応えて麗雲・耀軍が北京に里帰りする。そして、成長して医師になり家庭も持つハオからのシンの死に関する告白と謝罪、さらに実は事の真相を耀軍が知っていて許した—それゆえ故郷を離れた—というような真相も明かされて、いわば映画のミステリアスなメロドラマ的構造が完成する。

ここでは外側から描かれる海燕の悩み以外には「一人っ子政策」の非人間性の告発がされるわけではなく、主人公夫妻は状況を受け容れその中で精一杯生きる庶民としてドラマティックに描かれる。その意味では大変質の高い娯楽作品的な要素も持った人情劇で、第六世代の、すでにベテランと言ってよい王小帥の腕の冴えを見ることができる。よく知られた「友誼地久天長（友情は天地のように永遠に）」から採られたという原題『地久天長』はまさにこの映画が「時間」を描く作品であることを示しているのだろう。

時が過ぎ状況が変化し、直面するさまざまな問題を乗り越えていくことにより映画は大団円を迎えるが、だからと言って問題はなくなったわけでも、批判されないわけでもない。

この映画には実は六人の子どもが登場する。溺れ死ぬ息子シン、罪の意識に苦しむハオ、中絶されてしまう麗雲の二人目の子、夫婦の養子になるシン、茉莉が妊娠する耀軍の子、そして最後の場面でアメリカに渡った茉莉の子として紹介される欧米系顔立ちの幼児サニーである。この中でハオと養子のシンを除いてはほとんど顔も行動も見えない子たちである。また名前さえもない、(多分)中絶された二人はいわば消費された一人っ子で、まさにこの政策の犠牲者だろうと思われる。となれば生きて成長する子たちも多かれ少なかれ一人っ子政策の影を背負っているわけで、そんなふうに画面にあまり現れない距離ある存在として描かれるこの子どもたちの訴えるものは存外大きくて、この映画の批評的な眼として社会批判の部分を背負っているように感じられる。

★春江水暖(二〇一九/監督=顧暁剛)

若い監督の長編第一作というこの作品、舞台は孫権や郁達夫の故郷でもある江南・富春。元代の水墨絵巻「富春山居図」(黄公望)のイメージで撮影されたという富春江沿いの景色・陽光である。古来の自然とそこに溶け込むような近代化の進む町がロングショットや長回しでゆったりと撮られた画面のえも言われぬ美しさに眼が喜びを感じる。

その街に暮らす一家、古希を迎えた母と四人の息子、その妻や子供たちという家族を描くが、彼ら人物の描き方も客観的で、節度のある距離感が感じられるところが面白い。

古希の祝いの席で軽い卒中発作を起こし認知症の診断を受ける母。長男夫婦はレストランを経営しているが資金繰りが苦しい。漁師の次男夫婦は自宅が街の開発で取り壊されることになり、自らは船上に住むことにして、立退料で結婚を控えた一人息子にマンションを買おうとする。その弟から仕入れた魚の代金を兄は払うこともできないでいる。独り親としてダウン症を持つ一九歳の息子を育てる三男も貧しい中で金策に苦しみ、いかさま賭博の胴元となって稼ぐが、警察に踏み込まれ捕らえられる。末息子は独身で、開発事業の中で家屋解体を仕事にしている。映画は長男・次男の母の介護に対する葛藤や、長男の一人娘の親の反対を押し切っての結婚などを軸に進むが、彼らの内面にまで踏み込むことはほとんどない。

キャストは一部を除いて監督自身の親族や知り合い、つまり素人が演じているとのことで、表情のアップシーンなどはほとんどなくロングショット中心で撮られている。ドキュメンタリーのような雰囲気でリアリティがあるのは、それぞれの人物が、実際の職業や境遇を生かすような設定をされ、実際の夫婦は夫婦役として、親子や恋人も一部はその関係のままの設定で出演していることにもよるのだろう。人物も事件も類型的で、どこにでもいそうな人々のありがちな物語とも言えそうだが、それだけにむしろ富春というこの街の点景として、普遍的な社会的存在として、あえてそういう描き方を選んだのだと納得できる。

この映画にも実は「一人っ子政策」が現れるが、それは四人兄弟の娘・息子がそれぞれ一人っ子で、親はそれゆえに子の結婚に過度に介入したり、あるいは過度?な援助をしたりという描かれ方である。しかもそれらは親世代が抱える介護や借金などの問題と同じ重みで客観的に描かれてもいる。このあたりは親世代のドラマとして描いた王小帥監督と、まさに一人っ子世代そのものである顧監督との視点の差異が現れているようでもある。

「第一部」として撮られ、三部作として計画されているそうだが、街の変化とともに変化しつつ普遍的でもある家族像は、第二部以後、同一キャストで違う家庭を撮ったら面白いのではないかと思わされる。そんな時間性も秘めた美しい空間作品である。

movie

中国語圏映画ファンが選ぶ 2020年〝金蟹賞〟は『在りし日の歌』に！

小谷公伯

2021年農暦正月である春節を迎えた2月13日、とある中華料理店ならず、新型コロナウイルス感染症（以下「感染症」と表記）蔓延による緊急事態宣言発令下のため、zoomのミーティングを利用しての2020年〝金蟹賞〟選考会が開催された。〝金蟹賞Tokyo Golden Crab Film Award〟とは、中国現代文学研究者で、名古屋外大教授である藤井省三氏を審査委員長として、社会人向け講座の受講生が中心となっている選考委員（以下「委員」と表記）が、映画批評を行うという趣旨で、初回の中華料理店で食べた蟹料理から〝金蟹賞〟と命名されたのが始まりである。受賞式が行われるわけではないので、いわば、映画ファンが勝手に選ぶ映画賞なのである。

選考の対象となるのは、日本国内の劇場および、映画祭で上映された中国語（地方方言を含む）が会話の中心となっている作品である。委員の中には、海外へ出かけて現地の劇場や映画祭で見たりすることも多いのだが、前記の通り、日本国内で上映されていないとその対象にならない。一方、国内映画祭上映後、翌年以降に劇場公開の場合は二度目の対象となり、過去に上映された作品が、特集またはリバイバル上映され、「私は初めて見て感動したので投票します」でも、不可としないのがユニークな点である。基本的に有料チケットを購入して見ているため、面白くないものや、お金をかけている割に出来の悪い作品に対して、忌憚無く発言する反面、個人賞などは、贔屓俳優へは若干甘い採点となるなど、見た人の思い入れ度が投票に反映されることもある。

2020年最も評価が高かった作品は？

投票は、例年だと、選考会会場での駆け込み投票が認められていたので、予測出来ない逆転劇も起きていたが、本年は前々日に一旦締め切りデータ入力し仮集計され、前日は追加、修正投票のみ受け付けた。

2020年の作品賞は、中国のワン・シャオシュアイ（王小帥）監督作品、『在りし日の歌』（地久天長）が選ばれた。2019年第69回ベルリン国際映画祭銀熊賞で、最優秀男優賞と最優秀女優賞をダブル獲得したヒューマンドラマ作品である。2020年劇場公開され、見た委員の多くの評価が高得点であった。

改革開放後、一人っ子政策が推進中の1980年代中国、ある地方都市の国有企業工場に勤める夫婦が主人公。ある日一人息子を事故で失い、深い悲しみを抱えた夫婦は、親しい友人夫婦とも別れ、住み慣れた場所から見知らぬ町へと移り住む。やがて時は流れ…というのが、ストーリーの骨格である。

審査員長から「改革・解放40年（但し、本作が描くのは近30年の時空ですが）の現代中国史を、二つの家族の子供たちの生と死を通じて描いており、胸が熱くなりました」、また委員からは、「皆必死に生きていた時代で、悪人は出てこない」、「お金持ちになったから子供を産んでいいのよ」の台詞に涙」のコメントが紹介された。

第2位に選ばれたのは、台湾作品『河豚』、本作はリー・チーユエン（李啟源）監督の2011年作品だが、日本では未公開だった。委員である一人が、監督ほか台湾側の権利保有者と交渉し、同じく委員の二人が翻訳、日本語字幕化で協力して、東京での自主上映を行ない、さらに劇場での特集上映へと繋がったものである。

台湾の都会でエレベーター・ガールをしている女性、恋人に裏切られ孤独感の中、恋人が飼っていた河豚をネット・オークションへ出品、落札した人へ届けるため、東部の田舎町に住む少年野球の監督をしている男性の家に行くが、彼もまた孤独だった。この二人の愛と喪失、再生の物語。

委員からは「登場人物がみな印象深く、監督の力量は並々ならぬ物があります」、「どの画面を切り取っても、みんな味がある作品」との、コメントが上がった。

第3位は、『少年の君』（少年的你）（※1）が選ばれた。作家玖月晞のオンライン小説「少年的你，如此美麗」の映画化作品。中国重慶市を舞台に、チョウ・ドンユィ（周冬雨）が演じる進学校でいじめを受けている内向的な優等生の少女と、喧嘩に巻き込まれて出会ったオートバイに乗る不良少年の二人が、複雑な家庭環境で、寂しい思いを抱えたお互いの孤独感を知るにつれて寄り添っていく姿を描いている。

「劇映画というより、ドキュメンタリーを見ているみたいでした。実際によくあることなんじゃないかって」、「中国の受験戦争の過酷さ、学校でのいじめを描きながら、少女と少年の青春ドラマとしても成り立っている」との、コメントが上がっている。

第4位は、同じく中国作品『薬の神じゃない』（我不是薬神）が選ばれた。陸勇事件（2014）と呼ばれる、ジェネリック薬の密輸事件を基にした作品である。シュー・ジェン（徐崢）演ずる上海で小さな薬局を営む男へ、ある日、慢性骨髄性白血病患者が、国内で販売されている治療薬が高価であるため、安価で成分が同じインド製ジェネリック薬を輸入して欲しいと依頼に来た。男は金に目がくらみ、依頼者や、同病の娘を持つ母親、中国語訛りの英語を操る牧師、不良少年も加わり、密輸、密売グループを形成するが、治療薬を販売している製薬会社と警察が捜査を進め、迫ってくるという物語である。

委員から、「社会問題をエンタメとしてキッチリと成立させている手腕にビックリ」、「情けない男からヒーローになっていく過程が巧みだ」との、コメントが上がった。

“2020年金蟹賞”各部門受賞一覧

作品賞 『在りし日の歌』（地久天長）
監督賞 リー・チーユエン（李啓源）『河豚』
※2011年作品だが、自主上映後、劇場での特集上映で対象に
銅蟹賞 『愛しの母国』（我和我的祖国）
主演女優賞 ヨン・メイ（詠梅）『在りし日の歌』
主演男優賞 シュー・ジェン（徐崢）『薬の神じゃない』
助演女優賞 レジーナ・ワン（万茜）『鵞鳥湖の夜』
※『兎たちの暴走』（兎子暴力）でも投票あり
優秀イケメン賞 ジョーダン・チャン（陳小春）『ゴールデンジョブ』（黄金兄弟）
新人賞 オードリー・デュオ（烏蘭托雅・朵）『陰謀の渦』
特別賞 新人監督特別賞：王晶（長片デビュー作『不止不休』）
特別功労賞（終身成就奨）：ウー・ポンフォン（呉朋奉）
（たくさんの台湾映画で楽しませてくれました）
ロケ地特別賞：重慶直轄市での撮影に対して『少年の君』

◉作品賞の上位五作品と票点数

第1位 『在りし日の歌』（地久天長）70点 劇場公開作品
第2位 『河豚』55点 劇場特集上映作品
第3位 『少年の君』（少年的你）48点 劇場公開作品
第4位 『薬の神じゃない！』（我不是薬神）41点 劇場公開作品
第5位 『淪落の人』（淪落人）38点 劇場公開作品
『鵞鳥湖の夜』（南方車站的聚会）38点 劇場公開作品

第5位には同点で、香港作品『淪落の人』（淪落人）、中国作品『鵞鳥湖の夜』（南方車站的聚会）が選ばれた。

『淪落の人』は、2019年第14回大阪アジアン映画祭で上映後、2020年に劇場公開されての再対象となった。アンソニー・ウォン（黄秋生）演ずる、半身不随となり人生を放棄しかけている男と、家族のために夢を諦めかけているフィリピンからの女性家政婦が主人公で、広東語を話せない彼女にいら立ちながら、誠実な彼女を徐々に信頼を寄せていく中、写真家の夢を知り…と、いうストーリーである。

委員から、「文句なしの傑作」、「とてもシンプルな作りの作品ですが、とても感動しました」との、コメントが上がっている。

一方、『鵞鳥湖の夜』は、ディアオ・イーナン（刁亦男）監督のノワール・サスペンス作品。中国南部の都市で、発展から取り残された場所の鵞鳥湖周辺が舞台。刑務所を出所し、古巣のオートバイ窃盗団に復帰した男が、ギャングたちの縄張り争いに巻き込まれ、逃走中に警官を射殺し指名手配され、自身に懸けられた報奨金を妻子へ残すべく画策。妻の代理でやって来た娼婦と行動を共にしながら、袋小路へ追い詰められていく様子を描いている。

審査委員長から、「10年前の武漢郊外を舞台にして、黒社会の抗争を描いた傑作サスペンス」との、コメントが発表されている。

第7位には、『THE CROSSING～香港と大陸をまたぐ少女』（過春天）が選ばれた。本作は、香港生まれの父と中国大陸出身の母を持ち、母親とともに深圳に住み、香港の高校へ通う16歳の少女が主人公。友人と北海道への旅行を夢見るのだ

が、ある日スマートフォンの密輸グループに巻き込まれ、簡単に稼げると知り、手を染めるようになるという物語。

委員から、「厳しい香港情勢の中で、深圳に住みながらチェックポイントを越えて香港へ通学し、その両地をルーツに持つ存在という〝新しい視点〟を、大陸出身の若い女性監督が描くという、多様的な視点に目を開かれた感じがしました」、「親友、両親、経済、制度の境界を行き来することで表す、寄る辺ない孤独感や不安がひしひしと伝わってくる」との、コメントがあった。

第8位には、『フェアウェル』(The Farewell)(※2)が選ばれた。中国で生まれ米国で育ったルル・ワン(Lulu Wang)監督が自身の体験に基づき、祖国を離れて海外で暮らしていた親戚一同が、余命わずかな祖母のために帰郷し、それぞれが祖母のためを思い、時にぶつかり、励まし合いながら過ごす日々を描いたファミリー・ドラマである。

「マイノリティや移民問題を明るく描いた監督の手腕に感心しました」、「ニューヨーク・インディーズのスタイルで描かれた中国が、こんなに魅力的とは!」との、コメントが上がっている。

第9位は、ウイルソン・イップ(葉偉信)監督、ドニー・イェン(甄子丹)主演のイップ・マン・シリーズ4作目である、『イップ・マン完結』(葉問4 完結篇)が選ばれた。

妻と死別したあと、1964年サンフランシスコへ出かけたイップ・マンは、弟子ブルース・リーと再会し、太極拳の達人との対立を経ていく中で、異国の地で生きる華人の厳しい現実を知る。そんな中、チャイナタウンと、中国武術を評価しない白人軍曹の所属する海兵隊との争いで、病気に侵されているのを自覚しながら、誇りをかけた最後の戦いに挑む物語である。

「今さら4は要らんだろうと思いましたが、老武道家の悲壮を描く傑作でした!」とのコメントが紹介された。

第10位は、2020年東京国際映画祭で上映された台湾作品、『弱くて強い女たち』(孤味)が選ばれている。本作は、2020年台湾〝金馬賞〟(※3)で、〝全民阿嬤〟(国民のおばあちゃん)と称されているチェン・シュウファン(陳淑芳)が最優秀主演女優賞を受賞している。

屋台を切り盛りしながら、三人の娘を育て上げた母親の70歳の誕生祝いの席で、家を出たまま音信不通だった父が亡くなったという知らせが届く。遺された娘と母たちが、葬儀を準備し、挙行していくなかで、自分たちの知らない父の暮らしを知るというストーリーで、シュー・チェンチェ(許承傑)監督の長編デビュー作品。ビビアン・スー(徐若瑄)がエグゼグティブ・プロデューサーを務め、二女役で出演している。

委員から、「2020年の金馬賞は、主演のチェン・シューファンの年でした。昔の台湾だとこういう女性がいたと思わせる家族ドラマですが、台南へ行きたいと感じさせてくれる作品」、「出演者全員がめちゃめちゃいい芝居をしているので、チェン・シューファンだけに評価が集まるのは残念な気もするのですけど」との講評が紹介された。

銅蟹(どうかにー?)賞は!

金蟹賞のラズベリー賞と言える〝銅蟹賞〟は、『愛しの母国』(我和我的祖國)が選ばれた。本作は、2019年中華人民共和国建国70周年を記念すべく制作されたオムニバス作品で、1949年10月1日北京での成立宣言式典における国旗掲揚担当者の奮闘ぶりや、1964年の核実験成功の裏側で奮闘する人々等、七つの中国での歴史的瞬間を取り上げている。

チェン・カイコー(陳凱歌)が総監督として、クワン・フー(管虎)、チャン・イーバイ(張一白)、シュー・ジェンなどの映画界第一線で活躍している面々が、監督として各エピソードを演出している。

投票者から、「中国現代史を編年体のオムニバスで描くと、どうしても空白時間が出てしまう。それを隠しながら、〝俺の国、こんなに凄いのだぞ〟という映画を作ってしまうのですね」、「一連の新型主旋律映画(かつての〝様板戯〟スタイル(※4)ではなく、現代的な手法を取り入れた宣伝映画といえようか?)の中で、上海的な工夫をしている作品。核実験成功のエピソードなどは、日本での劇場上映いいのか?という感じでした。そこそこ出来が良いだけに一層銅蟹(どうかにー)?」と、コメントが上がっている。

監督賞ほか個人賞は!

まずは〝監督賞〟から。同票を集めた『在りし日の歌』のワン・シャオシュアイとの決戦投票を経て、『河豚』が公開されてのリー・チーユエンが選ばれた。同監督作品『盗命師』も公開された年であった。投票した委員から、「今年は図らずも旧作2本が特集上映され、あらためて作家性を確認しました」とのコメントが上がっている。

主演女優賞は、『在りし日の歌』のヨン・メイ（詠梅）が、『少年の君』のチョウ・ドンユィを1票差で逃げ切り、選ばれた。委員からは、「素晴らしかった。夫を演じたワン・ジンチュン（王景春）がけっこう演技する人なので、無口、無表情な彼女とのコントラストが見事でした」、「夫婦の幸不幸を言葉少ないが、全身で表現している」とのコメントが上がった。

主演男優賞は、『薬の神じゃない』のシュー・ジェンが抜き出た得票で選ばれている。「前半のダメ男から後半の世のため人のために、一肌脱ぐ覚悟を決めた人物への変化が見事」とのコメントが委員から上がった。

助演女優賞は、『鵞鳥湖の夜』のレジーナ・ワン（万茜）が、『兎たちの暴走』でも得票があり、9作品10人の女優に得票が割れるという激戦の中、選ばれた。

助演男優賞も、7作品8人に投票が割れた中で、『薬の神じゃない』でのワン・チェンジュン（王伝君）、『鵞鳥湖の夜』のリャオ・ファン（廖凡）との決戦投票を経て、『陰謀の渦』のオウ・ハオ（欧豪）が選ばれている。

ユニークな賞〝優秀イケメン賞〟と〝新人賞〟、〝特別賞〟

カッコイイ・イケメン俳優を発見し、紹介する委員のコメントから発展し制定され、二枚目男性俳優だけでなく、男装した女性俳優も対象となるユニークな賞である。2020年の優秀イケメン賞は、1990年代の香港作品『欲望の街 古惑仔』シリーズのメイン・キャスト5人が再結集して製作された、『ゴールデンジョブ』（黄金兄弟）のジョーダン・チャン（陳小春）が選ばれた。「イーキン（陳伊健）ファンの私ですが、久々に小春を見て、改めてカッコ良さに痺れました。浮浪者に身を窶してボロボロの恰好をしている時もどこかお洒落。全然ハンサムではないのに、全身から滲むセンスの良さは隠せない」とのコメントがあった。

新人賞には、2020東京・中国映画週間で上映された、『陰謀の渦』（鋌而走険）での子役オードリー・デュオ（烏蘭托雅・朵）が選ばれている。委員から、「『陰謀の渦』で誘拐されたり、『香山の春1949』（決勝時刻）で毛主席の娘だったりと、出演していました。将来が楽しみです」との、コメントが上がった。

そのほか、委員の推薦による特別賞として、ワン・ジン（王晶）監督へ長片デビュー作『不止不休』（2020年東京フィルメックス映画祭で上映）での新人監督賞を、2020年5月に急逝したウー・ポンフォン（呉朋奉）へ特別功労賞（終身成就奨）を、『少年の君』重慶直轄市での撮影に対してロケ地特別賞が承認された。

2020年〝金鵞賞〟は、感染症蔓延下の緊急事態宣言が解除されていた時期に公開された『在りし日の歌』が、作品賞、主演女優賞のダブル受賞で選考を終えたのであった。

2020年の中国語圏映画を振り返る

2020の中国語圏映画を振り返ってみよう。別表「2020年中国本土・香港、台湾における興行収入ベスト5」を併せて参照されたい。

最初に、中国本土の興行収入統計を探ってみる。例年参考にしていたウェブでの複数の統計データで順位、興収が一致していないため、新浪網新浪看点での国家広電総局発表に基づく「2020年度中国電影市場数据報告」を参考にした。

中国本土では、1月23日から7月20日まで劇場での上映が停止され、春節や労働節の連休時期に上映される話題作が軒並み上映延期となり、上半期はこれといったヒット作が見られない。

上映再開後の8月21日公開の『八佰』が、31・07億人民元（以下「元」と表記）の収入を上げ、2020年の興行収入1位となっている。本作は、中華人民共和国建国70周年記念作として、2019年6月の上海国際映画祭のオープニング上映作と発表され、同年7月5日から劇場公開の予定であった。しかし、映画祭直前になって突然上映中止が発表された。製作

費が800万米ドル相当と称されていながら、「技術的な問題」を事由にしての不可解な中止だった。検閲制度による指示により、一部を撮り直し、再編集を指示されたのか？ 開幕作品に国民党軍の話でクレームが付いたのか？ 真実は不明である。

本作は、第二次上海事変での〝四行倉庫の戦い〟(※5)と呼ばれ、中国国民党の守備隊〝八百壮士〟(別名〝四行孤軍〟)が日本軍と繰り広げる激戦を描いている。戦闘シーンだけでなく、20万㎡のオープンセットに200mの蘇州河を作り上げて、当時の風景を再現しているのも話題となった。監督はクワン・フーである。作品的には、『八百壮士』1938年のリメイクと言える。

中国国民であれば、多くの人が知っている戦いであり、政府の動員作戦の効果もあるが、劇場での映画上映が再開されてからの話題作とあって、多くの観客が足を運んでと推測する。2021年3月大阪アジアン映画祭で上映され、日本での劇場公開も予定されている。

2位が、10月1日の国慶節に公開された、『愛しの故郷(ふるさと)』(我和我的家郷)28・29億元であった。建国70周年記念作品の主旋律作品と呼ばれる『愛しの母国』(我和我的祖国)(2019)の姉妹作といえる作品で、東、西、南、北、中部の五つの地域から舞台を選び、それぞれの故郷への思いを綴るオムニバス作品である。中国を代表する監督の一人であるチャン・イーモウ(張芸謀)が製作総指揮し、商業作品監督として実績のあるニン・ハオ(寧浩)(総監督も兼務)、シュー・ジェン、チェン・スーチェン(陳思誠)ほかを起用し、コメディ的な演出効果で娯楽作品として楽しめる内容になっており、工夫された主旋律作品と言ったら過言であろうか。

3位は、同じく国慶節に公開されたアニメーション作品『姜子牙』11・22億元で、公開初日にいきなり3・42億元を叩き出し、2019年作品『ナタ～魔童降臨～』(哪吒之魔童降世)の初日興行収入を超えたことから、記録更新となるのではないかと、期待されたが、最終的には超えることは出来なかった。『ナタ～魔童降世～』と同様の中国神話を題材とした封神シリーズ第二弾と言える作品だが、日本では太公望として知られる伝説の軍師姜子牙を題材にして、内容が少し大人向けとなっていることが影響しているのではないかとのウェブでの映画評がみられた。

4位が10月23日公開の朝鮮戦争70周年作品で中国参戦を描く戦争ドラマ、『金剛川』11・15億元で、戦争停戦間近の頃の金剛川に架かる橋で、米軍の空爆を何度も爆破されながらも、橋を修復し、前線に部隊を送るべく、中国軍志願兵が奮闘するというストーリー。視点が異なる4つのパートに分かれている。驚くのが、撮影に手間のかかる戦争題材でありながら、クランクインしてから約2か月間でクランクアップ、後期製作も約1か月という非常に短い期間で公開されている。中国では本戦争を〝抗美援朝〟の4文字で表現するが、近年の米国との関係を反映しての対米主旋律作品と呼べるかもしれない。

5位は、香港との合作作品で、ピーター・チャン監督、コンリー(鞏俐)が主演し、中国バレーボール女子代表チーム監督を演じた『中国女子バレー』(奪冠)8・36億元、6位に香港との合作作品が入り、アンディ・ラウ(劉徳華)、ラウ・チンワン(劉青雲)が主演し、香港警察の爆弾物処理班を描く、『SHOCK WAVE ショックウェイブ 爆弾処理班』(折弾専家)2017年のシリーズ2作目『折弾専家2』12・12億元であった。以降、10位まで全てが中国本土あるいは香港との合作作品である。

劇場での上映停止期間や、『ムーラン』を始めとしたハリウッドの話題作公開延期の影響を受け、外国作品は、11位に漸くクリストファー・ノーラン監督『TENET テネット』(中国題：信条)がランク・インしている。1999年以来、年々興収記録を更新して来たが、2020年は前年を大きく下回り、前年比マイナス68・23％という数字であった。

次に香港の状況を確認してみた。

「2020年香港電影市道整體情況」による興行収入1位は、『TENET テネット』5千491万香港元(以下、「港元」と表記)だったが、近年外国作品のみがランク・インする中で、2位に香港作品『乜代宗師』2千946万港元が入っている。黄子華監督による自身の監督・主演作品『一蚊雞保鏢』2002年から、18年ぶりの長編監督・主演、自ら資金を投入しての作品で、通りがかりの女性にノックアウトされて、評判ガタ落ちのカンフーの達人が再起し、名誉を挽回していくというコメディ作品である。

第3位は、日本のアニメーション作品『鬼滅の刃 劇場版 無限列車篇』2千859万港元、4位に韓国作品『白頭山火山浩劫』(原題：白頭山)、5位に『新感染半島 ファイナルステージ』(屍殺半島と、外国作品のみがランク・インという状況から一変した年となった。劇場での上映停止期間と、ハリウッド話題作の多くが公開延期となったことが影響しているのであろう。

2020年中国本土・香港・台湾における興行収入ベスト5

興収額　中国本土＝人民元　香港＝香港元　台湾＝新台湾元

項目		1位	2位	3位	4位	5位	特記作品
中国本土	全公開作品	八佰 （八佰） 31.07億	愛しの故郷 （我和我的家郷） 28.29億	（姜子牙） 16.03億	（金剛川） 11.22億	中国女子バレー （奪冠） 8.36億	（折弾専家 2） 6.02億
	中国作品	八佰 （八佰） 31.07億	愛しの故郷 （我和我的家郷） 28.29億	（姜子牙） 16.03億	（金剛川） 11.22億	中国女子バレー （奪冠） 8.36億	ムーラン （花木蘭） 2.78億
香港	全公開作品	TENET テネット （TENET） 0.5491億	（乜代宗師） 0.2946億	鬼滅の刃 劇場版 無限列車 （鬼滅之刃 劇場版 無限列車篇） 0.2858億	（白頭山 火山浩却） 0.1863億	新感染半島 ファイナルステージ （屍殺半島） 0.1650億	
	香港作品	（乜代宗師） 0.2946億	（幻愛） 0.1526億	（家有囍事2020） 0.1191億	ファーストフード店の住人たち （麥路人） 0.0827億	（死因無可疑） 0.0788億	燃えよデブゴン TOKYO MISSION （肥龍過江（2020）） 0.0564億
台湾	全公開作品	鬼滅の刃 劇場版 無限列車 （鬼滅之刃 劇場版 無限列車篇） 6.2639億	新感染半島 ファイナルステージ （屍速列車：感染半島） 3.5635億	TENET テネット （TENET） 3.4984億	ワンダーウーマン 1984 （神力女超人 1984） 2.4909億	弱くて強い女たち （狐味） 1.9060億	
	台湾作品	弱くて強い女たち （狐味） 1.9060億	君の心に刻んだ名前 （刻在你心底名字） 1.0338億	（可不以, 你也剛好喜歡我） 0.7924億	（馗降：粽邪2） 0.7214億	（女鬼橋） 0.5812億	無聲 （無聲） 0.5005億

邦題がある場合は邦題(含映画祭上映作品)で表記し、括弧書きにて現地公開題を表記。邦題無しまたは不明の場合は現地公開題のみで表記
中国、香港、台湾での中国文公開題が異なる場合、現地公開題で表記
中国本土：新浪網2021年2月8日付の新浪看点での国家広電総局発表に基づく「2020年度中国電影市場数据報告」より作成
香港：香港電影業協會及香港戲院商會の下部組織である香港票房有限公司の2020年香港電影市道整體状況データから作成
台湾：国家電影及視聴文化中心 全国電影票房統計から集計の2020年台湾電影列表データから作成

このほか香港作品は、7位に、キウイ・チャン（周冠威）監督がセシリア・チョイ（蔡思韵）をヒロインにしてのラブストーリー『幻愛』1千526万港元、ベストテン圏外で春節事期に上映される賀歳片『家有囍事2020』1千191万港元、2019年東京国際映画祭アジアの未来部門で上映された、アーロン・コック（郭富城）、ミリアム・ヨン（楊千嬅）主演のヒューマン・ドラマ作品『ファーストフード店の住人たち』（麥路人）827万港元、ユエン・キムワイ（袁劍偉）監督、カリーナ・ラム（林嘉欣）主演の保険金詐欺を題材にした『死因無可疑問』779万港元、『我的笱盤男友』632万港元、また、スタントマンからアクション監督を経て来た谷垣健治監督のドニー・イェン（甄子丹）主演のアクション・コメディ作品『燃えよデブゴン TOKYO MISSION』が564万港元となっている。

香港地区全興行収入は、2019年比マイナス72・08%、公開本数は2018年の329本から218本へと減少、香港作品（本土との合作を含む）は、同49本から34本へと減少し、惨憺たる状況であった。3月28日から3回にわたって計163日上映停止なったことが大きな要因であろう。

その影響は、興行の企業活動にも及び、2021年3月8日、香港大手興行グループの一つであるUA戯院が香港での劇場営業を突然中止した。1985年九龍半島沙田の新城市廣場にシネマ・コンプレックスを導入した劇場〝UA6〟を開設してから拡大し、百老匯院線（ブロードウエイ・シネマ）、洲立影藝が運営するMCL戯院（MCL Cinema）、新興のCinema Cityとともに香港シネコン四天王と呼称されていた。

海を越えて、台湾へ目を向けてみよう。国家電影中心で発表している台湾全域での興行成績から集計のWikipedia「2020年台湾電影列表」を参考にして探ってみた。

興収第1位だったのは、『鬼滅の刃 劇場版 無限列車篇』であった。日本での公開から約二週間後の10月28日に特別先行上映、30日から正式公開後、順調に動員し、2021年春でも上映が続き6・264億台湾元（以下、「台元」と表記）を

記録している。さらに更新している可能性がある。

2位が、『新感染半島 ファイナルステージ』3・563億台元、3位に『TENET テネット』3・498億台元、4位に『ワンダーウーマン1984』2・491億台元と、外国作品が占めている。

華語作品では5位に、本年の金蟹賞作品賞10位の、『弱くて強い女たち』1・906億台元が、台湾作品興収トップとなった。さらに、米国作品3作を挟んで9位に、『君の心に刻んだ名前』(刻在你心底的名字)1・034億台元。本作は、2020年大阪アジアン映画祭で上映され、出演シーンがラスト部分なのにも関わらず、審査員や観客への印象が大きかったレオン・ダイ(戴立忍)は、薬師真珠賞』を受賞している。

このほか、農暦の七夕情人節(※6)時期に合わせて公開され、片思い切なさを描いた『可不可以,你也剛好喜歡我』0・792億台元、ホラー作品『粽邪』2018年のヒットを受けてのシリーズ2作目の『馗降:粽邪2』0・721億元、同じくホラー作品の『女鬼橋』0・581億元の順となっている。

各国が劇場上映を停止する中、感染対策の成果により、劇場公開への影響は軽傷だと思われるのだが、外国作品の公開、配給延期による影響は大きく、年間興行収入は、前年比マイナス49・38%の51・59億台元となった。しかしながら、台湾作品は、短編を含む71作の公開、8・77億台元で、前年比24・92%増となっている。ハリウッド大型作品の公開が延期され、夏季後半からの農暦七夕情人節、中秋節、双十節等の稼ぎ時に、台湾話題作への観客誘導が上手くいったことがプラスになっているのではないかと、推測する。

2020年の金馬賞は、2018年同賞受賞式での政治的発言を発端とする、中国映画界の2019年金馬賞に続けての不参加(※7)で開催されたが、『弱くて強い女たち』、『1秒先の彼女』(消失的情人節)、『同級生マイナス』(同學麥娜絲)、『親愛的房客』などの台湾作品が各賞にノミネートされて話題となり、チェン・シューファンの主演、助演女優賞W受賞で盛り上がり、乗り切ったのであった。

昨年も文面では、シンガポールやマレーシアの華語作品上映状況にも触れてきたが、ウェブでの検索で、例年参考としている2020年度の統計記事が見当たらず、英文表記データーを探ってみた。シンガポールでは、米国作品としての『ムーラン』がベストテン2位だが、華語作品となると、ジャッキー・チェン(成龍)主演の中国作品『急先鋒』(※8)が9月に公開されベスト・テン7位のみで、興収上位に見当たらない。

マレーシアでも同様に、『ムーラン』がベストテン4位、華語作品では、『急先鋒』の11位を確認。やはり、感染症対策の影響で、春節時期等の稼ぎ時に話題作を上映出来なかったことや、2019年の『イップ・マン4 完結編』のような、東アジア、東南アジアでの華人社会を中心に広く観客を集めた作品が無かったことが要因なのかもしれない。

2020年は、感染症対策の影響を大きく受けた華語作品だが、2021年中国では、1年の公開延期を経て春節時期に公開された、チェン・スーチェン監督の唐人街探案シリーズ、『僕はチャイナタウンの名探偵3』(唐人街探案3)が大ヒットしている。本作は、第二作で出演した妻夫木聡が再度出演し、東京を舞台にしているので、日本で公開も近いだろう。

また、2020年台北電影節でワールド・プレミア上映された『親愛的房客』は、チェン・ヨウチェ(鄭有傑)監督が、日本での配給が決まっていないうちに日本語字幕版予告編を製作していたり、同じく台北電影節で上映された『1秒先の彼女』は6月公開予定であり、2021年大阪アジアン映画祭では、ワン・イーファン(王逸帆)監督のゾンビ映画『逃出立法院』が上映され話題となるなど、このように、日本での公開が決定、あるいは期待されている作品も多い。2021年も多くの華語作品が日本でも見られることを期待しながら、PCのスイッチを切ることにする。

(※1)『少年の君』の邦題で2021年7月公開予定。
(※2)米国作品だが中国語での台詞が会話の中心となっている。
(※3)1962年に創設された台湾の映画賞。当初は中国共産党影響下でない地域の作品が対象であったが、その後中国作品も対象となった。
(※4)"様板戲"とは、中国共産党を称揚するストーリーを、伝統的な京劇やバレエなどの表現方法を用いて表現した革命劇。模範劇とも言う。
(※5)1937年10月27日～31日にかけて中国国民党軍第88部隊が上海共同租界地の境界の位置にある蘇州河北岸の四行倉庫に立て籠もった戦闘。
(※6)台湾ではバレンタインデーが年2回あり、農暦七夕もバレンタインデー(情人節)と呼ばれる。
(※7)"中華人民共和國國家電影局抵制第56屆金馬獎事件"と呼ばれている。
(※8)『プロジェクトV』(仮題)の邦題で2021年公開予定。

小谷公伯:"金蟹賞"選考委員。会社勤めの傍ら海外へ出かけた際は、現地の劇場で映画を梯子見し、時には都市部で上映が終了した作品を見に、ローカルバスに乗って郊外の映画館まで出かけたり、ロケ地巡りをするアジア映画迷。

SCIENCE FICTION

岡和田晃

山野浩一とその時代(15)

『未来をつくる製鉄所』というテクノロジカル・ランドスケープ

『未来をつくる製作所』上映の実現まで

山野浩一が『Note du Cinema』と題する手書きノートに記した、一九六〇年代前半に製作参加した『Δデルタ』以外の（企業PR）映画二作、『鋼管に生きる』（一九六二）と『未来を作る製鉄所』（一九六三）。後者の現物を鑑賞することができた。山野がこれらの作品に関わったことが判明する過程については、本連載の前回を参照されたい。後者の正式タイトルが『未来をつくる製作所』であることもわかったのだが、その経緯を、以下にまとめておきたい。

まず、『鋼管に生きる』をスポンサーの丸一鋼管、『未来をつくる製鉄所』をJFEスチールに問い合わせたところ、丸一鋼管からは回答があり、「社内で確認をいたしましたがあいにく記録等ご提供できる情報が残っておりませんでした」とのことだった。

そこで、本誌の常連寄稿者でもあり、近著の『活動弁士の映画史 映画伝来からデジタルまで』（アルタープレス、二〇一九）が好評を博している高槻真樹に相談したところ、高槻の紹介で、神戸映画資料館の安井喜雄、および国立映画アーカイブの入江良郎に、これら二本のフィルムが残存していないかを調査してもらうことができた。

神戸映画資料館には、『デルタ』のニュープリント版が所蔵されており、二〇一七年五月に、高槻と私は、翻訳家の増田まもるとSF評論家の横道仁志を同伴し、現物を上映してもらったことがある。本連載で『デルタ』を繰り返し取り上げているが、この時に観た現物の完成度が非常に高く、文化史的に重要な作品と判断したからにほかならない。

この際、安井には、『青の門』という映画も山野さんが関わっているのでは」という示唆をもらったが、生前の山野に確認したところ、「『青の門』については記憶がありません。おそらく、後の世代の作品ではないでしょうか。でも当然ながら影響は受けていそうですね」という回答があった。『青の門』についての調査はそのままストップしているが、山野が関わった（ないし、山野からの影響を受けた）作品は他にもあるのは間違いなく、他日を期して調査をしたいところである。

今回も安井からは、全国フィルム所有施設検索データベースを検索して、青森県総合社会教育センターに16ミリフィルム版の収蔵があると引っ掛かったこと、またPR映画年鑑にも情報があることを教えてもらった。

また、高槻が入江に依頼をしてくれたのは、岩波映画（岩波映画製作所）が一九九八年に倒産した後、フィルムマスターは国立映画アーカイブに寄贈された可能性が高いと睨んだからだ。入江からの回答は高槻の推測を裏打ちするものだったが、寄贈された映画の実運用は、記録映画保存センターがしているとの由。そこで、記録映画保存センターの村山英世に連絡してみたところ、「35ミリのネガフィルム原盤があるのは確認できましたが、上映可能な状態にするためにはデジタル化が必要で、それには概算で一〇万円以上の費用がかかってしまうことが見込まれます」との話だった。

村山からの提案を受け、青森県総合社会教育センターに連絡して事情を説明すると、育成研修課主事の八幡亜都の理解を得られた。16ミリの映写装置も同センターにあるにはあるが、実際に上映ができる状態かは不明。そこで、青森県総合社会教育センターへ視聴覚教材の利用申込みの手続きを行い、16ミリフィルムを岡和田のもとへ調査・研究目的で遠隔貸し出しとして郵送してもらった。

これを記録映画保存センターに持参し、同センターの設備を使って、村山に上映してもらうことで、『未来をつくる製作所』の上映が実現したのである。現地では、卒業論文として「山野浩一論――SF・文学・思想の観点から」を仕上げ、二〇一九年度の芸術学部奨励賞を受賞した前田龍之祐も同席して視聴した。映画は年月が経過していたわりには保存状態も良好で――全体的に褪色はあれども――当時の光景がそのままの形で、確かに記録されているのを確認できた。

『PR映画年鑑』での紹介

吉原順平『日本短編映像史――文化映画・教育映画・産業映画』(岩波書店、二〇一一)では、「PR映画」は、製作者にとって発注者企画の「委託作品」であるが、発注者がそこに自ら発の情報の域を超えた高い普遍的価値を期待することも少なくない。製作者たちも、多くの場合、発注者の期待を超えた高い普遍性・公共性の実現を目指して、その仕事を広告宣伝から区別しようとした。短編映画業界の旗印が映画館の国策「文化映画」から教室や公民館の「教育映画」へと変わった戦後の状況下で、「教育」はPRの名のもとでも実現可能な手近な公共的利用のかたちであり、媒体価値の向上を願う製作者が「PR映画」に「教育映画」としての役割を期待し、「教育映画」としての評価を尊ぶようになったのは自然な成り行きであった」と、その位置づけの変遷がまとめられ、主な発注者である産業界も同じ期待をもっていたと論じられている。

PR映画のデータを、同一フォーマットで収集・記録し、一般向けにも刊行された唯一の資料は、『PR映画年鑑』(日本証券投資協会)で、一九五九年版から六七年版まで刊行された。とりわけPR映画に教育効果が期待されるようになった一九六八年版から七〇年版までは、『産業文化映画年鑑』(証券投資センター)と名前を変えている。青森にあった『未来をつくる製鉄所』は、一九六九年に、川崎製鉄から青森県産業教育フィルムライブラリーに寄贈されたものだったが、これはまさしくPR映画が「教育」としての価値が模索された時期に該当する。それでは『PR映画年鑑』では、山野が参加した映画がどう記録されているのかを確認してみよう。

一九六三年版の丸一鋼管の項目では、『鋼管に生きる』は、「昭和三七年七月完成、カラー、16ミリ、31分、関西映画」との情報が記されていた。スチール写真に添えられた解説には、「この映画は近代化された鋼管製造工程や、技術研究部門の実態を通して鋼管一すじに生きる当社の全貌をあます所なくとらえ、併せて、生活と産業に広く貢献する新しい鋼管の役割を興味深く描く」とある。

『PR映画年鑑』の一九六四年版には、川崎製鉄の項目があり、「昭和三八年一一月完成、カラー、ワイド、三巻、35ミリ、16ミリ、32分、岩波映画」との情報が記されていた。スチール写真に添えられていた解説には、「現代の社会では鉄の消費量がその国の文化水準を示すといわれる。いたる所で、いろんな形で、鉄は私たちの生活のなかに生き、凡ゆる社会活動に大きく役立っている。この大切な鉄をつくる千葉製鉄所は、世界のトップレベルをいく合理化された巨大な設備を駆使して、良質なしかも廉価な鉄製品の生産にたゆまぬ努力を続けている。この意欲はやがて私たちの豊かな、そして楽しい未来への発展を約束する」と記されていた。また、別の頁には、同作が第二回日本産業映画コンクール奨励賞を受けたとあった。今でも、他の賞と並んで記録映画作品での受賞歴として記述されることが多い、栄誉ある賞である。

PR映画の内容と社会的背景

『未来をつくる製鉄所』の冒頭五分ほどを、詳しく確認してみよう。激しく炎が吹き上がるなか、「未来をつくる製鉄所」の力強い題字が浮かび上がる。それから製鉄所の鉄鋼が様々な角度から映し出され、ハイテンポな音楽とともに「現代の文明はすべて鉄によって支えられている。この大切な鉄を作る製鉄所、巨大な千葉製鉄所。面積三三〇万平方メートルの広大な敷地に、鉄鉱石から厚板、薄板など、各種の鉄鋼製品を一貫して作り出す設備が整然と並んでいる」とのナレーションが始まり、カメラが引いて、製鉄所の全貌が映し出される。

鳴り響く汽笛にかぶさり、「質のよい製品を大量に造り出すというテーマに従って、その製鉄所の設備はすべてが大型化され、合理化されて、世界の最高水準を行くものである」と、自信に満ちた台詞に、五万トン級の大型鉱石船が、遠い外国の鉱山から鉄鉱石を運んでくる模様が解説される。次々と船がやって来て、海に面した製鉄所に、一日五万トンもの荷揚げが行われていくのだ。

荷揚げされた鉱石がコンベアーで運ばれ、粒を揃えられて、ノンストップで一五〇〇℃の溶鉱炉へ投じられる。一五〇〇トン二基、一〇〇〇トン二基と、四つの溶鉱炉が映し出される。原料の鉄鉱石、石灰石、そしてコークスが交互に挿入されていく。

次いで、計器室へとシーンは切り替わる。わずかな人員で、熱風がもうもうと舞い上がる溶鉱炉が、常時コントロールされている様子が描き出されるわけだ。ここで初めて、人の顔が画面に入り込んでくる……つまり、映画の大部分は、部外者はふだん見ることができない、製鉄所内部の風景、そして技術面での詳細な記録と解説なのである。抒情的な人間ドラマとは真逆の構成だ。

けれども、まったく退屈ということはない。「鉄血政策」、「殖産興業」……近代の国民国家を支える原理は、工業化と密接に関わっていた。戦後も、それは変わらないとわかるからである。PR映画は短編で、「エンタメ」作品ではないため、単独のロードショーとしてヒットを飛ばす類いのものではなく、むしろ劇映画の穴埋めに使われていたものであったが、それでも、TVが普及していない時代においては、重要な映像での記録・宣伝手段であった。

近年では、馬渕浩一・今尚之・昌子住江「映像史料分析による戦後日本のダム建設技術革新研究の可能性―1950～60年代を中心に―」(「特定領域研究「日本の技術革新―経験蓄積と知識基盤化―」第3回国際シンポジウム研究発表会　論文集」、二〇〇七)のように、技術史的な関心からPR映画を分析した研究も発表されている。ここではダムを扱ったPR映画が論じられているが、岩波映画の『佐久間ダム』シリーズ(一九五四～五八)は、第九回毎日映画コンクールで教育文化映画賞を獲得、映画館で上映され、二五〇万人とも三百万人とも言われる観客を集めたPR映画の代表作である。

『未来をつくる製鉄所』を監督した伊勢長之助は、『建設の凱歌　佐久間ダム完成篇』(一九五七)等に関わり、戦前から記録映画の編集者として知られたベテランで、『未来をつくる製鉄所』と同じ川崎製鉄千葉製鉄所を扱う『新しい製鉄所』(一九五九)の編集が高く評価された。「朝日新聞」一九六四年九月五日朝刊には、伊勢のインタビューが掲載、そこでは「作品を生かすも殺すも編集ひとつ」なのに、日本ではそのことが認識されておらず、「フランスのヌーベル・バーグ派あたりでは、監督の名前と同時に、編集者のアンリ・コルピの仕事などが高く評価されているのですが……」という嘆きが紹介されていた。ここでヌーベル・バーグが出てくるところに、山野浩二の影響をどうしても感じてしまう。

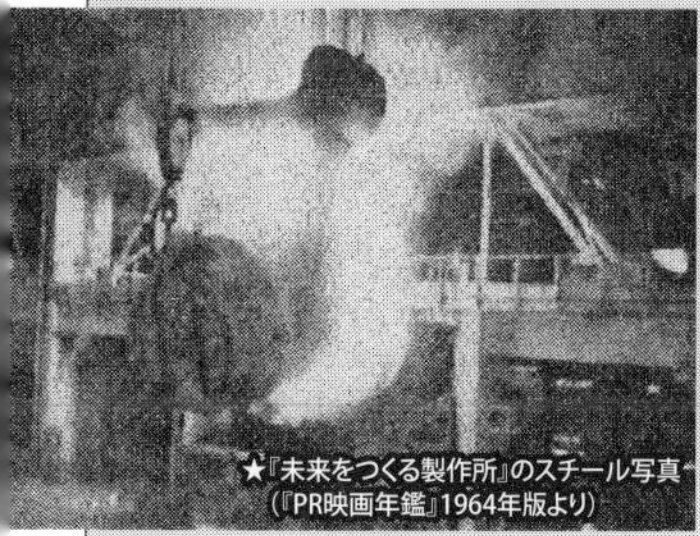

★『未来をつくる製作所』のスチール写真（『PR映画年鑑』1964年版より）

★『鋼管に生きる』のスチール写真（『PR映画年鑑』1963年版より）

村山英世の推理によれば、『未来をつくる製鉄所』は一九六三年二月に公開されたということは、同年夏頃から撮影に入っていたものと思われる。東名高速道路ができるのは一九六八年なので、撮影スタッフは泊まり込んでいた可能性が高い。前当時の撮影スタッフは五〇人規模で、徒弟制の時代だったので、二〇代前半の山野は、今のTV番組製作でいうAD(アシスタントディレクター)のような雑用全般を担ったのではなかろうか、と村山は述べた。

私は、こうした仕事で、山野が伊勢の編集センスを学び、同時に、SF作家として必要不可欠な、科学技術への批判的な視座をも培う大きな契機となったと判断している。というのも、瀬尾華子「PR映画に描かれる原子力―1950年代末葉から1960年代の「平和利用」「科学技術」「近代化」」(「社会情報学」第四巻三号、二〇一六)で論じられているように、原子力の「平和利用」を強調するといった、科学技術についてのプロパガンダの現場、そのものであったからだ(山野が関わった映画のスポンサーは電力会社でこそないが、そうした「空気」は間違いなくあったろう)。高度経済成長期、PR映画の製作現場において、山野はJ・G・バラードの言う「テクノロジカル・ランドスケープ」そのものの渦中に、身を投じていたのである。

笠井叡のエネルギーはどこから生じているのだろうか。『桜の樹の下には　笠井叡を踊る』（吉祥寺シアター、二月四日）は、笠井が、日本を代表するコンテンポラリーダンサーの男五人を振り付け、自らも踊った作品だ。ダンサーは、森山未來、島地保武、辻本知彦、柳本雅寛、大植真太郎。

　島地と辻本は、金森穣率いるNoismの初期ダンサーとして活躍。辻本は、ローラン・プティの『ピンクフロイド・バレエ』（二〇〇四年）に出演、二〇〇七年からシルクドソレイユに参加した。そして現在、振付家として、米津玄師のPV、浅田真央のCF、さらに菅原小春とともに振り付けたNHKの『パプリカ』などで有名だ。島地は、バレエダンサー酒井はなと結婚し、彼女を振り付け、能楽師津村禮次郎との創作などで活躍している。

　森山未來は、いうまでもなく俳優として知られているが、両親がダンススクールを営み、子どものころからダンスを学び、現在は、ダンサーとしての活動に主体を置いている。大植は、ローザンヌコンクールで受賞し欧州で活躍し、日本でもダンスファンには広く知

DANCE

ダンス評［2021年1月〜3月］

志賀信夫

蝶の羽ばたきは世界を変えるか

笠井叡、森山未來、島地保武、辻本知彦、柳本雅寛、大植真太郎、川本裕子、東雲舞踏

られている。

　その大植を中心に、柳本と平原慎太郎はC／Oカンパニーを結成、それによる「談ス」企画では、森山、大植、平原のユニット、さらに辻本も踊っており、彼らはコンテンポラリーダンス界の優れた「仲間」のダンサーたちだ。

　ダンサーたちは黒い衣装で登場し、思い思いのポーズで床に板付きになると、白塗り白ドレスで女装した笠井叡が登場し、一段高くなったホリゾント奥の空間に入っていく。奥の院の姫だ。その男たちが舞台で震え、痙攣すると、黒い床に奥で踊る笠井の姿が映し出され、彼らはその床の上で暴れる。

　「笠井叡を踊る」のはそれだけではない。男たちは、笠井から振り付けられた笠井の振り、動きをそれぞれが多用しながら、暴れるように踊るのだ。

　当初は無音かごく小さい音楽やノイズのなか、床の映像が消え、光が入ると、それぞれが独特の歪んだ動きを続ける。笠井の与えた野放図な動きの踊りに、それぞれの踊りが混ざり、踊りの花が開く。すると、いつの間にか姿を消していた森山未來が、白いドレスを引きずって登場。スポットが当たると、いきなり演歌、藤圭子の『命預けます』（一九七〇年）が流れる。ど演歌とその情景のコントラストが衝撃を与え、女装の森山が一人踊り、やがて男たちとも踊っていく。

　奥にいた笠井も前に出て混ざり、混沌がさらに加速、ビートの利いた音楽が高めていく。やがて森山も男たちも去り、笠井が残ると、再び登場する男たちは裸身にフンドシ、背中に刺青模様。三島由紀夫の世界だ。女性となって裸の男たちに挟まれる笠井叡は、当然、死を選ぶしかない。梶井基次郎『櫻の樹の下には』に着想したこの舞台に、死体は必須なのだ。

　一人が刀を持って登場するが、三島のように切腹には至らずに、裸身の男たちに囲まれて、白い女装の笠井は宙に浮いていく。土方巽が、『肉体の叛乱』（一九六八年）で、四方から引っ張られて宙に浮いたイメージが重なる。そのメインタイトルは「土方巽と日本人」だった。笠井も同様に、作品に自分の名前を入れたのだ。

　この舞台を笠井叡は「ポスト舞踏派」と名うった。笠井が振り付けたダンサーは数知れない。だが、今回は、そういうつながりがあまりない第一級のダ

ンサーたちを起用し、あえて彼らのテクニックを封じ、とことん「笠井舞踏」を踊らせた。そうやって、現在の舞踏に波風を立てる。そんな刺激的かつ魅力的な舞台だった。

川本裕子は、二〇一七年に和栗由紀夫が亡くなってからも果敢に作品を発表し続けている。和栗が設立した「東雲舞踏」は川本ら女性三人中心の舞踏団だったが、現在、川本が一人で舞踏家、音楽家、美術家などとともに、プロジェクト公演を行っている。川本の作品を見続けてきたが、驚いたのは、二〇一九年の『Quiet House』である。両国のシアターカイに大量の石が落ちてくるこの舞台は、舞踏が持つエネルギーを改めて感じさせ、また海外のダンサーとのコラボレーションにありがちな遠慮がなかった。

そして、今回の『Butterfly Effect』（北千住ブイ、三月一三日）は、コロナによる海外からの映像出演を生かした公演で、「東雲舞踏 Asia Butoh Tree Team Asia」と題している。それがプロジェクションマッピングによる映像も含めて、リモートでしっかり身体のリアルを感じさせたのでさらに驚いた。

★『Butterfly Effect』photo：大洞博靖

日本の舞台で踊るのは原田拓巳、加藤みのり、大迫健司、生駒元輝と川本。それぞれが得意とするダンス、パフォーマンスを提示しているのだが、舞台装置と演出によって一つにまとまり、闇の中に浮かび上がった。そこには、タイのLadda Kongdah、Sarut Komalittipong、Ariya Theprangsimankul、インドネシアのAvant Garde Dewa Gugat、Hamidun Syaputra、マレーシアのLeow Hui Min、Lee Choy Wan、香港のTomas Tes Ka Ho、東城真己、その他仲間たちが映像で参加した。

この北千住のＢＵＯＹ（ブイ）は、古いビルの地下浴場跡を活用したスペース。コンクリートや配管などがむき出しで廃墟を感じさせる。四角い大きな柱があり、広いホリゾントの壁、横の壁と柱などに、海外で踊るダンサーたちが、分かれて映し出される。劇場と異なり、壁と柱に映る彼らは、闇の中、生で踊るダンサーと一体になる。さらに柱の一つが移動。フェイクの壁で中に人が入り、それを移動し、舞台に生かす。大きい木のテーブルもその機能を越えて、舞台が構成される。

上手奥に床から突き出したホース。衣装を脱いだ全裸の川本がそこから流れる水と踊る。床に水たまりをつくり、川本の身体が際立つ。映像のダンサーたちも身体のリアルをしっかり生み出し、暗黒舞踏ともいえる豊かなイメージを生み出した。

タイトルの「バタフライ効果」は、気象学者ローレンツの「ブラジルの1匹の蝶の羽ばたきはテキサスで竜巻を引き起こすか?」という言葉に基づき、小さなことが次々に波及し、遠くで大きな影響を与えることだ。つまり「風が吹けば桶屋がトランプになる」ことか。力学上でカオスを解明する理論で、予測不可能性、それがバタフライ効果だ。

舞踏公演は、ほとんどが百人以下の会場で数回、観客数はわずか。だが、川本は、ワークショップや公演を通じて海外の多くの人とつながってきた。だから、この小さな試みが大きく世界を変える、予測不可能なことが起こる、そういう舞踏を生み出そうと考えているのではないか。

笠井が、別ジャンルのダンサーたちに舞踏的な動き、身体を強いることで、ネオ舞踏を追求し、川本は、アジアのダンサーたちと、新たな暗黒舞踏を生み出そうとする。どちらの舞台も、今後の舞踏に新たな一石を投じており、この二つのすばらしい舞台を体験できたことは、本当に大きな収穫だった。

「コミック・アニメ・ゲーム」×ステージ評
ポーの一族、ナナマルサンバツほか

高浩美

3月21日、緊急事態宣言が解除されたが、公演そのものはやれるものの、いつ陽性者が出るかわからない状況で、座席も満杯にできず、2・5次元舞台だけでなく全ての舞台関係、ライブ関係が相変わらず苦戦を強いられている。その中で配信が大きく伸びてきている。コロナ前は映画館でのライブビューイングが伸びていたが、劇場に観客を集めるという点ではリアルと何ら変わりはない。そうでなく、自宅のPCやスマホで手軽に観劇できるよう、リアルタイムのほか見逃し配信での視聴でもOKにしたり、またアングルを変えることができたり、VRも活用するなど多様な楽しみ方を提供している。また、2・5次元ではないが、作品にワインがキーとして登場する作品「サイドウェイ」ではワイン付き視聴券を販売、これが好評と聞く。劇場でワイン片手に、は無理だが、自宅のPCの前でワイン片手に視聴はできるし、好みのつまみまで用意できる。コロナ前では考えられなかった鑑賞法だ。

★ミュージカル・ゴシック「ポーの一族」
写真：岸隆子（Studio Elenish）

人気作家・萩尾望都の傑作「ポーの一族」を原作としたミュージカル・ゴシック『ポーの一族』は、もちろんリアルで劇場でも観劇できたが、配信も実施。しかもよくある配信ではなく、〝エドガー アングルバージョン〟、〝アラン アングルバージョン〟の2通り選べるという趣向。つまり違った景色が観られるということ。もし2通り視聴し、リアルでも観劇すれば、かなり立体的に作品を捉えることができるはず。そういった意味合いにおいては、全く新しい観劇方法といえるであろう。主演・エドガーに明日海りお、アラン役は千葉雄大。

★舞台「ナナマル サンバツ THE QUIZ STAGE O」
©『ナナマル サンバツ THE QUIZ STAGE』製作委員会2021

また人気シリーズ「ナナマルサンバツ」の舞台化は、今回は物語を二重にするという趣向。つまり、コミックに沿ったストーリーと、そのストーリーに間接的に絡むオリジナルストーリーが交互に出てくる。SQUARE全国大会に出場することになった越山識たち。それを現在とするなら、オリジナルストーリーは過去。舞台セットのほか、カレンダーやキャラクターのファッションでもそのことがわかる。そして、その接点は思わぬところに。そこが憎い構成で、クイズに賭ける熱い思いが時空を超える。部活ものはスポーツが定番であるが、体育会系でないと動きが少ない分、工夫が必要になってくる。ボタンを押すアクション、そして後半に必ず登場する人気企画〝クイズガチ対決〟。毎回、真剣勝負なので、勝敗は無論、毎回異なり、スポーツものの2・5次元よりある意味、迫力がある。脚本・演出はヨーロッパ企画の大歳倫弘。

また、それ以外の舞台では、殺陣の多い作品はコロナ禍においては上演しづらいところもあるが、感染症対策を行い、年明けには、もはや定番中の定番、舞台『刀剣乱舞』やミュージカル『刀剣乱舞』も無事に幕が開いた。そして3月に入り、多くのタイトルが開幕、ミュージカル「黒執事」～寄宿学校の秘密～、『陽だまりの樹』、舞台『錦田警部は泥棒がお好き』などが上演。観客に対してはマスク着用の義務化はもちろん、前列はフェイスシールド（全ての席というケースも）、劇場入口には除菌マット、アルコールスプレーもいたるところに置かれている。コロナ前のような、キャストが通路を走ったり芝居したり、という演出はなくなってしまったが、それがなくても十分に楽しめる配慮をしており、先に書いたが、配信も定番化している。

今後の注目作品は、TVアニメ「スケートリーディング☆スターズ」の舞台化『LIVE STAGE「スケートリーディング☆スターズ」』。脚本・演出は舞台『宇宙戦艦ティラミス』などを手がけたクリエイター米山和仁で、3月末にアニメが終了したばかりでの舞台化発表。公演は10月、しかもスケートを舞台上でどう表現するのかが気になるところ。また、昨年『新サクラ大戦』が舞台化され、今年、ライブも開催されたが、そこで舞台化第二弾の発表もあった。ライブは秋、公演は冬の予定。そしてこの4月から放送のアニメ「MARS RED」が早くも6月にロック・ミュージカル化上演される。放送前から発表され、上演もアニメ放送期間中ということになる。もともとは藤沢文翁の音楽朗読劇から端を発したもので、2019年には唐々煙によりコミカライズ化されたもの。その後のアニメ化、舞台化ということで純粋なアニメ・コミック・ゲームの舞台化ではないが、今後、こういった企画モノは増えていくと思われる。企画モノといえば4月に上演される「青山オペレッタ」も、ゼロから立ち上げた2次元×3次元メディアミックス演劇コンテンツと銘打っており、早くも10月に第2弾の上演が決まっている。

CULTURE

『地下音楽への招待』の著者、剛田武主宰の「盤魔殿レーベル」から、故・近藤等則スタジオにて録音した、ケロッピー前田の最新音源リリース

ケロッピー前田

コロナ禍は続くよ、どこまでも！ 最初の緊急事態宣言からもう1年以上が経とうというのに、パンデミックが日常になったとはいえ、もう元には戻れないということばかりが否が応でもにも強制されていく。

もう疲れたよ、という人も多かろう。それでも、こういうときこそ、個々人の創作意欲が試されるとも言える。

筆者にとっては、執筆活動にしろ写真作品の制作にしろ、すべては創作活動であるが、こと音楽に関しては、表現するということ以上に、「自分の感覚をチューニングする」という役割が大きい。

そんな意味で、筆者が日常から好んで演奏しているのがオーストラリア、アボリジニの民族楽器ディジュリドゥである。

ご存知の方も多いだろうが、この楽器は基本的にただの長い筒状のもので、本物はユーカリの木をシロアリに食わせ、なかを空洞にしたものである。普通に吹くとブオーッと一音階の音出るだけだが、循環呼吸という奏法で途切れなく音を出し続けることで、独特な倍音を作り出し、演奏者にとっても瞑想的な効果を生む。メロディを奏でることは難しいが、風や森の音、動物の鳴き声など自然音を模倣することには長けている。

筆者が愛用するディジュリドゥは、プラスティック製でディジュリボーンと言われる音程を変えたり、チューニングができる現代的なものである。ユーカリ製のものに比べて、楽器自体が軽く、気温による楽器の鳴りの変化も少ないので重宝している。

オーストラリアのアボリジニについては、前号のメルボルン取材でも書いているが、ドリームタイムといって、夢の世界を大切にする彼らは、前の晩に見た夢をディジュリドゥを使って再現して、皆と共有するという。筆者にとっても、ディジュリドゥを演奏するのは、自分の瞑想のためであるとともに、いまの自分の気分を皆と共有する手段である。

さて、筆者にとって、もうひとつ重要な楽器に様々な電子音を作り出すためのシンセサイザーがある。ちょっと個人的な話になるが、筆者が小型シンセサイザーを操作することを、ディジュリドゥ同様に精神的な浄化の手段とするようになったのは、数年前に父を病気で亡くしたのち、その遺品整理のために家主不在の住居に通わなくてはならなくなったのがきっかけだった。ネットで見つけて購入した小型シンセを亡き父の住居に置いておくことで、遺品整理のたびに、電子音を出してしばしの時間を過ごすようになっていた時期があったのである。

ディジュリドゥによる夢の再現、電子音を通じての霊界との交信、その二つの演奏手段は、すでに1年以上となったコロナ禍での筆者のプライベートな生活を支えてくれた。

今年になって、そんな筆者に予期せぬレコーディングのチャンスが巡ってきた。日本における地下音楽の異端DJイベント「盤魔殿」との関わりは長いが、主宰の剛田武からコロナ禍で新たに始動した「盤魔殿レーベル」から新規音源リリースのオファーをいただいたのだ。

盤魔殿とは、『地下音楽への招待』（ロフトブックス）の著者にして、地下音楽家でもある剛田武と、『フリンジ・カルチャー』（水声社）を著し、天井桟敷、劇画漫画家から刺青師に転身した梵天太郎などの資料収集や再評価に貢献してきた宇田川岳夫が中心となって始まった音楽コレクティブを母体とするイベントである。パンデミック以降、客入れイベントの開催が難しい時期には、SoundCloudを通じて、「盤魔殿 Disque Daemonium」から音楽配信を続けており、そちらのクラウドにも筆者の音源を提供している。

ここでさらにもうひとつの出来事が

★ケロッピー前田×剛田武
『Electric Tjurunga（エレクトリック・チューリンガ）』
ライブレコーディング＠近藤音体研究所
Les Disques Du Daemonium　CD-R:盤魔-003

★盤魔殿レーベル・コンピレーション
『盤魔殿 Flashback』
Disque Daemonium Live Archives 2019-2020
Les Disques Du Daemonium　CD-R:盤魔-004
収録アーティスト / 楽曲
DJ Necronomicon＋Rie Fukuda、鬼籍、UH（内田静男、橋本孝之）＋剛田武、ケロッピー前田、持田保、Marc Lowe、モリモトアリオミ、Floating Brothers（バンギ・アブドゥル＋小松成彰）、DJ Necronomicon＋橋本孝之、Risaripa、Lower Than God

★ケロッピー前田と剛田武＠近藤音体研究所

筆者を突き動かすことになる。それは、昨年10月、エレクトリック・トランペット奏者として、即興演奏（フリーインプロヴィゼーション）を極めた近藤等則氏が逝去されたことである。筆者はあくまで近藤氏のファンの一人であり、個人的なかかわりはなかったが、1990年当時、ディジュリドゥを入手した筆者が知る日本でその楽器を演奏できる人物として訪ねたのは、近藤氏の盟友・土取利行氏であった。また、筆者は1987年、大学3年生の夏休み丸々一ヶ月間、NYに短期留学しているが、そのことも近藤氏がNY修行を経て世界的なミュージシャンへと転身していったことに大きく影響されていた。近藤氏の逝去は、そんな筆者自身の過去の記憶を呼び起こしていた。

SNSで近藤等則氏のプライベートスタジオ「近藤音体研究所」の貸し出しが始まるという知らせを見つけたとき、筆者のなかではすでにエレクトリックなサウンドが鳴り始めていた。今回、筆者のディジュリドゥも専用マイクを取り付け、電気的に自由に加工できる仕様となった。

2021年4月にリリースとなった剛田とのデュオ・アルバム『エレクトリック・チューリンガ』は、プリミティブでエレクトリックな演奏で「近藤等則氏＝チューリンガ（死者の肉体）」との霊的交信を試みた電気的な儀式であった。

近藤氏を筆頭に、音楽を通じて学んだカウンター精神は、現在も多岐にわたる筆者の活動の根幹を支えている。今回の音源リリースを支援してくれた皆さんに感謝したい。

同時リリースで、盤魔殿レーベルのコンピレーション『盤魔殿 Flashback』も発表されている。ぜひともこの機会に、筆者の音楽関連の活動についてもご興味を持ってもらえれば嬉しい。

※試聴＆購入：盤魔殿レーベル bandcamp https://lesdisquesdudaemonium.bandcamp.com/

LOMBROSO

チェーザレ・ロンブローゾの思想とその系譜〈40〉

「天才は狂気なり」という学説を唱え犯罪人類学を創始した奇矯な精神病理学者

村上裕徳

カンパネッラ

　ロンブローゾが次に取り上げるのは、この著作で何度も触れられる、聖職者で哲学者の、ユートピア小説『太陽の都』などの邦訳された著作もあるトマソ・カンパネッラ（一五六八～一六三九）である。

※辻潤の表記では「カンパネラ」で、これは一般にも多用されるが、辞書表記でより正確な表記を使用した。

　ロンブローゾは次のように語り始める。

（前項目で触れた）コーラ・ディ・リエンツォ（の病理）が近世の精神病学によって解明されるまで、歴史家にとって、それ（その病理）が不可思議な問題だったように、カンパネッラも少なからず、歴史家の頭を悩ませてきた。カンパネッラはカラブリア（イタリア南部の州。この地域は過去に、以前「三位一体」の所で記した「フィオーレのヨアキム」〈連載三六回参照〉が生まれており、カンパネッラは多大な思想的影響を受け、終末論的歴史観であるヨアキム主義の信奉者だった。このヨアキム主義による「三位一体」解釈は、法王庁から異端思想と考えられていた）のきわめて辺鄙な田舎に生まれた乞食坊主だった。それでいながらスペインとローマ法王の権力に抵抗して、自分から「帝王」を名乗り「半神」であるかのように威張り散らした。そして矛盾だらけの行為をして自分の利益や名声を挙げることばかりやって「狂いまわった」末に、忽然と死んでしまった（誤読防止に、カンパネッラは七一歳まで生きた、当時としては長命で、しかも、死因は狂死ではない。また野垂れ死にではなく、修道院での安楽な死だった）。

　バルダチノ（不詳）、スパヴェンタ（一九世紀のナポリ・ヘーゲル派の異才として知られるベルトランド・スパヴェンタ〈一八一七～一八八三〉を指すか?）、フィロレンチノ（不詳）、それからアマビレ（不詳）などの古典的著作が出た後に、カルロ・フハレチ（不詳）による研究が出版された。それで初めて「問題の解決」（特異な精神病理の解明の糸口を指す）に到達するようになって、従来の伝説や歴史的偏見によって汚されてきた、この「奇妙なメダルの錆」（精神病理が解明できなかったための不可思議さを指す）が初めて落とされたのである。

　フハレチは（次のように）言っている。

「カンパネッラは非常に不格好な頭蓋を持っていた。デコボコが七つほど頭上にあった。――彼自身は、それを丘だと言っていた――そして敏感な神経に加え、精密な知力と興奮しやすい〈情緒〉とが、そこには潜んでいたのだ」

　ロンブローゾは続けて言う。

　彼の受けた神秘的教育は、やがて自然の仕事を完成したのである（「自然に宗教的人格を形成した」という意味か?　あるいは、後に語られる「自然法」と宗教の調和のことか?）。一四歳でドミニカの修道院に入った。彼は終始、現実世界から遊離して生活した。それから、カラブリアの学校で八年を過ごし、その間に教師や学生と様々な議論を戦わした。それから、そこを去ってコセンザ（カラブリア州の都市）からナポリに移った。（しかし）彼は、そこで幸福を得ることはできなかった。そこへ着くと間もなく（彼は）破門のこと（カトリックに禁圧されることへの恐れか?）を口にした。彼は、すぐに誣告されて（宗教裁判のために）入獄することになった。それからローマ（そこにバチカンの法王庁がある）に護送され、そこ（法王庁）での取り調べで有罪宣告を受けた。出獄してからの彼はパジュア（イタリア北部ヴェネト州の都市パドヴァ padova のことか?）に行こうと思った。その（旅の）途中で自作の草稿を奪われた。パジュアに着いて三日目に、またもや彼はドミニコ会（カトリックの一派）の宗門長に暴行を加えたために罪になった。そして、再度入獄して裁判を受けた。しかし（精神病者と解されたために?）許されて放免になり、（その結果）辻説法を始めた。すると彼がとなえている説が、またしても（宗教上の）法に触れて獄中の人となった。彼は、わずか二六歳で三年の獄中生活をしたのである。

カンパネッラの神秘主義と預言

　ロンブローゾは続けて言う。

　カンパネッラは二十歳の時にコセンザ僧院（カラブリア地方のコセンツァに

あるサン・ドメニコ教会に隣接するドメニコ派修道院を指す）でアブラモという人と知り合い、その人から魔法を伝授された。（そして）彼はいつか（自分が）王になると預言し始めた。これが、そもそも無謀で奔放な想像によるものだった。一五九七年に彼は占星術を研究し、多くの数学者と占星学者、あるいは終末が近づいてきたことを信じる高僧などと話をした。（そして）彼らの議論や意見に「激越」して（「激しく感化されて」ほどの意味か？）、彼は預言の研究に没頭した。それ（預言の典拠を指すか？）を聖書に求め、教父に求め、古代の原始的詩人に求めた。新しきシオンの白衣の長老や、白馬の象徴（おそらく、この映像は夢のお告げであろう）にドミニコ尊者（ドミニコ会の創始者「グスマンの聖ドミニコ」〈一一七〇〜一二二一〉のこと）の「兄弟たち」（信条を共有する同胞という意味だろう）らしきものを見た。（彼の理想とする）神政共和国の預言はドミニコ派の双肩に懸かっていると確信してから、彼のステイロ（イタリア語の「STILO」は円柱、胸像、ペン先などの男性的シンボルを表すが、同義のスタイルとして様式や流儀などとも解される）に「退いた」（元が悪訳のため、意訳すれば、ドミニコ派への期待から、カンパネッラの流儀——つまり自然法を、妥協してドミニコ派に沿わせたという意味か？）。当時の政治と社会における騒乱は、カンパネッラにとって明らかな（来るべき時代の）前兆だった。こうした事から、地震や飢饉や洪水や彗星（の出現——主に凶兆である）などの異変を伴った預言が（カンパネッラに）完成され始めた。（来るべき聖年の）一六〇〇年は疑いもなく大変革と革命の到来を示す凶年だった。カンパネッラは至る所で（その）預言を宣伝した。そして神政共和国の基礎を整えた。この預言は、当時の憐れむべきカラブリア（イタリア南部ブーツの爪先部分の州。イタリアが統一されるまでカラブリアはスペインに統治されていた）の状況に、よく当てはまるので、反乱の導火線として極めて有効だった。多少でも復讐心を感じている者は、誰もが彼の預言を喜んで聞いた。激しく興奮している人々の耳にはカンパネッラの言葉が、まるで革命宣言のように響いたのである。

★チェーザレ・ロンブローゾ

カンパネッラに扇動された リナルディの反乱

ロンブローゾは続けて言う。

暴徒の首領マウルジオ・ディ・リナルディ（不詳）は、それ（革命宣言であること）を確信し、その他の暴徒たちも、その見解に従ったのである。ルナルディにとって最初は宗教改革などということは、少しも考えていなかった。黙示録の「七つの封印」（終末の災害や飢饉などの段階的有様が描かれる）にどういう意義があるか——ということも知らなかった。とにかく自分たちには武力が必要と考えた。そのうえで、反乱軍の武器や言説をもってしてもスペインに対抗するのは、とうてい不可能と信じたので、彼は（スペインと仲の悪い）トルコの援軍を求めた。彼は真の謀反人であると同時に、スペインの足枷を脱して（支配下にあった）カラブリアの自由を獲得した真の殉教者だった。（反乱が失敗して敗退した後）この動乱に参加した重要人物の中で、自分から反逆者であると名乗ったのは彼だけであった。他の者は自分の無罪を主張したばかりでなく、反乱であったことさえも否定しようとした。

太陽の都

ロンブローゾは続けて言う。

旧大陸は新大陸の発見によって活気に沸きたち、ヨーロッパは続く戦争によって混乱を極めた。（こうした中で）カンパネッラは、（何と頂点に）法王と彼（カンパネッラ）を戴く世界的（神政）王国を夢想した（ここからユートピア小説「太陽の都」の内容に入る。本文では何の章題や注書きもなく、段落なしに書き続けられているが、以下は小説内容の紹介である）。

彼は万民が共通の教育を受けることが出来る太陽都市と称するユートピア

を建設しようとした。すべての太陽市民は互いに兄弟姉妹と呼び合い、都市に建造される山上の「天父」の子供でなければならない。彼らはすべてが私心なく相互に愛し合う生活を送らなければならない。（こうして）市民は相互に安らかなる幸福を願い、僧侶の指導の下に愉快な生活を過ごすことが出来る。教育の普及は、（そのことで）知識を尊重する源となり、そこに「高貴なる」智恵の競争が生まれてくる。（こうして）太陽市民は学問芸術に対して驚くべき進歩を遂げる。彼らは帆や櫂を持たずとも海を航海する船を有し、風力で自由に回転する車を有している。また彼らは空中飛行の技術を持ち、新星を発見する機械を発明する。彼らは世界（地球?）が一つの巨大な生命体であり、その上に我々が生存することを知っている。海洋は、その生命体から生ずる汗に他ならない。また彼らは、すべての星座が動いていることを知っている。彼らは絶えず神を称え、血を流さない「犠牲」（聖書の殺された山羊などの殺生を前提とする供犠ではなく、穀物や諸科学による生産物を指す）を供える。しかし、太陽や星座（そのもの）に対しては（神を表す象徴にすぎないので）崇拝をしないのである。

ロンブローゾは続けて言う。

すべて、こうした純朴と幸福と繁栄といったことは、第一に教育普及と共産主義に起因するが、すべての行政官が僧侶であることが大きな原因である。「霊肉」を司る総理はホク「hoch」でポム「pom」とシム「sim」とモル「mor」がそれを補佐する。ポムは軍事いっさいを統括し、シムは芸術、工業、教育などを統括し、モルは生殖と子供の教育を統括している。彼（モルを指す）は健全な子孫が生まれることを計画し、理想的結婚法案を制定し、強く健康でない者は結婚を許可されない。薄弱なるものは受胎が確かめられたのち、地上のヴィーナスに犠牲にすることを許されている（地母神に死児を供犠として地面に埋めることが許される——つまり優生学的な、堕胎や産後の未熟児の密殺が許されている、という意味か?）。

太陽都市は好んで戦争をするようなことはしない。しかし、絶対に戦争を拒むというのではない。もし太陽市民が戦争に立ち上がる時は、何物も、それに立ち向かうことが出来ない（ほど彼らは強い）。彼らは（めったなことで戦争はしないが）国家と「自然法」と正義と宗教のために戦うのである。

太陽都市の幸福と安寧秩序は、物品、婦人、快楽、知識——の共有（太陽都市では性生活までも、今でいう草食系男子には肉食系女子というようなカップリングが、義務付けられて管理され、その優生学に従った記録がとられている）、健全なる出産と生殖、僧侶政治、純朴な宗教を基礎として作られている。カンパネッラはカラブリアに太陽都市の雛形を（現実のものとして）建設しようと企てた。異端に対する彼の見解を見ても、彼が、よく人間の本性（カンパネッラは、これを自然法に即して考えた）と調和するように宗教を改善しようと努力したかが、痕跡として窺える。彼が僧侶による政府の設立を計画していたことは、彼の告白で明らかである。彼は、その（政治）機能を全世界に及ぼすために、カラブリアの王になろうとしたことはナウデル（不詳）の確認しているところである。彼は夢想による太陽都市と同一の共和国の建設が（現実に）可能と信じていた。この小さき神政共和国つまり太陽都市の（君主である）ホクは従って哲学者でなければならない。そのため彼（カンパネッラ）自身より他には無い。万国の民衆は「新しきシオン」の市民（太陽市の市民を指す）に享受される幸福を見て、（それを真似た）新しき律法を採用するであろう。こうして（彼の論法によれば）カンパネッラは世界の王者となり指導者になることが出来るのである。

ロンブローゾによる批判も含めたカンパネッラ論

ロンブローゾは続けて言う。

あらゆる古くからの風俗、習慣、制度、律法、伝説を破壊し、既成の政府を転覆し、一撃の下に根本から社会改造を可能と信じるのは「狂人」ばかりである。しかし、もしも彼の社会改造の思想が、かの世界の終末を宣言した預言者のように、深い根底を持つ「自然」のなせる業ならば、その狂気は幾分少なく理解されなければならない。彼の文章を見ると彼の狂気を証明する稚拙な文章を発見する。もし常人なら、そんな目立つようなことは書かない。そして（常人なら）当時の偏見と（妥協して）調和したであろう。しかし彼は、習俗と化した神学を破壊し、その「ratio」（割合——辻潤の訳では「比」）を吟味した（破壊した後の改正案の改善された効果の割合を確かめた——という意味か?）。また彼は、近世国家を一瞥した印象を基に、最も自由にして著しい改革を実行しようとしたのである。

「法律とは公安のために書かれ、そして宣伝された万民の約束である」

「法律は平等を確立しなければならない」

「法律は人民が愛と恐れをもって服従することのできるものでなければならない」

「重税は必要品ではない贅沢品に課せられるべきで、必要品にこそ、軽い税が課せられるべきである」

「政府には統一がない事が、あってはならない」

「男爵（おそらく国の各地域の領主を指す）はjus carccrandi（ラテン語で「jus」は「権利」だが後半は不明。たぶん税収権であろう）を剥奪されなければならない」

「また彼ら（前記「男爵」を指す）の城砦は没収されなければならない」

「国民軍が組織され、教育が自由に行われなければならない」

「医者は無料でなければならない」

　実際これを見ると、カンパネッラのしたことは、スリー（イギリスの詩人で社会運動家だったシェリー〈一七九二～一八二二〉のことか？　彼は一八一七年に「マーロウの隠者」の匿名で「シャーロット王女の死に関する国民への声明」という長文のパンフレットを印刷し、貴族階級を批判した）やリシュリュー（一五八五～一六四二　カンパネッラと同時代のカトリックの聖職者で、ルイ一三世に仕えたフランスの宰相のこと。カンパネッラの後半生には、このリシュリューにも世話になっている）やコルバート（ルイ一四世に仕えた財務大臣のジャン・バティスト・コルベール Jean-Baptiste Colbert〈一六一九～一六八三〉のこと）やルイ一四世が実施したことを提出したことに他ならない（これは、同時代か、やや時代が下るが、当時の優れた為政者が気付いた政策だから……という否定的評価ではなく、当時の優れた政治家よりも、なお早く、無学な乞食僧に、そうした考えがあった……というロンブローゾの肯定的評価）。

　このような深遠な思想を（カンパネッラが）持っていたにもかかわらず、辺境地で少数の民衆を頼りにし、全世界の王となり（宗教）改革者になろうとするような、（言わば）無謀な計画を真面目に企てるというのは、とうてい「狂人」以外には成しえないことである。鑑識眼のある同時代の人々は、早い時期から、その事を認識していたのである。リシュリューが信頼した友のファザア・ギアチント（リシュリューの腹心で代理人の「灰色の枢機卿」と呼ばれた神父のフランソワ・ルクテール・デュ・トランブレー〈一五七七～一六三八〉のことか？）は書いている。「誰であろうと簡単に彼（カンパネッラ）の話を信じ、彼が事実なりと信じる事柄を、何らの判断を下さず、そのまま受け入れるような人はあるまい」また「私は彼を、いつも蝿以上に気まぐれな人物だと考えている。そして（彼は）世間のことに関して幼児よりも無知である」とも言っている。ペレシオ（不詳）は彼のことを「お人好し」（疑いを持たないで何事も信じてしまう善人――という意味か？）と呼んでいる。

　ロンブローゾは続ける。

　彼（カンパネッラ）は思索を重ねて、ついに「万有神教」に到達したのであった。万物の霊性、万物の変転、「恩恵深き星々、真の神の荘厳なる画像であり、また生きている殿堂の」太陽の崇拝（これは前記のように、太陽をシンボルとする神への崇拝であって、太陽そのものへの崇拝ではないという）、こうした事はすべて、その（カンパネッラの）思想から発生したものにすぎない。彼は神の恩寵を受けず、逆境に苦しめられて（異端から）カトリックに戻り、天使と奇跡と、楽しき来世と復活を信じるようになった。

　「狂人」の癖として、彼もまた、中庸を持続することが出来なかった。そして、すべての物事に対して執拗な抵抗を試みた。プロテスタントを弾圧し屈服させようとする激烈なる提案、キリストの密使と自称したことなどは、よくその（狂気の）一端を現わしている。彼の著作は、すべてプロテスタントの所説を論破できるものだと想像していた。そして盛んにルター派やカルヴィン派を攻撃した。彼はカトリックの布教のため、宗教大学を建設しようとした。そして異端排斥と真の宗教の宣伝に力の限り尽力した。要するに彼は、絶えず宗教的野心の迷妄を夢見て、極端から極端に走って一生を過ごしたのである。

　私（ロンブローゾ）は、またも再説する。この性格の矛盾、感情の極端なる激動は、明確に偏執狂――特に宗教狂――の著しい特徴である。私はペサロ（イタリア中部アドリア海沿岸にあるマルケ州の都市ペーザロのことか？）の病院で世話をしていた尼僧の患者をいまだに記憶しているが、初めて錯乱した当時は非常に凶暴で、神を冒涜する言葉ばかりを口走っていたが、その後、やや沈静化してからは、真面目なキリスト教徒となった。逆境に苦しんでいる人々が狂気の影響で、しばしば放埒になる事は、よくある事実である。またラザレッチのように、涜神的な酔漢が錯乱による発作で、敬虔な信者になる事もある。彼（カンパネッラ）ははじめ熱狂的な法皇支持者であったが、（後に）バチカンに入ることを拒絶されたせいなのか、反法王派になった。

近頃デ・ニノ（不詳）が『アプルズイの救世主』という書物の中で、メシアになった、ある僧侶のことを書いている。彼（ある僧侶）は狂気になってから、あらゆる手段で教義の改良を企てた。彼の生涯の終わりの数ヶ月はカンパネッラのように、革命の罪を悔いて、その贖罪のために断食した。そして、あらゆる難行苦行をしたにもかかわらず、なおも永遠の刑罰を受けるものだと信じていた（これは、罰を一生涯にわたり恐れたという意味ではなく、終生の贖罪こそが、好もしく、ふさわしいと考えていた——という意味）。

カンパネッラに対してロンブローゾは、かなり否定的な評価で、無学文盲の乞食坊主のように描いているが、托鉢僧の修業は当時、普通のことだった。またカンパネッラは十代後半にベルナルディーノ・テレジオ（一五〇九～一五八八）の『自然論』を読み、この自然主義と感覚論に影響され、アリストテレス哲学に批判的になる。このテレジオはスコラ派的アリストテレス主義（宗教を理性的に合理主義で探究する方法論）を否定し、既存のものでない自然主義を構想する、新しいルネサンス自然主義者の一人であった。テレジオは、アリストテレス派が理性で世界原理を探求するあまり、神の作品（つまり世界）を変形していると考えた。対してテレジオは、感覚に基づき自然をありのままに知覚する、新しい「自然主義」による理性や知識に頼らない本質直観によって、神や世界を認識できると考えた。テレジオは、感覚として太陽は「熱」を持ち、土は「冷」を生むことから、「熱」と「冷」を第一原理として人間を含めた森羅万象を説明しようとした。そしてカンパネッラは、ナポリにおいて自然科学者のジャンバッティスタ・デッラ・ポルタ（一五三八～一六一五）の影響で、彼に直接教えを受けたのではないが、魔術、錬金術、占星術、天文学、哲学などを学んでいる。多くのカンパネッラの預言は、こうした教養を基に、主に占星術によると考えてよいだろう。また、カンパネッラ独自の「自然法」解釈は、こうした先人の自然主義からのものであろう。カンパネッラが霊感を受けたであろう星の運行を、訳者の辻潤は「北辰」と訳し、筆者の私は「星座」ないし「星々」に変換しているが、こうした預言の源になったものは、単なる天文学的な惑星を意味するのではなく、カンパネッラにとっては占星学的意味を持った神からの啓示だったはずである。カンパネッラは、後には天文学者でもあったガリレオ・ガリレイとも親しかったという（ガリレオの宗教裁判で弁護もしている）。

またカンパネッラが「太陽の都」で描いた世界は、後のSF小説の先駆であることはもちろんだが、これを全体主義のデストピアではなく、望むべきユートピアとして描いた点に特徴がある。またトマス・モアの「ユートピア」のように、実現できない想像上の仮構のヴィジョンとして描いたのではなく、明日にでも実現すべき「千年王国」のヴィジョンとして描いた点も、ロンブローゾが指摘するように特異だった（前にジョン・ハンフリー・ノイズの所で触れた〈連載三六回参照〉優生学的性生活の管理は、共産主義的共同体の世界観を含めて、明らかに、この「太陽の都」に影響されている。ノイズの先駆性は、カンパネッラが実現しようとしてできなかったヴィジョンを、小規模な形でだが現実化させたことであろう）。歴史的にも、また映画をはじめとする数々の文化で、このデストピアを知る我々には、カンパネッラのユートピア観に抵抗があるが、こうした世界観の原型を作った想像力は、最大限に評価されてしかるべきであろう。

こうしたカンパネッラの想像力に対する賛辞が、他の精神病者の奇抜な想像力への賛辞に比べても、ほとんどロンブローゾによって語られていない。それは、おそらく狂的なまでのカトリック支持と、カトリック以外に対する強硬な弾圧を正しいとするカンパネッラの考えが、ユダヤ人のロンブローゾにとっては受け入れがたい、嫌悪するものであったからに違いない。それでもなおカンパネッラにこだわったのは、彼の狂気が激烈であり、またカンパネッラの頭上にあった七つの奇形なコブが、ロンブローゾの犯罪人類学と狂気の研究に、うまく適合したからであろう。

「ユートピア」の作者トマス・モア（一四七八～一五三五、五七歳で没）が、イギリス国王の離婚問題にカトリックの正論で反対したために、国王の恨みを買い、斬首の後の晒し首という悲惨と比べると、過激思想のユートピア小説「太陽の都」を書いたカンパネッラが、後にカトリックに舞い戻り、晩年は僧侶たちに囲まれた安らかな天寿（七一歳）を全うしたことは、歴史の皮肉と言うべきである。モアが殉教者として名誉回復し聖人に列せられたのは、死後四〇〇年後であった。

『ネクロスの要塞』から『メタモスの魔城』へ

オマケシールと「ローカル・サロン」の再生

岡和田晃

斎藤次郎とオマケシール論

　子どもという存在を客観的に自明のものではなく、第二次世界大戦後の大量消費社会のなか、「成熟」を基軸にした大人たちの価値観や発想を相対化する存在として位置づけ直すこと。斎藤次郎『子どもたちの現在　子ども文化の構造と論理』(風媒社、一九七五年)は、そうした試みの先鞭をつけた理論書である。曰く、とりわけ一九六〇年代以降の子どもは「虚構世界をわが身に引きつける心情の牽引力」において抜きん出ている。その実例の一つとして挙げられたのが、オマケシールのブームである。

　一九六三年に放映が開始されたアニメ『鉄腕アトム』の初期のスポンサーには、明治製菓が名を連ねていた。明治製菓がマーブル・チョコレートのオマケに『鉄腕アトム』のシールを付けたかと思えば、後発の江崎グリコも、スポンサーをしていた『鉄腕28号』のプレミアム・ワッペンを付きのチョコレートを発売し、一九六四年には競争が加熱する。『ビックリマン　悪魔VS天使シール』(ロッテ)に代表される一九八〇年代のオマケシール戦争は、バブル期特有のものではなく、遅くとも一九六〇年代半ばにはあったのだ。『子どもたちの現在』には、オマケ目当てでお菓子を捨ててしまう例が、すでに問題視されている。

　いまでもスーパーに行けば、『ビックリマン』の新作を買うことができ、それらはしばしば、その時々の流行りものと頻繁にコラボレーションがなされている。これだけを取り出すと、一九六〇年代と変わらない光景かに見える。しかも、『ビックリマン』に記された「微分化された情報を手がかり」に消費者が「物語消費」をすることで、「オタク・カルチャー」に代表される現代の二次創作的な精神性が基礎づけられたという——大塚英志『物語消費論　ビックリマンの神話学』(新曜社、一九八九年)以降すっかり文学理論でも定着してしまった——見立てを、あたかも裏打ちしているかのようでもある。

　ただ、大塚は二次創作とシェアード・ワールドを混同しているようで、実際、後続の論者に、両者はほとんど区別なく受容されてしまっている。そして、それらの「元ネタ」に該当する斎藤は、「皮肉にも、こうした大資本によるオマケ集めの引き金は、本来、「虚構世界」が育まれていたはずの路地裏の駄菓子屋から貸本屋といった「ローカル・サロン」から子どもたちを、追い出してしまったと警鐘を鳴らしていたのに、「物語消費」を謳う論客たちは高度消費社会の心性を冷笑的に追認するような言動が目立つ。何より、子どもたちは分析対象の「オタク」予備軍にすぎないという扱いで、彼らの抱いた冒険への憧れ、初期衝動を「同じ目線」で掬い上げようという姿勢がない。しかし、実は二〇一〇年代半ばのオマケシール文化は、こうした「ローカル・サロン」へ、今一度立ち返ろうとしているとしたら、どうだろうか?

『ビックリマン』と『ネクロスの要塞』

　オマケシールの加熱が社会現象となっていた一九八八年八月、公正取引委員会の指導のもと、メーカー団体は「自粛」を決めた。「いたずらに射幸心を煽る」という批判をかわすため、特定のシールにホログラム等高価な素材を使うことをやめて、封入率を均一にすることを決めたのだ。顧客である子どもたちは変化を敏感に察知し、ブームは終焉を迎えた。

　二〇世紀から二一世紀に移り変わる頃、かつてのユーザー層を当て込んだ『ビックリマン２０００』(ロッテ)、『ドキドキ学園新世紀21』(フルタ)、『ハリマ王の伝説リターンズ』(カバヤ)といったリバイバル・シリーズが出たが、後二者は一弾で終わり、成功したのは『ビックリマン』だけ。二〇〇〇年代半ばには、80年代テイストを半ば払拭した『神羅万象チョコ』（バンダイ）が例外的にロングランを続けたが、すでに展開終了している。

今やほとんど『ビックリマン』のみが、流行りものとのコラボで話題作りを続けつつ、独自に新シリーズを展開しえている。それ以外は「80年代カルチャー」の思い出として、ノスタルジックに語られるのみというのが世間的な理解だろう。

ただ一九八〇年代、『ビックリマン』は「コロコロコミック」（小学館）、『ドキドキ学園』は「コミックボンボン」（講談社）、『ハリマ王の伝説』は「わんぱっくコミック」（徳間書店）とコラボレーションし、紹介記事が掲載されていた。それ以外のタイトルも多く、まさしく群雄割拠の様相を呈していた。こうした状況を俯瞰する最良の書籍が、サデスパー堀野『80年代オマケシール大百科』（いそっぷ社、二〇一七年）だ。同書には、当時、オマケシールに関わっていた広井王子らのインタビューが掲載されている。広井が「売上高でいったらけっこういい勝負」だと告白しているのが、『ネクロスの要塞チョコ』（ロッテ）である。一九八七年に出た食玩で、『ビックリマン』が三〇円だったのに比べ、一〇〇円の値段がつけられていた。しかし、中身はぎっちりと詰まっており、『ネクロスの要塞』は温めると色が変わる塩ビ人形に、キャラクターやモンスター、あるいはアイテムについて記したカードが封入されていた。パッケージ上箱はダンジョンを模し、チョコが入っていた下箱の裏には、ゲームルールが書かれていた。つまり、これを集めると簡単なファンタジーRPGがプレイできたというわけだ。

ストーリーはヒロイック・ファンタジーの王道。タンキリエ王国のプリンセスが、悪者ネクロスにさらわれた。バーサーカー、アマゾン、マーシナリー、エルフ、ナイト、侍、ドワーフ、マージのキャラクターから一体を選び、オーク、コボルト、トロール、バンパイア、ドラゴンといったモンスターを倒して経験値を稼ぎ、宝のアイテムを集めることになる。モンスターはレベルごとに階層化されており、成長しなければネクロスまでは行き着けない。当時のオマケシールは、バトルポイントを比べるだけの単純なものが多かったが、『ネクロスの要塞』は6面体サイコロを振り、アイテムの修正値を加えていくという本格的なもの。最強の敵ネクロスを倒すには10を出さねばならないが、当然サイコロは6の目までしかないので、「太陽の玉」「月の玉」等のアイテムや成長でマイナス修正をかけていく必要がある。

シリーズは全8弾からなり、弾を追うごとにキャラクターは成長する。時には呪われることもある。ネクロスは死んでも復活し、あるいはメカになり、さらには自身を生贄として大魔神ネクラーガを呼び寄せる。キャラクターたちの世代も入れ替わり、八九年の第8弾では、第2弾から一〇〇年後の世界を扱い、邪神クトゥルフがボスとして設定される凝りようだ。

当時、広井王子たちのレッドカンパニー（現・レッドエンタテインメント）は、ロッテの外注として企画を一から請け負う仕事を開始し、本格SFの食玩『ジョイントロボ』を成功させていた。当時、彼らは『ダンジョンズ&ドラゴンズ』（D&D）を遊んでいたが、ゲームに使うメタルフィギュアがあまりにも高価にすぎるという問題意識があったという。資材会社が持ってきた温感インクを利用し、D&Dを輸入していた会社（新和と思われる）に「これはD&Dのパクリにはあたらない」との言質をとったうえで、海外ファンタジーのテイストを存分に取り入れたシリーズを展開したのだ。

『ネクロスの要塞』には熱心なファンが多く、現在に至るまで復刻してほしいという声は根強い。メタルフィギュアの要領で、塩ビ人形に本格的なペイントをし、SNSで連日紹介しているユーザーすらいる。ただ、『ビックリマン』でさえ三〇円から一〇〇円にまで値上がりしている現状、その驚異的なコストパフォーマンスを再現するのは、夢のまた夢だ。

『メタモスの魔城』の衝撃

しかし、オリジナルのシールをデザインするという文化そのものは、大資本とは別に、細々とではあるが存続していた。なかでも、『ラーメンばあ』や『ガムラツイスト』（カネボウ）のシールデザインを手掛けたスタジオメルファンを起用した新作『真おくのほそ道』や『ガム女学園』が好評を博しているワイエスコーポレーション（代表：

保坂朋章、通称「和尚」は、二〇一五年、『ネクロスの要塞』のメイン・スタッフのあだちひろしを迎え、新シリーズ『デンドロギガス　メタモスの魔城』を発売した。第1弾のみで継続が途絶えていたが、二〇二二年秋に第2弾の発売がアナウンスされ、第1弾のコンプリートセットが再販された。

『ネクロスの要塞』で塩ビ人形を担当した造形師の内田茂夫は二〇一五年に逝去してしまっており、小ロットなので人形を付けることはかなわない。けれども、レッドカンパニーで『ネクロスの要塞』のカードを描いていたあだちひろしの采配で、オマケシールとして『ネクロスの要塞』のタッチが甦っているわけだ。世界観やストーリーは完全新作。ストーリーボード（全体のイメージイラスト）には『天外魔境』シリーズでタッグを汲んだ辻野寅次郎が担当しているが、シールのイラストはすべて、あだちひろしが手掛けている（デザインラフは、池本芳文も参加している）。驚くべきは、素材のこだわりだ。『ネクロスの要塞』はアイスキャンディーにもなっており、そちらにはシールが付属していたわけだが、それを可能な限りリスペクトしつつも――ホログラム、シルク素材、プリズム、布、和紙などを駆使し――シールが工芸品といっても過言ではない仕上がりになっていたからだ。

あだちは一九五二年生まれ。安田均による「SFマガジン」（早川書房）の連載でD&Dを知り、「タクテクス」（ホビージャパン）誌を購入して英語圏のSF・ファンタジーゲームに親しむようになり、銀座の博品館等を回ってゲームを買い集めた。『メタモスの魔城』のコンセプトは、その頃の原風景に今一度立ち返った部分がある。例えば、キャラクターは竜族の用心棒バウンサー、魔法学園の生徒フレッピー、巫女見習いフラット、魔法で蛙に変身させられた盗賊のフロッグの四種類である。こうしたクラス（職業）分けは、「R・P・G」（国際通信社）二号（二〇〇七年）に掲載された芝村裕吏による『トンネルズ&トロールズ』論を参考にしたという。アイテム獲得や成長ルールのテイストはそのままに、戦闘ルールは、イニシアチブ（先制順）を決め、命中判定とダメージ算出を繰り返すと、より本格的なRPGになっている。バランスは厳し目だが、キャラクター固有の魔法等がブレイクスルーとして用意されているし（低レベルのうちは暴発の可能性はあるが）、仲間になるモンスターもいる。

シールの裏紙に付されたストーリーもこだわっている。大陸を支える巨樹〈デンドロギガス〉が病んでしまい、邪竜ザラドースを崇める帝国が、諸国を征服しようとしていた。ミワーナ方面司令官のマグロードは修行者ペンタクルから〈混沌の珠〉を分捕ったが、今度

★『デンドロギガス メタモスの魔城』のパッケージ（上）とシールの数々
販売・ワイエスコーポレーション ©デンドロギガスプロジェクト／あだち&いけもと

はミワーナの（自称）宮廷魔術師メタモスに珠を奪われてしまう。慌てて珠を落としたメタモスは、爆風を受けて、変化の転生の能力を与えられ……という背景が設定されているのだ。複数枚を重ねて一つの歌詞が浮かび上がるようなギミックも用意されている。しかも、単にユーザーはそれを再現するのではなく、むしろ一人のシェアード・ワールド作家として、シールを駆使して、マグロードを倒すまでのプロセスを独自に組み立てていくことになる。

例えば、魔法でフロッグをマグロードの愛人ミストレスを倒せば変化薬（メタモルミン）が手に入る。これで本当にカエルから戻ることができるのか、第2弾以降を待ってもいいし、自分でその後のストーリーをあれこれ想像してもよいわけだ。独自の遊び方を、ユーザーがそれぞれ編み出していくのは、オマケシールの伝統そのものである。

『メタモスの魔城』は、一枚につき四〜六〇〇円ほどと高価である。子どもがポケットマネーで買うのには厳しいだろうが、いま、80年代オマケシールの直撃世代は「アラフォー」かそれ以上。親世代が買って、子どもと一緒に遊べばよいだろう（裏紙の説明は総ルビで、子どもでも充分に愉しめる）。大資本とは別種のシール文化の再興は、路地裏の「ローカル・サロン」が、子どもと大人の文化的な垣根を壊す形で再構築されていることを示唆する。忘れかけていた冒険への初期衝動を取り戻すための現代アートとして、オマケシールは再定位されていくのかもしれない。

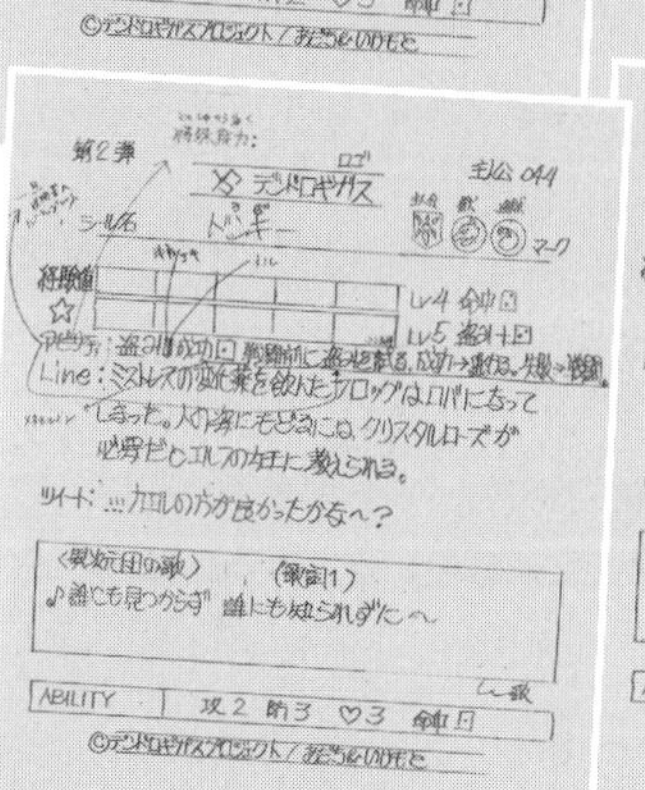
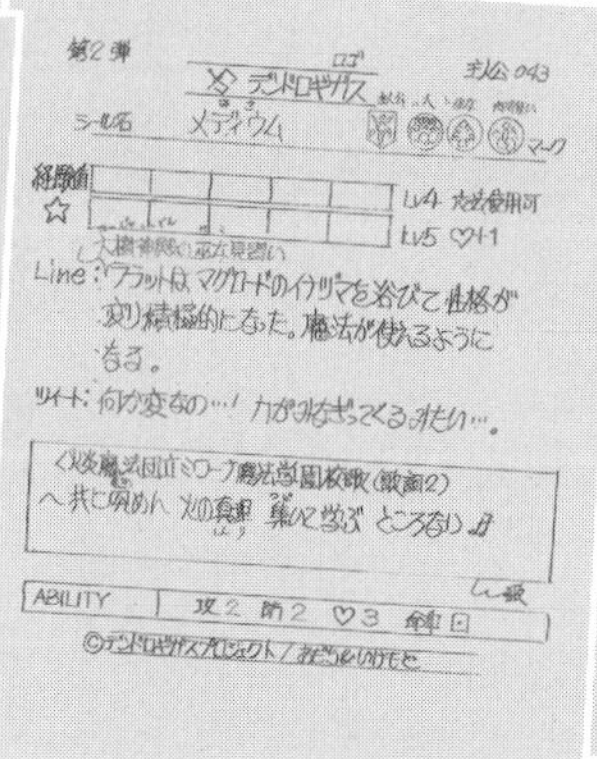
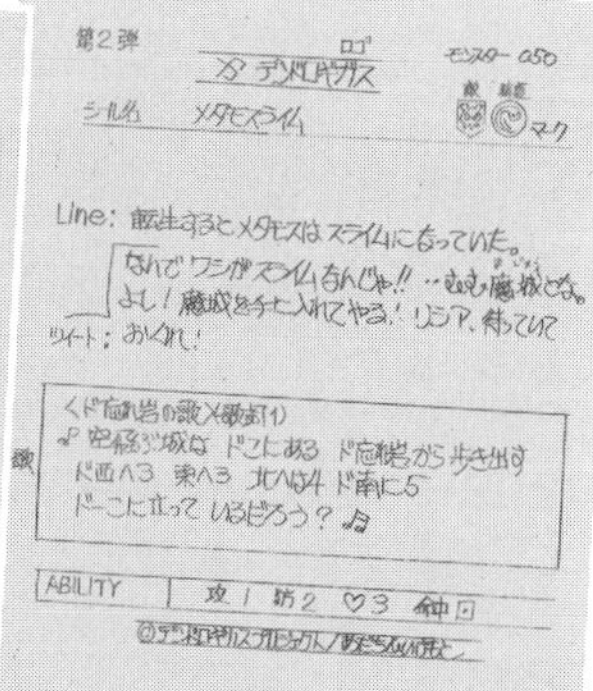

★本記事のため保坂和尚より特別提供をいただいた、あだちひろしによる『メタモスの魔城』第2弾で登場予定の新規シールのラフ画と、継続登場する主要キャラクターおよびメタモスの裏台紙素案。シールにある「カオス」なるボスが、メタモスを操っているのかもしれない。裏台紙では第1弾キャラクターたちとメタモスの「その後」が書かれている。こうして設定が更新されていくのが『ネクロスの要塞』以来のRPG的伝統だ。

CREATION

いわためぐみ

弦巻稲荷日記

映画『ある日どこかで』

——信じれば、叶う。願えば叶う。

卵が先か鶏が先か?という言葉で、「どっちが先なんだろう」ということがわからなくなってしまっていることを指すことがある。鶏と鶏問題も、真実はどうか?ということではなくて、誰もが一般的に想いうかべられるパラドックス的な現象を示している。DNA的、宗教学的には、そんな前提や立場でも異なる答えが出るわけだけれど、物語の世界においては、どっちが先であるかよりも、物語としてその問題がどう機能するのか…ということのほうが必要であるように思う。

現実の世界も本当はそうだ。哲学的に、「どっちが先」と考えて、そこに真実の答えが出たとしても、真実ではなくて、それが何にどう作用したのか…ということのほうが、大きく人に影響を及ぼすものだ。それでも結果だけでなく過程をみたいと思うことではないのか。

『ある日どこかで』(Somewhere in Time)は、リチャード・マチスンの同名小説と、それを原作とした映画作品。

大学で戯曲を書き、自分の処女作品の上演を果たした大学生のところに、上品な老婦人が現れて「帰ってきて」と金時計を渡されるところから物語ははじまる。それから8年後、脚本家として成功した彼は、スランプから逃げ出して、見知らぬ街のグランドホテルへ。そこの歴史室の肖像画に惹かれた彼は、自分が1912年に同じホテルに止まっていたこと。彼に金時計を渡した老婦人の半生を知り、その半生に自分の影響も感じる。そして、自分が1912年に時間旅行していたことを知る。ホテルの芳名帳に、名前が残っていたのだ。大学の恩師が時間旅行を成功させていたのではと、その実践方法を教えてもらい、実際にそのとおりに準備をすると時間旅行に成功するのだが、ポケットに一個だけ入っていた現代のコインのおかげで、現実にもどってきてしまう。

再度、戻ろうと試みるが戻れず、失意の中で餓死あるいは衰弱死…なのか、ホテルの執事が彼の名前を呼び続ける中で、彼女を思い起こす。

最後のシーンは、彼女と再開できたと、解釈する人もいるし、失意の中で死んでいくとみる人もいる。

映画作品は「カルト古典」として根強いファンが多いという。1976年に小説が発表され、映像化されたのは80年。日本で公開された81年当時、私はSFがすべてみたいな高校生だったから、当然のように、この映画に夢中になった。

とくべつなタイムマシーンがあるわけではなく、催眠術を使って時間旅行をする。その催眠術の方法に、じつは見覚えがあった。

私の父は、高校で体育の教師だったが、彼の本棚には、哲学書と心理学の書籍がたくさんならんでいた。小説は、2冊ぐらいしかなくて…。そんな父が、小さなテープレコーダーで、不可思議なテープを聞いていた。

ポーン、ポーンという音。言葉で、いろいろな指示が出される。

テレビなどでは「あなたはだんだん眠くなる」的な番組が放映されていて、派手な演出と術士のパフォーマンスは滑稽にも思ったが、父のテープは、不思議なぐらい地味で、腕がだんだん重くなってくるとか、言われて重く感じている自分をイメージする…みたいな本当に地味なテープだった。

『ある日どこかで』で主人公が、時間旅行をするために、使っているテープレコーダーは父が使っていたものにとても似ていた。それで現実味を感じたのかもしれない。

私もあのレコーダーを使ったら、どこかの時間に行けるのかもしれない…なんて、思いうかべてもみたものだ。

ところで、何もかも持ち物をでかけ

る時代のものにして催眠術をかけたのに、ポケットに現代のコインが一個あったために、現代に戻ってきてしまった…という。そもそもテープレコーダーが1980年代の代物なのだから、それを使っていて目に届くところにある…という状況だけでも、時間旅行の原則から外れてしないかとか、夢のないことを当時も思ったものだ。

そして、この映画の中で一番の「卵が先か、鶏が先か」は、あの金時計がどこから来たのか…ではないのだろうか。

　映画の最初に、老婦人から渡される金時計。主人公のリチャード・コリアーはその後、時間旅行を行うまでの8年間、その金時計と暮らしていた。

　時間旅行で、金時計は1912年に戻る。コリアの失敗のとき。エリーズの手元に残る。エリーズはそこから、1972年…つまり60年間を金時計とともに一人で過ごしたはずだ。

　そして、大学生のリチャードと再会して、金時計はリチャードの手元へ。

　この金時計はどこからやってきたのか。少なくとも、この時間旅行の成立のためには、1912年の時代のものでなければならないはず。

さて、映画の途中で、リチャードの服装が、1912年の流行よりも一世代前であることをエリーズではない女性から指摘されるシーンがある。

　当時の流行を調べたはずなのに、微妙にずれている…このあたりも、多くのこの映画のファンたちの論考のかっこうのネタだ。

　そもそも、1912年に航時できる材料は「1912年に僕は居た」という催眠法にもとづいているだけで、「その時代のものじゃないものをもっていたら失敗する」というなら、衣服が数年ずれていたという、そのタイミングでも彼が戻ってしまってもおかしくないのに。

　結局は、現代に引き戻されて、戻ることができないという失意そのものも、彼の、思い込みの強さではないのか?

　信じれば、叶う。願えば叶う。そんなファンタジーのはずなのに、自分を信じきれなければ、結果は破滅する。

　自分を信じ続けることはかように、困難でもあるのだろう。

　とある出来事があった。それは、COVID-19が巻き起こす、人と社会困惑の中で、起こった事故みたいなものだ。

　たくさんの困難を感じながら、奇跡のように、行動している。その事件のことをいつか書くかもしれない。

　そのとき、私がこの映画に、何を思い浮かべたのか、何を思ったのか。本当のところのことを書けるかもしれない。

　今は、なんだかよくわからない断片になってしまうのだけど。

　人のちからを想いを信じたい。

　疑念が自分を、欲しい結論に導かないかもしれないなんて、思わずに、自分を人を信じて、目の前をむいて行きたい。

　『ある日どこかで』、私と誰かが出会った。そんな物語の結末をいつか語りたいと、映画の中のエリーズのように、誰かに渡すべき金時計のようななにかと時間を過ごすのだった。

「イラストレビュー」◉絵と文＝三五千波
国立劇場　第五十一回特別企画公演
「詩歌をうたい、奏でる　ー中世と現代ー」
（3月5日は配信・6日は劇場で鑑賞）
乱舞とは？
閑吟集に梁塵秘抄は歌われていたという どんなふうに？
「うたげ」の再現と創造の2days
現代音楽パート 5日はケージ「RENGA」1976年作曲
短歌の字数に区分けされた図形楽譜には要素としてソローの「日記」に描かれた絵をプロット…この情報を演奏者が読み解いて演奏する
休符部分には任意の曲が挿入されることもあり
五
七
五
七
七
6日は委嘱初演「ベルリン連詩II」日独3人の作曲家の新しい連歌の試み
日独対訳の連詩「ファザーネン通りの縄ばしご」に日独リレーで曲をつけていく
ヤレコトントウ
白薄様 濃染紫の紙
中世歌謡の記譜された文書から今様や白拍子舞などの復元考証と実演を試みる
dampfelkessel teekessel
蒸気釜ー茶釜ー
今回は古典曲からポップスまで奏者の選択で多彩なフレーズが演奏された
五節の淵酔（えんずい）で酩酊して歌い舞う乱舞や乱拍子を雅な衣装で…
ドイツ語は松平敬 日本語は能楽師坂真太郎が歌唱 指揮は作曲者の一人 川島素晴
アカネ楽団　旗揚げ公演
ニッポンとんちきオペラ「四十路夢女の恋煩い」
座長・大塚茜
公演通りクラシックス（3月28日）
PCR検査発表の儀 工藤あかね・陰性
厳粛な儀式と共にマスクをはずし演奏開始 街の中華屋さんの歌からゴールドベルクに「炎」カバーが続き…
消毒の儀
二次元に入る
夢女（ゆめおんな）とはごぞんじ二次元キャラに恋する女性…ここでは（筆者未読）「鬼滅の刃」の あのひと…
煉獄さん…
座長ピアノから立ち上がり踊り出す
春の夜の～ 闇はあやなし 梅の花～
コロナッヤダッ
これは…現代のパスティッチョオペラ？というより乱舞&乱拍子？

どっこどっこどっこどっこどっこどっこ
コンポージアム2020
トーマス・アデスの音楽
(1月15日オペラシティ)
1997年作品「アサイラ」はクラブのサウンドをオーケストラで再現
アデスのヴァイオリン協奏曲「無限軌道」代役のソリストだった成田達輝さんの「脱線・電波」動画が熱い
SPEEDでおどる
元棋士
はっしー
ユーリ
十代の作曲家梅本佑利くんと衝動的に始めたチャンネルらしい
桜丸切腹
白太夫
1月京都での文学フリマが中止になったので初めて文楽に行った
「舞台に人多すぎ」「足音うるさい」
人形ひとり生かすのに人形遣い3人に太夫と三味線5人掛かり…
昼は黒門市場
夜はたこやき
バーンスタイン「キャンディード」
(コンサート形式) 演出・田尾下哲
翻訳・上演台本・保科由里子 語り・石川界人
指揮・横山奏 東京21世紀管弦楽団
東大和市民会館ハミングホール (3月13日)
西武新宿線が事故で止まったためちこく
駅前にタクシーがいない!
ザァァ…
暴風雨の中パニック状態でホールまで走り3曲目の「人生は確かに幸せ」で到着
序曲抜きの「キャンディード」なんて!
序曲よりもナレーションの最初が聞けず残念! 英語詞の大意と台詞のストーリーが絶妙な台本にのせて語られる
字幕がないときのオペラのあらすじ解説が分からない上つまんなすぎてキレたことがあるけれど…これなら!
ここでばったりパングロス …ご都合主義でしょ?
なにしろこれはピカレスクなんですから
語り手ヴォルテール
この演目の実演は帝劇のケアード版で2010年に見たのみ
市村正親のパングロスに井上芳雄の題名役
作中のキツい女性虐待に鑑賞教室の女子高生が全員沈黙してた
初期刀
石川界人さんは私にとっては歌仙さん
パングロス役田中俊太郎さんは藝大の博士リサイタル以来だ…このユニットSiriusも初めて知ったよ
なんと「エール」にも出演!

宝塚歌劇　雪組
「fff　フォルティッシッシモ」
作・演出・上田久美子
望海風斗＆真彩希帆さよなら公演
宝塚大劇場（配信・2月8日）

実は1月の文楽のついでに
宝塚にも行きたかった
しかし初心者に退団公演のチケットが
取れるわけがなく…
当日券もコロナ禍で中止

この年末年始には
ベートーヴェンがテーマの
舞台が三つもあった
『No.9－不滅の旋律』再再演
『Op.110 ベートーヴェン
「不滅の恋人への手紙」』

生誕250年記念音楽祭や
コンサートが中止になる中
快挙かと思う…

天国の扉には智天使ケルブ
ヘンデル　テレマン　モーツァルト
音楽家の霊たちは拒まれる
音楽を何に使うか…
「後継者」を見届けるため
下界へと
降りて行く

このへんすでに
バロックオペラ

英雄や第九など
ベートーヴェン曲をアレンジした
ドラマチックなナンバーが良かった
しかも大砲やナポレオンや
ゲーテが歌うんだよ

レビューは
「シルクロード」
舞台音楽は初めてだという
菅野よう子の楽曲もあり

おしまいと思ったら
千秋楽なのでそのあと
特別なさよならショーが続く

そして最後にトップ二人と
退団メンバーのセレモニー

特別な配信…

新国立劇場オペラ研修所修了公演
チマローザ「悩める劇場支配人」（日本初演）
演出・久恒秀典
指揮・横山奏　新国立アカデミーアンサンブル
新国立劇場中劇場（3月5日・初日組観劇）

モーツァルトでは
めでたく終わる
「劇場支配人」だが
こっちの支配人は
なんとトンズ…

いがみあうプリマ二人
そこに到着する3人目
フィオルディスピーナ
井口侑奏さんに
陶然とする

中止になった
去年のフィガロでは
ケルビーノをテノールが
歌う予定だったそう

近年欧米での試みらしい

このコロナの1年で
コンサートの中止だけでなく
宣伝チラシも減ってしまい
見逃しが増えてしまった…いかん

日本オペラ協会「キジムナー時を翔ける」
台本・作曲・中村透　演出・粟國淳
指揮・星出豊　東京フィルハーモニー交響楽団
新宿文化センター（2月21日観劇）
1992年初演の「SF創作オペラ」方言から部分的に標準語に訳されている
島唄や音階というより三線など入った響きが南国ぽい
東京二期会「タンホイザー」
演出・キース・ウォーナー
指揮・セバスティアン・ヴァイグレ
読売日本交響楽団
東京文化会館（2月17日・片寄&田崎組）
予算の関係でいつもの5階バルコニー
19世紀末のタンホイザーだな
あの子どもはだれ？
キジムナーといったら映画「ウンタマギルー」の小林薫を思い出すのでおっさんで違和感がないのだが…
しかし今回は舞台奥で普通の演出にはない芝居があった！
エリーザベトやらかし中
ここまでは見えた
三幕のヒロインの決定的瞬間がすべてのカギだったのに
この日のカルカリナはテノールだったが
前日のダブルキャストではソプラノの砂川涼子さん
フェイスシールドしてたみたいだけど
3階のうしろだったから分んなかった
ぜんぜんちがう
1年前にはオペラ公演もオーケストラもみんな中止になって泣きそうになった
外国人演奏家はギリギリまで入国可能か分からないし
まだまだカーテンコールにブラボーと叫ぶことはできない
この装置だといつもの奇跡的な救済に見えてしまうがその前にリアリズムの積み重ねがあったのである
出て来る民宿が沖縄返還当時のドライブインな感じで良いんだわ
奥が見えないことで演出の意図が分からなくなるのは初めてかも
こういう悩みはS席に惜しみなく課金すれば解決するのじゃ（それが出来んから）

TH特選品レビュー

(イ)イガラシ文章
(市)市川純
(岡)岡和田晃
(高)高浩美
(沙)沙月樹京
(関)関根一華
(田)田島淳
(馬)馬場紀衣
(日)日原雄一
(並)並木誠
(放)放克犬
(三)三浦沙良
(M)本橋牛乳
(八)八本正幸
(吉)吉田悠樹彦

高橋輝次
古本愛好家の読書日録
論創社

★コロナのことだけでなく。私の職場の精神科医局でも、驚天動地のことが多々おこっている。「一寸先はヤミがいい」をモットーにしている私でも、けっこうきつい。あたりまえのことをあたりまえに楽しめる、ありがたさを感じている。ものを書くのも読むのも好きな私は、こんなさなかにも新しい号が出てくれているトーキングヘッズ叢書の存在が、とてもうれしく超感謝なのです。

荻原魚雷の「文壇高円寺」は、日々更新されている。高橋輝次の古本エッセイも、まさかこのタイミングで読めるとはおもわなかった。大好きなのだ。「コロナ感染拡大中に出かけるのはヒヤヒヤものであったが」とか言いながら、本のもとに足を向ける著者の好事家っぷりが。古書買いの決死隊のようだ。

コロナな世間でも高橋氏は、フシギな本をみつけてくる。由起しげ子「警視総監の笑ひ・本の話」って、不勉強でいきなり作者も作品も知らない。どちらも気になるタイトルだが、その「本の話」のエピソードから、宮崎修二朗、円地文子と、気になっていたが私もこれまで読めなかった作家の話に。本の話を語りながら、飄々として笑いを誘う文章にふれながら、この日常のありがたさをしみじみ感じる。

埴谷雄高には、私も高橋氏とおなじく「とっつきにくい」イメージをいだいていた。北杜夫との対談集「難解人間VS躁鬱人間」も、冒頭をチョットひらいただけだ。けれど、埴谷雄高の人物随想集「酒と戦後派」は、読んでみたくなった。梅崎春生や武田泰淳を「伏し目族」と称したり。

松村信人「似たような話」や、橋本亮二「うもれる日々」など、本書を読み進めるうち、読みたい本がどんどん増えていく。本屋さんに行く頻度も、このさなかで減り気味になってしまったが、その意欲をかきたててくれるうれしい本である。（日）

雨宮哲監督
SSSS.GRIDMAN
Blu-ray BOX＝ポニーキャニオン

★四月から同ユニバースの新作「SSSS.DYNAZENON」の放送も開始。二〇一八年の放送以来、衰えぬ人気を持つ本作。その理由の一つに、一筋縄ではいかない、ユニークに〝ねじれ〟た世界観があるだろう。

青春映画のような青空に、怪獣のシルエットがそびえ立つ風景の鮮烈さ。そんな世界で繰り広げられる怪獣対グリッドマン（＆新世紀中学生）のアッパーなバトルは、肉体の重みやぶつかり合いの感覚も含めた〝特撮ドラマの戦い〟の臨場感のために、あらゆるアニメ技術が費やされ、物語はイマジナリーフレンドや傷ついた少女の心のケアという、かつて少女漫画が多く描いた題材へと集約される。

ヒーローの「やるべきこと」は戦いだけではないと喝破した本作。目に見えない脅威に誰もが脅かされる現在、「SSSS」の全文が画面に現れる瞬間は、Blu-ray の鮮明さで見ると一段と熱く、エモく、夏空のように爽快だ。（三）

東京タンバリンわのわ
さとうは甘い
20年11月19～27日、東京国立博物館 九条館

★茶室に集まる三人の男女。もう若くな

い。けれど、おなじ青春の日々をすごした者たちだった。

茶道教室の見学にきた初老の男・佐藤樹は、茶道教室の先生・佐藤さくらと、生徒の馬場さんと中学の同級生だった。あのころの淡い思い出を挟みながら、おたがいの今現在が語られる。「よかった、みんな幸せじゃなさそうで」という佐藤樹・柳家喬太郎の台詞がすごい。彼自身は妻を亡くし、会社をやめて立ち上げようとした事業の支度金を、長年の友人に持ち逃げされている。茶道教室の先生の佐藤さくらは、親の介護中、夫に浮気され離婚し、先日がんの疑いとわかった。

中原中也の詩がくりかえされる。「思えば遠く来たもんだ 十二の冬のあの夕べ 港の空に鳴り響いた 汽笛の湯気は今いづこ」……。

出会いと別れと、まさかの坂がものすごい密度だった二〇二〇年に、実にふさ

松居大悟監督
くれなずめ

21年4月29日よりテアトル新宿他で全国公開

★本作は全国三都市で二千人を動員と、小劇場の作品としては成功を収めた同名の戯曲を、成田凌(『カツベン!』)、高良健吾(『横道世之介』)、藤原季節(『人狼ゲーム ビーストサイド』)といった——誰もがどこかで目にしたことがあるだろう——若手の人気俳優を惜しげもなく起用して映画化したもの。脇を固めるのも滝藤賢一やパパイヤ鈴木ら、当人にしか見えないほどの存在感があるベテラン陣である。

けれども、全体の演出は抑制的で、脚本も愚直なまでに小劇場的である。ここでの小劇場的とは、寺山修司や唐十郎らのアングラ演劇に見受けられる素っ頓狂な演出を指すのではなく、平田オリザが『演劇入門』で記した参加者に内的変容をもたらす「対話」でもない。卑小でのんべんだらりとした日常会話からなる身の丈リアリズムを、意図して作り出している、ということである。実際、監督はリハーサルに全体の三分の一もの時間をかけ、俳優たちが同じ時間を過ごしてもらうことこそを重視したと語っている。つまりは自然体の姿をカメラに収めようとしたわけだ。

©2020「くれなずめ」製作委員会

高校時代の帰宅部仲間の男子六人が、十二年後に友人の結婚式に出席し、赤フンで踊る余興をする。しかし、実は友人の一人は五年前に死んでいた。その現実に直面したくない五人は、あたかも彼が生きていて今も行動をともにしているかのように振る舞う(カメラも共犯で、映画内ではある時点まで死者は生きているものとして映し出される)。しかし、結婚式から二次会の間に、五人は少しずつ過去を思い出し、仲間の死を受け入れていく。高校時代に悩まされた不良も、根っからの悪ではなかった……真の抑圧者は誰なのか?

社会人になった彼らは、作家や俳優もいれば、スーツ姿で真面目な会社員をする者、作業着姿でガテン系の現場で働いている者もいる。いちばん冴えない後輩は、結婚し子持ちになっている。しかし皆が皆、内面性は高校生の頃と変わらない。「ちんちんに失礼だ」といった突飛な台詞も出てくるが、だいたいは過去に交わされたやりとりの反芻による関係性の確認。しかも、ホモソーシャルだ。なにせ、美人だが性格のきついと噂する女性(元AKB48の前田敦子が演じている)に、死んだ友を促してわざわざ愛の告白をさせ、その様子を観察し囃し立てるのだから。どこにでもいる若者たちの救いがたい未成熟ぶりを、そのままトレースした青春劇として、等身大の共感を覚える観客も多いだろう。

結局、なぜ友が死んだのかはわからない。演劇の夢を追うのではなく、そこまで労働に本腰を入れているわけでもない。3・11東日本大震災の虚無感が示唆されるが、それだけですべては説明できない。こうした不条理さを、例えば「実存」といった用語に仮託させず、ペラペラな現実、それそのものへの向き合い方として提示したのが本作だ。タイトルの意味は最後にわかる。「絵」として提示されるその光景は、奇妙な光芒をたたえている。(岡)

わしい舞台だった。それにしてもこの年は、スサマジイ年だった。自分が所属する大学病院精神科医局の、学生時代からものすごくお世話になったC先生が、この春で大学をご退官される。自殺予防学会の理事長もされており、この先生のもとにいたから、けっきょく死ねずまだ生きている。ものすごくあたたかみと人情のある先生で、私のようなやくざなダメ虫にも、やさしいお心づかいをくださった。

精神科医としては三年目になった。中学のころ。部活の合宿で、田舎の山道をとぼとぼ歩き、後輩と見上げた夜空を思い出しながら、この芝居をみていた。六十分。みじかいようで、かなり濃密な舞台だった。柳家喬太郎師匠めあてで舞台を観に行って、とても凄い体験ができた。(日)

SOUL OF 浪花節 澤雪絵の会

20年11月8日、紀尾井小ホール

★いちおう医者のようなものなので、この新型コロナのさなか、いちおう気をつかっている。とはいえマスクがほんとうにいやで、診察中などはやむなくつけているが、息苦しいしマスクの布の密着感がたいへんにいやだ。

寄席や演芸会でも、客席でのマスクは必須である。マスクしながら聴く落語や浪曲は、がんばっても一時間が限度だ。こっちの精神的コンディションのわるさもあり、一之輔師匠の独演会も中入り休憩のときに帰ってしまったりする。

この澤雪絵さんの会。師匠・澤孝子がゲストで、十八番の「徂徠豆腐」をうなる。さいきん木馬亭の澤孝子師匠の出番に行けてないから、こちらを目当てに行ったのだけれど。

もちろんすばらしかった。清貧で苦学する荻生徂徠を、「えらい、えらすぎる!」と驚嘆する町の豆腐や。音源や、DVDなどで聴いたが、やっぱりライブで聴くとすばらしい。

そして、この会の主役、お弟子さんの澤雪絵さんも、凛として、かっこいい演目「姿三四郎恋暦」。富田常雄の人気作「姿三四郎」だが、澤孝子の師匠である廣澤菊春も得意としていた演目だという。澤孝子による音源もある。若い姿三四郎と、試合相手の警視庁武術師範・村井半助と、その父を心配する優しい娘と。このひりついた恋と武道の物語を、清々しくかっこよく聴かせる。いい浪曲師だなあとおもった。

と、ここで一時間がすぎてしまって。このあとは大ネタ「春日局」を雪絵さんが演ると予告されており、めっちゃ気になりはしたのだが、澤雪絵さんの「姿三四郎恋暦」、澤孝子師匠の「徂徠豆腐」がほんとうにすばらしくて満足して、日原さんはもうずいぶんヘトヘトで、明日も仕事で朝五時に家を出なければならないし、体力の限界で家に帰った。

追記です。このあと、澤雪絵さんのこの会は、芸術祭新人賞を受賞したのであった。イヤめでたい。宇佐見りんの「推し、燃ゆ」もレビュー書こうとしてたら芥川賞をとってしまってあわててやめておりました。これからも本当に期待したい。(日)

舞台

火の顔

吉祥寺シアター、21年3月25日〜29日

★1998年、マリウス・フォン・マイエンブルグがベルリン芸術大学在学中に執筆した処女戯曲『火の顔』が、深作健太演出で上演された。

舞台上にはパイプのベッドが置かれ、中央には鉄パイプで通路がしつらえられ、テーブル、椅子と、無機質な印象。スタンドマイクが2本。

暗闇、マッチを擦る、小さい炎、マッチを持った少年・クルト(北川拓実)、その炎に照らされた意志の強そうで危うい香りがする表情、スタンドマイクを手にかけてしゃべりだす、シャウトするように。「僕は生まれた時のことを覚えている」。そばには姉のオルガ(大浦千佳・小林風花Wキャスト)、「本気で言ってる?」と呆れた表情で言う。ロックな印象、インパクトのある出だし。叫ぶようなセリフ、音楽のロックではないが、テイストは近い。ロック・ミュージックは政治行動や人種、性別、セックス、薬物使用に対する社会的態度と結びついている。また青少年の反乱の表現とも言われている。ここで2人の社会や大人に対する態度が視覚的に、聴覚的にわかる。

父親、母親、姉、弟、よくある家族構成。父と母はごく普通に見えるが、どこか表層的であり、子供達に対する態度も、どこか表面的な感じ。深いところで子供達を理解していない様子がわかる。子供達はそれを鋭く捉えている。父親は新聞の三面記事の、特に刺激的な事件が気になっているようだ。母親は子供達をどう扱っていいかわからない様子、特に娘に対しては同性故のやりづらさも感じられる。どこにでもいそうな家族、仲良し家族ではなく、ギリギリのところでバランスをとっている。彼らのやり取り、行動、挙動、今は平穏でも、いつか何かが起

きるのでは?という不穏な空気を孕む。

　そこへ娘が恋人を連れてくる。名前はパウル（納谷健・直江幹太Wキャスト）、大型バイクを乗り回し、サングラス、革ジャンの、いかにもと言ったルックス。エレキギターが奏でられる、バリバリ!な登場の仕方。弟のクルトは火の哲学に傾倒、姉にとっての恋人は本当の愛の対象でもなさそう、空虚な心を埋める道具なのか、ここは観客の解釈に委ねられている部分。姉は恋人を家に招く、父親は母親の肩を抱き仲良しアピール、その後ろ姿はどこか空々しい。彼が現れたことによって、何かが崩れていく。どうにもならない苛立ちとともに、それまで表面的には普通のありふれた家族だったのが、次第に変化していく。自傷行為、引きこもり、連続放火事件、けたたましいサイレンの音、ここからこの戯曲の最大の悲劇がやってくる…そこから一気に結末へと登場人物全員が向かっていく。

★撮影:阿部章仁
（父:中野英樹、母:比企理恵、パウル:納谷健 オルガ:小林風花）


　白を基調としたシンプルな衣装、時折奏でられる音楽、クルトを演じる北川拓実は等身大でキャラクターの純粋さと危なさを全力で表現。その全力さがクルトというキャラクターをさらに際立たせる。姉のオルガ、公開稽古では大浦千佳が演じ、小柄でベビーフェイス、大人と子供の間で揺れる少女、弟との関係、そしてさらに恋人もいる。ラストの土壇場で図太さを示し、母親をどこか毛嫌いしていたが、そんな少女の将来の姿が垣間見えるよう。オルガの恋人、公開稽古では直江幹太が演じ、大柄で革ジャンやサングラスがよく似合い、イケイケな空気感。俗物的なわかりやすいキャラで、酒が原因で勤め先を解雇されたり、父親から借金し、バイクを売りはらうなど世間的には困った若者だが、彼はこの4人家族に向けて、大きな風を送り込む。そして両親、父は中野英樹、母は比企理恵、どこにでもいそうなおじさん、おばさん。父は物わかりが良さそうに見えて子供達への関心の薄さを体現し、母は子供達に対しての接し方がわからない、特に娘に対しての言動が辛辣。

　ドイツの戯曲であるが、現代の日本でも十分に共感できる内容。ここに登場する人々は特別な人間ではない。誰もが持っている闇、迷い、成熟した家族であろうとすればするほど、内なる矛盾が噴出する。滑稽に見え、悲劇的にも見える。見終わったあとは多くのことについて考えさせられる。クルトが最初にいう、自分が生まれた時の話が幻想的で象徴的。このセリフのエネルギー、これをマイクでシャウトさせることによって観客は、このセリフをラストまで抱えて舞台上の出来事を観る。20年以上前に書かれたが、今の時代にフィットする作品。こういった内容の戯曲は上演されることは少ないが、時にはズシンとくる舞台を観るのも重要かもしれない。（高）

高橋伴明監督

痛くない死に方

★映画は前半と後半で対照的な二人の患者の末期を描いて行く。
　前半は、原作の実話をもとにした「痛い死に方」の話で、これはホントに観ていて

辛くなる。病院で死ぬにしても、自宅で死ぬにしても、苦しまないで死ぬことは、ほぼ無理な話であろうし、それを看取る家族の苦労も察して余りある。だけどそれは、避けては通れない道なのだ。末期がんの患者・大貫を演じた下元史朗の迫真の演技が、その痛さをヒリヒリと実感させてくれる。
　大貫を担当した在宅医師・河田（柄本佑）は、自らの対応に疑問を持ち、先輩医師の長野（奥田瑛二）に相談、そして彼のクリニックで働くことになる。
　後半は前半での失敗を踏まえた上での「痛くない死に方」のひとつの理想型を描いて行く。ここからは映画のオリジナル・ストーリーとなる。
　患者は元全共闘の運動家だったという本多という男で、演じているのが宇崎竜童なので、彼が演じた『罪の声』の登場人物と、ちょっとオーバーラップする感じがした。そしてやはり宇崎竜童といえば、

ダウン・タウン・ブギウギ・バンドのリーダーであり、一時代の日本のロックを牽引したロックスターである。そんな人が、このような役を演じることに、感慨深いものがあった。なんか「次はおまえの番だぞ」と言われているような気がする。まあ、遠くない未来にそうなることは、間違いない。

本末転倒した延命のための延命治療ではなく、患者の苦痛を可能な限り緩和しつつ、穏やかな時間のうちに最期を迎える、それこそが厳粛な尊厳死の姿であると、この映画は語りかけているようである。随所に挿入される本多の「川柳もどき」が、いいアクセントとなり、重くなりがちな映画に、軽やかなユーモアを与えている。

主人公の在宅医を演じた柄本佑の真摯な演技が、作品を真面目に支えていて、本多の妻役の大谷直子も、時々ドキッとするような色気があり、素晴らしかった。

もちろん、誰もが本多のように死んでいけるわけではないけれど、こういう死に方もいいなと思わせてくれる映画だった。

ところで、誰か『怖くない死に方』なんて映画を作ってくれないものだろうか？

（八）

二兎社

ザ・空気 ver.3

東京芸術劇場シアターイースト、21年1月8日〜31日

★1も2も観ていないのに、3なのですが、そこは許してください。ということで、「ザ・空気」です。言うまでもなく、空気がテーマです。あの「空気を読め」の空気です。

舞台はテレビ局。資料室への異動が決まっている女性ディレクター（神野三鈴）にとって、その日は最後のニュース番組。政府を批判するニュース番組をつくってきたため、異動するのだ。

ゲストコメンテーターとして登場したのが、政府をよいしょし続ける政治ジャーナリスト（佐藤B作）。病気から久々の復帰という設定。そこで通された控室が、かつてのディレクターの恋人が自死した部屋。死んだ恋人は、ジャーナリストとして政府に忖度する空気に耐え切れずに自死した。変節した政治ジャーナリストは師でもあり批判の対象だったともいう。

どうしたって、現実が重なってくる設定だ。ニュース番組においては、実際にディレクターの異動やキャスターの降板があちこちで行われている。忖度する政治ジャーナリストといえば、田崎スシローこと史郎がすぐに思い当たるが、まあそんな感じ。

とまあ、あまりにリアルな設定ですね。空気ですね。それどころか、1月の公演の時点で、菅政権の学術会議問題などをしっかり織り込んでいるのはすごいなあ、と。

コロナ危機下、政治ジャーナリストは微熱があり、隔離される。出演するかどうかは、要検討として置かれ、隔離されたまま、事前の打合せが進められる。そうした中、ジャーナリストが取りだしたのは、政権を転覆させるようなスキャンダラスなメール。これを放送すれば、政権は終わるだろう。もちろん、忖度する空気の中で、事前に多くのスタッフに知らせるわけにはいかない。放送事故が起こることになる。

うまくつくりこまれた脚本、安定した演技陣、明確な政権批判と社会批判が舞台上で行われるということそのものにも大きな意味があるけれども、そうしたものを含め、舞台の上で、その時代の空気を、エンターテインメントとして残しておくことができるというのは、すごいよな、と思う。何も空回りしていない。現実の社会が今なお、後退し続けているとしても。（M）

即興・即響・触境・SOKKYOH

シアターカイ、21年3月3日〜6日

★舞踏とその関係者による4日間のマラソンパフォーマンス企画が行われた。内容的には個々の公演で観ることができる表現が多く、観客もリピーターや内部の関係者が多くこれまでの延長という感触も強い。マラソン企画にあるようなだらだらとした感覚も抜けきれず公開実験とも言い難いところがある。

特に初日はそれぞれの表現が絡み合わず批判もいくらかみられた。しかしダンサーを中心に舞踏関係者が集ったことも事実でこれからの路線を模索するための試金石のようになった感触も受ける。2日目以後は相互の表現が絡み合い興味深い表現も立ち上がった。大野系の

舞踏は、ベテランにも新人にも大野一雄・慶人に対する敬意があり、溝端・川口らが手掛けるビックビジネスになった舞踏にないピュアさがある。この良さが原点回帰をうっすらと感じさせた。舞踏は大野・土方という2系列が中心になり、外部を排除する力学と、自分たちを擁立するピラミッドを形成するという2軸が今日となっては足かせになりジャンルを保守化させてしまっている。そんな舞踏に外部からにじりよっていたのが及川廣信らだが、彼らも1980年代にはすでに舞踏のファミリー・ツリーには記録されていた。日本マイム研究所で大野一雄が指導していた事、土方へのリンク・影響が彼らが舞踏と名のる1つの要因である。日本マイム研究所で慶人と学んだ三浦一壮もマイムと舞踏というテーマを彷彿とさせるように力強く舞う。これに惹かれた人も少なくなかったようだが、歴史的存在というよりは、舞踏と近未来をつなぐ1つの存在として読み解くことが重要である。20年前に舞踏はバブル崩壊後でも豊かな社会の中で"悪の華"の如く妖しく咲き誇っていた。一方でジョナス・メカスの様な優れた才能のアンテナにもかかり、舞踏のクローズなコミュニティとその保守性は世界の先端からもはっきりと批判を受けだしていた。やがて泡がはじけ、大野・土方も知らない新世代の台頭の中で迷走する事態に陥っている。海外からも認知され重要なジャンルなのだが、同時に飽きられつつもあり、難しい時期がずっと続いてきている。

その退廃と荒廃の最中の時代とは関わり合いがなく、ひょっこりとまたダンス界に戻ってきたのが三浦だ。やはり既存の文脈は勢力とは関係なく、考えることが重要で、これは舞踏というよりは即興の側のコンテキストから考えてやることが重要だ。音楽家や照明家が大変に健闘をしたのは事実で、現代音楽や舞台照明と即興との接点がこの企画に現代性を与えてくれている。

技術的には映像は2世代前の懐かしの視覚表現となり、現代のコンサート会場で使われるようなビジュアルなテクノロジーにも実験映像にも遅れをとってしまっている。先端表現とずれが生まれてきているダンス界の現状を示してた。新時代とのかなりの距離観がある中で、身体のテクノロジーは現代にヒントを与えるところもあり、パフォーマーが練ってきた技法を現代とどのようにリンクをさせるかが課題だ。コンテンポラリーダンスも第二の舞踏のような閉塞感がでてきているなか、必死の舞踏の未来の模索の最中に今日はある。(吉)

眉村卓

その果てを知らず

講談社

★SF作家・眉村卓の遺作である。

僕は眉村作品の熱心な読者ではないけれど、中学・高校時代に夢中で観たNHK少年ドラマ・シリーズの『まぼろしのペンフレンド』『なぞの転校生』『未来からの挑戦』(原作は『ねらわれた学園』『地獄の才能』)『幕末未来人』(原案協力)などの作品の原作者として思い出深い。これらの作品は、筒井康隆『時をかける少女』(『タイム・トラベラー』の原作)などとともに、学園ドラマ、青春ドラマの延長線上にSFを捉えたジュヴナイル小説の傑作群であり、多くのSFファンの心に刻まれているに違いない。

近年では『妻に捧げた1778話』が印象的だった。

本書は、作者の分身と思われる浦上映生という老境に達したSF作家の日常と非日常を、同一ベクトルのままに渾然一体に描いた長篇小説である。

これはあくまでも個人的な印象なのだけれど、著者ご本人の風貌が、どことなく俳優の宇野重吉に雰囲気が似ているように感じられ、本を読んでいる間中、宇野重吉主演の映画を観ているような感じがした。

主人公の映生は、闘病生活をしながら、執筆活動を続けている。

物語は入院生活からはじまるのだが、映生はそこで頻繁に幻覚を見るようになる。そしてそれは日常の描写と地続きに描かれ、彼が書いているフシギ系の小説の世界へ突入し、日本SF黎明期の回想へと繋がって行くのだ。この縦横無尽というか、融通無碍というか、ある種のゆるみを持った脱構築感が、読んでいてだんだん心地良くなって来る。

それが、かつて赤瀬川原平が提唱した「老人力」のようなもとだと言ってしまっては身も蓋もないかも知れないが、身体能力の低下や記憶の混濁は、老化現象として、個人差はあるにしても、誰もが避けては通れない道のりであり、そしてその先に「死」が待っている。

作者はそんな過程を、ある種のユーモ

アを伴った文章で、平明に描いて行く。

いつの間にか瞬間移動が可能になり、今生の死の先にある別の世界への「編入」、そして別の生命への「転身」などが、どこまでが設定上の事実なのか解らないかたちで綴られて行く。

『その果てを知らず』という象徴的なタイトルが示すように、未知の世界への距離を限りなく無限分割しつつにじり寄って行く、これは、そんな小説である。

生命の果ての、その先を覗き込もうとする姿勢に、厳粛なる作家魂を感じる一冊だった。（八）

郝景芳

人之彼岸

立原透耶・浅田雅美訳、早川書房

★著者郝景芳は、他に訳書が既に二冊刊行されている、現代中国SFの中心的作家の一人。大学で物理学を専攻した後に社会科学も修め、創作活動の一方で、子供の教育機関を設立するという幅広い経歴を持つ。本書のテーマはAI（人工知能）で、二編のエッセイと、六編の短編から成る。短編に登場するAIは、コミュニケーションツール、家庭教師、兵器など未来社会で様々な役割を担うが、著者の先端技術への深い理解で解像力が高いのが読みどころだ。

その中で「人間の島」は、社会統治機関となったAIというクラシカルなSFのモチーフを扱う。冷凍睡眠で地球を旅立った宇宙飛行士たちは、移住可能な星を発見するミッションに成功し帰還。しかし、出発から一二〇年以上経過した地球では、人間はAIに管理されるようになっていた。頭にチップを挿入、AIに判断を任せ、感情を失った〝新しい人類〟に違和感を抱いた彼らは、調査を開始、やがて一計を案じる。人間とAIの知恵比べなど、短編とは思えないほど起伏に富む傑作だ。著者の代表作「北京　折りたたみの都市」には都市の基盤を支えながらも影に追いやられた人々の姿があったが、本作でもそうした人々の思いが主人公たちのターニングポイントとなる。社会問題にも取り組む著者らしい視点である。
他短編では、難病患者を次々に治す病院の謎から人間とは何かという問題へ展開する「不死医院」、AIが容疑者となった傷害事件の裁判をめぐる法廷ミステリ「愛の問題」などどれも高水準の作品だが、巻末の〈ともだちとしてのAI〉を描いた「乾坤と亜力」が何とも愛らしい。最後に読者の頬をゆるませるのが心にくい。またエッセイでは、楽観と悲観で極端な印象を抱かれがちなAIについて、科学者の立場から詳細で地に足のついた解説を加える。AIの実像と未来像を多角的に伝えてくれる一冊である。（放）

松丸エミ展

少年標本室Ⅱ

ぎゃらりぃ朋、21年2月6日〜2月13日

★美少年の宴。アンドロギュヌス的内実の怜悧な無機質な瞳から零れる眼差しの馥郁さ。若々しい蒼さのなかに、耽美的な風情を湛えて、冬の森のように痛覚を刺激する清澄な空気。病んだ薔薇のように饐えた美を湛える美少年の甘美なる深みを狩猟する松丸エミの美少年への視線は、ヴィスコンティの「ルードヴィヒ　神々の黄昏」のように審美的で偏愛的に堕落し耽美的に深化する。澁澤龍彦のペーソスを汲んだ美少年の行末は晩夏の風情のような乱熟とネオテニーの夢想の間で揺れるその境界が美しい。美少年たちの宴の後の姿態の深奥にベルナール・フォコンの写真の少年の人形のような微熱が宿っているのが垣間見えた。ノワールで甘美で美しく印象深い展示であった。（並）

劇団チョコレートケーキ

帰還不能点

東京芸術劇場シアターイースト、21年2月19日〜28日

★舞台は最初、1940年に開設された、総力戦研究所から始まる。軍を含む各省庁から選ばれた若手エリートが、実際に日米戦争となった場合、どのようなことになるのか、そのシミュレーションが行われる場面だ。研究生は総理大臣をはじめとする閣僚の役割を受けて、開戦すべきかどうか、議論を行う。結論は、どうやったとしても日本には勝算はないというものだ。そうであるにもかかわらず、戦争に向かい、引き返すことができないところが見えている。
舞台はすぐに変わって、戦後5年くらいたった時期。亡くなった日銀出身の研究生の弔問を兼ねた、総力戦研究所の研究生の同窓会。亡くなった研究生の妻が営む小料理屋に集まってくる。

居酒屋で行われるのは、研究所の同窓

生による、政府の意思決定の場面だ。それぞれが、近衛文麿や東条英機、松岡洋右らを演じ、どのような議論をしてきたのかを再現する。公家である以上に総理大臣の器ではない近衛、外務大臣としてヒトラーやスターリンとも会談してきた松岡の暴走、そうした姿を、コミカルに演じていく。居酒屋を舞台にした劇中劇が繰り返され、戦争に向かう政治を再現していく手法は、トリッキーでもあり、当時の政治に対する批判が入りやすい構造でもある。そうした中、最初から勝機のない戦争に、どうして突き進んでいくのか、どこから先が、引き返すことが不可能になる決断だったのか、そこに迫っていく。ひとつひとつの意思決定が問題を含み、気付くと連合国に包囲されている。

　帰還不能点を過ぎても、居酒屋の劇中劇は続き、物語は戦後までやってくる。そこで、なぜ亡くなった元研究生が、なぜ再婚し、その相手が小料理屋を営むことになるのかも語られる。それは、どのように戦後を引き受けたのか、という話でもある。

　およそ80年前の政府がいかに不合理な決断を繰り返してきたのか、そのことによって悲劇がもたらされたこと、そうしたことが現在においてあらためて語り直される。それは、80年前の戦争に突き進む道の、その不合理さがどこかで忘れられている現在において意味があること。同時に、忘れられているような現在の日本は、何も学んでいないということでもある。あいかわらず不合理な意思決定を繰り返す日本政府というものへの批判でもあるのだろう。

　決してストレートではない社会派、けれども、だからこそ本質が伝わるというものだとも思う。(M)

都築響一・編

Neverland Diner 二度と行けないあの店で

ケンエレブックス

岸政彦、柴崎友香

大阪

河出書房新社

★『Neverland Diner 二度と行けないあの店で』は、〝様々な事情でもう行くことはできないが忘れられない店〟についてのコラム集。

　100名の執筆者が語る〝店〟は、味だけでなく、店に結びついた人間関係や仕事、恋愛、旅、時には廃墟となった建物に佇んだ瞬間、凍った刺身の溶け具合を確かめる動きを舌がしてしまうような(村上賢司「オリオン座の下にあったミヤコ」)身体的なものまで、個々の記憶と密接につながっている。

　店の数だけ、人がそこで過ごした時間、訪れた理由、行けなくなった事情が積み重なるさまは、人生の一部となり得る〝店〟の存在と、店を成り立たせる〝街〟に生まれる記憶の地層を見る思いがする。実際、内容ごと交互に紙色を変え、合間にタチキリの写真ページを挟む構成は、小口を眺めると地層そのものだ。

　一方、『大阪』は、大阪で今暮らす人物(岸政彦)と、大阪を出た人物(柴崎友香)が、各々の視点で大阪を書く共著エッセイ。交互に語られる大阪の姿は、時に痛いほど生身で、当然ながらステレオタイプとは大きく異なる。

　社会学者である岸氏が見据える大阪は、自由さと表裏一体の様々な問題(差別・暴力・貧困、三流の政治など)をどうしようもなく呑み込む街であり、阪神大震災の記憶も残る。軽快な語り口の中には、混沌で成り立つ〝街〟なるものを語ることの困難さが滲む。

　柴崎氏はさらに個人的なこと、生まれ育ち青春を過ごした、生活圏としての大阪を語るが、両者は共に、今の大阪があらゆるものを〝失った〟街と認識している。柴崎氏が90年代の街を振り返るとき、書き連ねられた固有名詞の殆ど(特に文化施設)がもう存在しない事実から、街の零落が伝わるだろう。

　だがこれは〝駄目になった街〟の記録ではない。街の記憶はそこで生きた個々の人生そのもの。ゆえに、書かれた街は、

生々しく大阪でありながら、同時に普遍的な"人生の集積地"として、本書に存在しているのだ。（三）

Studio093
夢想家達のまやかしヘヴン
Ebisu Star Bar、21年2月20日〜28日

★バーという空間を使った、1時間程度の小品。観客は20人も入らない。主人公の女性は、バーで目覚めるが、記憶がない。そこで、他のお客やバーのマスターが彼女に記憶をつくってあげようとする。実は彼女はアンドロイドで、毎晩のように記憶がないまま目覚め、記憶をつくってもらっていた。

　とりたてて独創的な話だとは思わない。ただ、観客と役者との距離感、微妙にファッショナブルだったりもして、そうした空間をつくってみるということが、コロナ危機下で思うように演劇ができない反動としてあるのかもしれない、と思った。

　これまでも、銭湯や名酒センターを劇場として利用した芝居を観てきたけど、どうしてもその場所を使うことが先に立ってしまい、ストーリーは二の次になっているんじゃないか、と思わないでもないけれども、それでもある種の距離感というのは、それはそれでいとおしいな、とも思うのであった。（M）

テッピン
シバイハ戦ウ
中野あくとれスタジオ、21年3月12日〜14日

★劇場に入ると、最前列まで椅子が並べてある。舞台には模造紙が貼ってあり、そこには役者からのメッセージと観劇上の注意が書いてある。もっとも、最前列と2列目の椅子には、チラシが置かれていないので、それが小道具だということはわかるのだが。

　開始直前に吉田テツトが登場し、観劇上の注意、とりわけコロナ対策について語った後、模造紙が取り除けられ、劇が始まる。

　最初の場面は、小劇場の支配人と劇場について取材するジャーナリストの二人。コロナ危機は延々と続いており、もはや演劇が演じられることはなくなっている。そうした中、闇演劇がひそかに行われており、ジャーナリストはこの小劇場でも闇演劇が行われているのではないかと考えている。支配人は小劇場の魅力を延々と語る。この場面、70年代から80年代にかけての小劇場ブームがどんなものであったのかが語られている。見方によっては、何がおもしろいのかさっぱりわからない小劇場の芝居が、役者の肉体のリアルさを通じて訴えかけてくるものでもあるという。支配人役の池田ヒトシ自身、その時代の芝居に出演している。このあたり、なんだか内輪受けみたいなところもあって、ちょっと困ってしまうのだけど。わからないでもないのですが。

　ところがこれが、研究者の登場によって話は一編する。闇劇場が行われていたわけではない。小劇場の舞台とともに、別の舞台を設置し、役者はそちらで演技をすると、特殊なカメラを通じて小劇場の舞台にリアルな芝居の映像が映し出されるシステムの開発が進められていたということ。しかも、映像の方は見た目がリアルな3Dというだけではなく、手触りまである。したがって、映像が物をつかむこともできるというもの。ただし、映像の方は殴っても痛くはない。

　でも、こんな技術を開発するほど、小劇場にお金があるわけではない。どこからかお金が出ているということ。そこで舞台がさらに変化し、外国人のエージェントが登場する。

　3Dのリアルな映像を、バーチャルな兵士として使う技術の開発をしていたということだ。映像であっても銃を持ち発砲することができる。しかし映像なので死ぬことはない。問題は、映像だと敵にばれないようにしなくてはいけないということ。そこで、映像が敵の銃で撃たれた場合、どのような傷ができるのか、その映像データを集めなくてはいけない。ジャーナリストはそのためにおびき出され、銃で撃たれることになる。

　ブラックな展開であるにもかかわらず、終始笑える舞台だ。しかもラストでは暗幕は下がり、そのあたりも70年代、80年代演劇へのオマージュともいえる。

　コロナ危機で芝居の上演は簡単ではなくなっている。それでも、時代の中に息づくものとして、シバイハ戦ウと言われれば、そうなのだとしか言えない。それは、かつての小劇場から受け継がれてきたものであり、アップデートされてきたものということなのだろう。難しいことを言わずとも、演じる人間の存在のリアルさを感じながら楽しめる舞台そのものが、戦いなのだろうと思う。（M）

Tarinof Dance Company 2021
Σ-sigma-
座・高円寺2、21年3月30日〜31日

　坂田守と長谷川まいこは一歩一歩活動を実らせつつある。フランスから戻って

きた直後から自分たちの振付言語・身体技法を開発しながら池田美佳らと公演を行ってきた。「HAI」は関節の動きにとらわれることなく緻密に表現をしてみたり、時には肉体の動き方に逆らうように動くなどを交えながら展開していく刺激的な作品だ。男女のデュオという意味では勅使川原三郎の作品と比較してみても、全く異なった地平と美意識でシリアスに自らを見つめている様子が伝わってくる。勅使川原が無機質な美意識を伴いながらスタイリッシュにまとめてくるとすれば、坂田・長谷川は肉体に対する洞察を通じながら、新しい像を切り出してきており、そのボキャブラリーは勅使川原よりも幅が広いように考えられる。頭から肉体を地に走らせていくなどこれまでの作風にない表現も登場する。

作品タイトルは灰を意味し、白と黒の中間領域を意味しているが、二項の中で揺れ動く姿とその揺れ動く様を、肉体でも物体でもないが如く描くことに成功している。既存の振付言語と異なる新しい世界を切り出した。「花の牙」(2019)の頃から現代美術にも肉迫するような視覚表現を舞台で展開をはじめてきているが、迷うことなく新時代の舞踊を送り出す。試行錯誤を重ねながら形成する新地平に期待がかかる。

前半に上演された「you/me」は群舞作品。コンテンポラリーダンスという用語がもてはやされた20年前の大時代にはフォーサイスや勅使川原を意識した現代舞踊やバレエの振付や構成が多かった。今では勅使川原も偉大なことは事実だが歴史になった。懐かしの大時代とは全く異なる感覚を持った若手ダンサーたちを新しい振付を通じて作品で使っていることを見て取れる。メッセージ性などを強く打ち出すことも可能かもしれないが、彼らしい主張という意味では妙に重々しくなくても良いのかもしれない。(吉)

鶴巻和哉、中山勝一、前田真宏監督
庵野秀明総監督

シン・エヴァンゲリオン劇場版:||

★テレビシリーズの放映から約四半世紀、ああ、これでやっと永かった一四歳が終わったなと思った。

テレビシリーズの最終二話は、リアルタイムで観ていて、心底ガッカリしたものだし、その後公開された劇場版のラストにも納得出来なかった。

そして断続的に公開された新劇場版のシリーズも、途中からまるで違う話になり、どうなることやらと待たされる間に『シン・ゴジラ』なんてのもあって、やっとこうして、一応の完結篇を観ることが出来たわけである。もはや好きの嫌いのなどと言ってる次元ではなく、自分の人生の一部となり果ててしまったような気がして、感無量といった塩梅である。

色々な疑問がすべて解消されたわけではないけれど、たとえば村上春樹の小説を読んだ時のように、謎は謎のままとしつつ、深い読後感を味わうといった感じに似ている。

というのも、観ながら『海辺のカフカ』のことを思い出していたわけで、オイディプスの神話をベースにしているというところに、共通したテイストがあると思ったのである。『海辺のカフカ』の主人公は、一五歳の誕生日に家を出る。それもまた一四歳への決別の物語と言えるだろう。

本誌が出る頃には公開から時間も経っていると思うので、以下はネタバレを気にしないで書いて行く。

映画の前半の主な舞台となった第三村は、どこか昭和四〇年代の風景を彷彿とさせる。総監督の庵野秀明は僕とほぼ同世代であり、自身が少年時代を過ごした時代の風景をここに再現したように思われる(ネットの情報によると、モデルになったのは静岡県浜松市の天竜二俣駅周辺であるらしい)。この村では、大人になったトウジやケンスケや委員長が暮らしている。心を閉ざしたままのシンジはここで、徐々に心を開いて行くのである。なるほど『エヴァンゲリオン』という物語は、自己再生の物語であったのだなと、自明のことが今更のように腑に落ちた。

そして後半は、いよいよ最後の親子対決である。

次々と早口でまくし立てられるテクニカルタームは、いちいち理解出来なかったし、聴き取れない台詞もあったけれど、そういうことはもう、あんまり重要ではないように思う。テレビシリーズから延々と繰り出されてきた様々な趣向や伏線や仕掛けは、この最後の神話的対決のための装飾であり、壮大な（というか誇大な）自己再生と世界把握のドラマのための肥やしであったと思えるからだ。

最後に、大人になったシンジの姿を描いて、映画は終わる。それは、汎用ヒトガタ兵器のパイロットでも、ニュータイプでもなく、普遍的に眼にすることの出来るただの青年であり、この作品を観つづけて来た、僕たち自身の姿でもあろう。そう思えたからこそ、冒頭に記したように、永かった一四歳がやっと終わったのだと、しみじみと噛みしめることが出来たのである。

もちろん、実年齢的は還暦を過ぎた身ではあるけれど、心の中に永遠の一四歳をかかえながら、ね。

ラストに流れる宇多田ヒカルの主題歌が素敵だったので、思わずCDを買ってしまった。（八）

カラスアパラタスアップデイトダンスNo.80

サティ
退屈と孤独と真空の呼吸

カラス・アパラタス B2ホール、21年3月5日〜14日

★サティの小迷宮。裸形の音楽に勅使川原三郎が、そっと寄り添う。饒舌に語り、誑かす。道化のように。内実のあるなし。茫洋の昏がりを疾走していく鮮烈さ。時には諧謔に。神秘の輪のなかに。戯けてみせる。その刹那、刹那が古風に遠近がかって、明滅する。その詩が美しい。勅使川原三郎の身体が微笑する。サティの音楽に補助線を引いていく。その幸福と不幸を。戯画めいて。サティの謎めいた音楽の後先に。印象深い公演だった。初日の終演後の春の雨も止んで綺麗な余韻。そして夢の廻廊を旋回する。サティに想いを寄せる。（並）

タテヨコ企画

誰かの町

小劇場B1、21年3月24日〜28日

★照明が消えることもなく、舞台に二人の主演俳優が登場する。劇団の劇作家の小宮と劇団員の有野だ。観客の心の準備ができるまえなので、なかなか不意打ち感があるけど、とにかく始まってしまう。

ストーリーは、小宮が脚本を書くために、有野の故郷を訪れるという設定だ。何となく、栃木県のあたりを想像させるけど。で、有野の父はすでに亡く、老いた母親と妹夫婦が住む。幼馴染の高橋春子の家は開業医だったが、すでにない。同級生の坂本や韮山の思い出もある。その町の過去を案内する、という設定。

特に何か大きな事件があるわけではなく、2時間10分、途中で休憩をはさみつつも、場面がたんたんと進んでいく。特別なことといえば、有野が春子と結婚したこと、けれどもその春子は若くして亡くなってしまうことぐらいかもしれない。

シーンそのものは、うまく構成されているし、それらが飽きさせることなくつながっていて、心地よい2時間強だった、とは思う。それは本当に、ミニマムな小道具や気の利いた演出の力なんだろうとも思う。役者陣も複数の役をこなしつつ（とりわけ韮山親子を一人で演じ分けるあたりは、なかなかすごいな、とか）、めりはりがきいた場面をうまく構成しいて、気持ちがいい。

そうなのだけれども、観終わったあと、だから何だったのだろう、と思ってしまう感が強い。80年以上も前に書かれた戯曲、ソーントン・ワイルダーの『わが町』が下敷きにあるということなのだけども。現在において、日常を日常として描くことに、どんな意味があるのか、あるいは意味がなくてもいいのだけれども、舞台としてどこに求心力があるのか。失われた過去に対するいとおしさももう少し感じられてもいいのにな、とか、そんなことも思った。（M）

2021年も
夢月亭清麿

21年1月9日、らくごカフェ

★二度めの緊急事態宣言のなか。寄席や落語会は、二〇時終演として開いておりました。鈴々舎馬風師匠や三遊亭ごはんつぶさんなど私の好きな落語家さんもコロナ陽性がわかり、興行もバタバタ中止になったりもしましたが。

清麿師匠の貴重な独演会も、どうにか開かれて。とてもありがたかった。二〇二一年のテーマは「東京百景」。第一回目の今回は「浅草」。

浅草演芸ホールの初席、正月興行といえば、お客をぎゅうぎゅう詰めにすることで有名だ。それが今年は、お客は数えるほどしかいなかったという。私の座右の銘は「一寸先は闇」なんですが、コロナ禍のさなか、ほんとうに闇だ。

そして、「浅草という街はほんとうは、落語という粋な芸能は似合わず、もっと華やかなもののほうが合いますね」という鋭い指摘を述べながら、浅草をテーマにした物語に。ひとくせあるじいさん

が結ばせる、シブい男と女とのしみじみとしたラブストーリー。このさなかにあたたかかく、ありがたい物語だった。二〇二一年もどうにか生き抜いて、清麿師匠の落語が聴きたい。いえ、死亡フラグにしたくないですが。（日）

第29回かつしか演劇祭

かめありリリオホール、21年1月17日

★例年であれば2日間の公演となるが、今年は1日限り。当初は5団体の公演が予定されていたけれども、2つがキャンセルとなり、わずか3団体。それでも開催できてよかったな、と思う。

葛飾区では毎年1月なかばに「かつしか演劇祭」を開催している。出演するのは、地元の劇団や学校の演劇部など。入場無料で、誰でも自由に観劇できる。

今回の演目を順に紹介しておく。劇団蓮の『およぎ夜話〜寿老人福禄寿』は、社会人劇団による公演。ジャングルベルシアターの作品を取り上げている。元の作品は、よく構成されているなあって思ったけれども、それ以上に主人公でかつ悩める考古学専攻、居酒屋でバイト中の女子学生の演技が妙に素人っぽくて、地域イベントならではのほんわかした空間をつくり出していたなあって思う。

LUCE（ルーチェ）の『ハックルベリーにさよならを』は、劇団キャラメルボックスの演目から。主人公のケンジは母親と二人暮らし。ケンジはカヌーに夢中だが、母親は許してくれない。月に一度、別れた父親と会うが、楽しみはボートになること。父親の住むマンションで父親が一緒に暮らす女性と出会う。そのアンビバレンツな気持ちをかかえ、ケンジは勝手に井の頭公園でボートに乗り、東京湾まで向かう。広い舞台ゆえに、ボートに乗って川を下るシーンがとても気持ちよくできていたなあって思う。大人になっていく物語であると同時に、大人である側もまた変化していく。家族って、通過していくものなんだなあと、あらためて感じるのであった。

ひなたアクターズスクール×未来教育劇団ここたねの『グッドラック』は、死後の世界が舞台。死んだ子供が学ぶ学校、そこで生まれ変わることを待つ。人はいずれにせよ死ぬものだけれども、その前に生きることがあるし、そのことにはもっと希望を持っていい。アクターズスクールの生徒たちの年齢はばらばらだけど、みんな上手だなあって思いながら、死を考える芝居に出演することそのものの深さもあるなあ、と、そんなことを思っていた。

かめありリリオホールは小劇場ではないし、演じる側も劇団とは限らないし、でもこうした形で、演劇が地域にあるというのは、というか、そうした表現が地域にあるということは、それはそれで豊かなんじゃないかな。（M）

さようなら 山野博大

山野博大氏がコロナ禍の最中の2021年2月5日に84歳で急逝した。同い年の舞踊人には、若松美黄、長谷川六らがいる。

慶應義塾大学出身ということもあり、“住んでいた千葉の市川に山野町という町がある”という風評がまことしやかに語られてきたがそれは全くの偶然のことで、実際には東京の下町に生まれだ。現在の市川駅から日吉・三田にある慶應義塾に通う事になる。中学時代には学校の役職に折口信夫門下の池田弥三郎がいた。1学年上には同じ地域出身の浦和真や後に経済学者として知られる母校で出世した高橋潤二郎がいた。山野の同期生には母校で教えた経営学の井関利明の名もある。タレントの加山雄三、音楽の平尾昌晃、実業家の峰岸慎一、政治家では橋本龍太郎・元首相が同年齢だが一期下になる。舞踏との関係でみると、映像作家の飯村隆彦も年代が近く、少し年下に現代詩の岡田隆彦・吉増剛造がいる。

中高時代の山野博大のクラスメイトに小牧バレエ団で踊っていた男性ダンサー・酒井達男がいた。彼のチケットを買ってバレエを見に行ったことがその歩みのはじまりだった。石井漠の次男の石井鷹士やオペラで活躍する鈴木啓介もこの時代からの仲間だ。批評を書きたいと思う前にモダンダンスを芙二三枝子に学んだこともあったようだ。芙二と山野は最後まで師弟関係だった。当時の若者は早い段階から情報を求めて海外のダンスメディアを読んでいた。当時の私大はまだマスプロ化する前で慶応義塾大学は凄く偏差値が高い学校ではなかった。

大学に進学すると大学の文化部の慶應義塾バレエ研究会のメンバーになる。当時、バレエは先端文化であり、学生たちに人気があった。そこで蘆原英了らの協力によりバレエを学ぶ・上演する部があった。指導教授は戦後の「白鳥の湖」初演で活躍した松尾明美だ。在学中より音楽新聞に投稿し、まだ10代末の山野の批評はすでに完成されていた。入学したころに実験工房によるバレエ実験劇場の「未来のイブ」が上演されている。山野が批評家を志すきっかけとなったのはノラ・ケイが出演したアントニー・チュー

ダーの「ライラック・ガーデン」だった。この時の舞踊にしかできない感動を最晩年まで良く語っていた。そして20歳の時に懸賞論文が掲載になり1957年として長老の牛山充と交替する形で舞踊批評家として活動することになる。村松道弥が選んだこの論考で彼は〝舞踊家は演目の上でもっと観客の事を考えて工夫して欲しい〟と主張した。浦和真や八木忠一郎もこの研究会が刊行していた批評誌「イルミナチ」や音楽新聞に寄稿している。この批評誌は浦和が編集をしていた、戦後派の洋舞評のさきがけと言えるリトルマガジンだ。山野は在学中に図書館で舞踊批評家・光吉夏弥とも知り合う。授業にでるよりダンサーの稽古場へ行ったり、公演に潜り込もうとチケットもぎりのおばちゃんと追いかけっこもした事もあった。彼の卒論は法学部出身らしく舞踊の著作権に関するものだった。渥見利奈や三輝容子といった戦後最初の新人ダンサーたちはデビューしたての年下の青年批評家・山野と踊りの見方を語り合った日々を回想していた。この辺りのことはうらわまこと編「私たちの松尾明美」（文園社）やうらわまこと・山野博大監修「復刻版 20世紀舞踊」（20世紀舞踊研究会）に詳しい。

山野は1959年に大学を卒業するが、その頃に舞踏誕生のきっかけになる出来事に当事者として立ち会うことになる。かの過激な女流アヴァンギャルドにまつわる一節だ。〝物議を醸しだして大きくなってきた〟とされる若き批評家の最初のヒットは新卒1年目のことだった。結果として山野は戦前からありすでに確立したメディアになっていた音楽新聞を離れる。音楽新聞には40歳を過ぎて批評家になった桜井勤が若手と交替し書き始める。

執筆メディアを失った山野は落ち込んだというが、池宮信夫らと20世紀舞踊の会の設立に立ち会い、早々に「20世紀舞踊」、音楽舞踊新聞とニューウェーブの側から論を張るようになる。舞踏誕生に関係する記事「芸術批評のモラル」やこの時代の多く試みは勢いがあり良い評論だ。この頃、山野はギンズバーグの詩と土方巽を賞賛していた。〝毎日ように劇場に通うと観劇に時間がかかり大変だが舞踊を書くことには意義がある〟と発言する一方で、「1966年は舞踊で食べようよ」といったことを述べるなど20代の山野は初々しくもはつらつとしていた。山野のパートナーはこの時代の舞台写真を多く残した山野和子だ。二人の結婚を祝い20世紀舞踊の会は写真・評論集を刊行する。和子は社交性が高く二人は舞踊界を支えた。

そして山野はポストモダンからコンテンポラリーまで戦後日本の洋舞界の良い時代を生きた。以後、戦後〜21世紀初頭の舞踊界で活躍した。「20世紀舞踊の会」の同人・設立メンバーであり、舞踊ペン倶楽部から舞踊批評家協会へと職域団体で事務処理を献身的に行うなど活動を重ねてきた。オン★ステージ新聞は音楽新聞にいた谷孝子に山野が共同出資者となることでスタートした業界紙だ。長谷川六は山野のことを信頼できると述べながらも、「日本の業界紙の広告は公演主催者から取られることが多い」ことが山野の評を変化させてしまったと述べる。山野自身もまた舞踊メディアのスポンサーの問題については村松道弥以来続いてきた問題で、なんとか変化させていくことが大事だと述べていた。この課題は未来へと託されることになる。正田千鶴のように山野の評が若き日から変質したことを厳しく指摘する舞踊家もいた。先端を求める若者から、次第に洋舞界全体を細かく論じるようになり、やがて新世代の台頭の中で今度は立場を守る側となり、と彼も齢を重ねながら、時代とその限界の中で進む事になる。惑わずやがて天命をしるが如く、時代と呼応しながら感覚はポストモダンへ、やがて論調は新保守になっていく。

山野はおそらく記事掲載数において近現代日本のこのジャンルの批評家の中で群を抜いているのではないか。20歳前後から最晩年まで現場でどう作品を見たかということが記録に残っている。実質的に60年以上現場で執筆をしてきた生き字引だった。

山野は若き日には数少ない光吉夏弥の弟子だった。やがて〝取り上げるものをもっと絞るべき〟だとした光吉の下を去り業界紙を中心に現場で活躍することになる。写真評論や児童文学の翻訳でも知られた光吉は自ら新聞社へ原稿を売り込んで回った草分けの一人だ。業界紙とつながって活動を開始したばかりの学校の後輩にあたる青年・山野を自分と同じ様々なジャンルで活動するタイプに育てたかったのかもしれない。だが、彼は自らの道を選んだ。

やがて江口博の導きで文化庁・芸術祭や様々な委員を歴任することになる。江口は学者の光吉や蘆原英了とは距離があった。だが山野は芸術祭の日本的な体質が嫌になり一度、文化庁を批判して離れる。彼は江口の葬儀についてあんなに寂しい葬儀はなかったと述べる。しかし再び山野は文化庁の仕事に戻ることになり、ついにコロナ禍の最中の2020年度文化庁芸術祭の委員長になった。一連の選択が山野の活動と評にも影響を与えることになる。そして後年になると大学でも教えた。

彼は批評活動を重ねながら、最後は銀行の支店長までなったことから金融に精通しており、助成金や予算の配分においては同業者の中で類を抜くセンスを持っていたとされる。客席で出会った政治家や官僚、財界人、VIPと交流する時は銀行業で養ったビジネス感覚が冴えた。戦後の文化政策の歴史とともに、近年の芸術文化振興法や劇場法の時代まで、その枠組みの成立と関わることもありながら歩んできた。

山野の没後にSNSで流れたコメントには多くの人が「分け隔てなく接してくれた」ということを記している。劇場客席で知り合う重要な関係者とのコミュニケーションやロビー活動も含め献身的に洋舞界を広げようと生きていた。洋舞界の事となると利害にとらわれずにまず動くオルガナイザーでもあった生きざまは同時代の舞踊人に通じるところがある。

山野が若き日はまだ山本久三郎や永田龍雄といった帝国劇場の生き証人ともいえるモダンマンの大御所がまだ健在で、何か新人が物議をかましても〝まあまあ〟ということでいろいろ自由だったという。やがて舞踊批評は業界紙の広告収入の問題もあり、そのように風通しを良くしたり、庇う者もいなくなり、現代の様に売り込みのすっかり売文のようになってしまった。今日でも辛口のうらわまことの評は若き日の「20世紀舞踊」の時代と通じるものがあり舞踊界に対する提言がある。彼らのような評が中間層の中から次第になくなってきた。山野はそんな時代の中を歩きながら、最後の最後まで小さな舞台に至るまで、洋舞を中心に舞踊のみ様々な公演評を書き記録を残し続けた。それが光吉や江口を経て確立した彼のスタイルだった。

執筆メディアもこだわらずに業界紙から一般紙、小さな雑誌、果ては様々なウェブサイトにいたるまで、本当にいろいろなところに足跡を残している。いわゆるカード式だった光吉の方法論を踏襲しながら舞踊界の様々なデータをつくっていく作業も行った。そのデータは各年鑑・年表に活用されている。舞踊年鑑の為の公演情報データや舞踊人の連絡先リストをつくり、関係者へ提供・公開することもあった。定期的な郵便物でデータを提供してくれていた時期があり、私のところにも公演情報データは月に何通も送られてきていた。

洋舞界のイメージがあるが、邦舞のことも熟知しており、舞踊ペン倶楽部時代に松本亀松と交流した話をしてくれた。戦後の日本舞踊の良い舞台に接し、国立劇場の歌舞伎公演にもよく通っていた。

GHQ統治を経て民主化へと進む戦後日本を生きた1950年代後半の若者らしく、愛用のペンや時計といった身に着けるものの趣味はアメリカンなデザインで何よりビールを愛していた。アサヒスーパードライ、ザ・プレミアム・モルツや、東京生まれのハートランドは好きな銘柄だった。鮮やかな味わいとその意味合いを見抜く目を持っていた。村松道弥らが舞踊人の会をつくり集っていた時代に末席にいたという山野は、関係者と呑むことも好み、公演を観た後はワインではなくビール派だった。実業家が高級店でなく庶民的な居酒屋を選んで仕事の会話をすることに通じているのかもしれない。おかげさまで私もビールに詳しくなってしまった。

何しろ私が村松の下で活躍した前旬明俊と知り合い音楽新聞に書き始めたとき、そこには松尾明美と慶応義塾バレエ研究会の卒業生がいた。石井鷹士や石田種生、浦和らがいる中で対抗紙で現代舞踊を書いていたのが山野だった。現場で日々一緒になった。

若き日から詩に憧れており20世紀舞踊の会でも詩に関するイベントを行い、舞踊人による俳句の会を主催する横顔もあった。山野は江東区の芭蕉記念館の投稿句に入選したこともある。数年後、私も投句してみたら入選したこともあった。

批評家宣言をした1957年から2021年まで数えてみても64年間はある。桜井勤が述べた「舞踊界で修行をする」幸運に恵まれた若者が送ることができた幸せな一生というべきではないだろうか。生前の姿は「踊る人にきく」(三元社)にもまとめられている。

1950年代と比較してみると洋舞界は成長を遂げたが、評論も様々な制度もまた課題が残る。我々はこの半世紀以上の時代の文化について調べるときに彼の批評を目にすることがあるだろう。事実、戦後日本の文化を論じる上で、彼の評が予想しない文脈で時折引用されていることを目にすることがある。山野は初志貫徹の生き方で日本のポピュラーカルチャーの一角を記録にするという意味で大きなことを成し遂げた。戦後日本の文化史の一頁を彩るこの才能の評を読み解きながら、我々は、戦後日本の劇場をくまなく歩き踊りの魅力を考え発信し続けた一人の男の姿に出会う筈だ。冥福を祈る。(吉)

清水真理 人形作品集「Wonderland」
978-4-88375-364-2／B5判・64頁・ハードカバー・税別2750円
●肉体と霊魂、光と闇、聖と俗…それらの狭間で息づく、人形たちのワンダーランド。多彩な活躍を続ける清水の近年の作品の魅力を凝縮！

ホシノリコ 作品集「蒼燈のばら」
978-4-88375-326-0／B5判・64頁・ハードカバー・税別2750円
●艶かしく息づく球体関節人形、幻想的な物語奏でるオブジェ。ホシノの10年の歩みをまとめた待望の作品集！ 写真＝吉田良、田中流

森馨 人形作品集「Ghost marriage～冥婚～」
978-4-88375-236-2／B5判・64頁・ハードカバー・税別2750円
●妖しい美しさと、哀しいエロスを湛えた、森馨の球体関節人形。その蠱惑的な肢体を写真家・吉成行夫が撮影した、闇の色香ただよう写真集！

林美登利 人形作品集「Night Comers ～夜の子供たち」
978-4-88375-288-1／A5判・96頁・ハードカバー・税別2750円
●異形の子供たちは、夜をさまよう――「Dream Child」に続く、人形・林美登利、写真・田中流、小説・石神茉莉のコラボ、第2弾！

与偶 人形作品集「フルケロイド FULLKELOID DOLLS」
978-4-88375-265-2／A5判・68頁・ハードカバー・税別2750円
●園子温推薦！ 多くの人の心に突き刺さっている、凄みのある作品たち。20年の作家生活をここに総括。横4倍になる綴じ込み2枚付！

木村龍 作品集「光速ノスタルジア」
978-4-88375-245-4／B5判・96頁・ハードカバー・税別3500円
●ボックスアートから彫像的作品、球体関節人形、絵画などまで、妖美で奇矯、かつ純真な世界を濃密に凝縮した、待望の初作品集！！

芳賀一洋 作品集「錠前屋のルネはレジスタンスの仲間」
978-4-88375-331-4／A5判・224頁・並製・税別2222円
●パリの街並みや日本の昭和的風景などを精巧なミニチュアで再現した驚異の作品群。その40作以上を郷愁あふれる写真に収めた作品集。

北見隆 作品集「本の国のアリス～存在しない書物を求めて」
978-4-88375-223-5／A5判・64頁・ハードカバー・税別2750円
●本そのものが、「アリス」の物語の、愉快な舞台〈ワンダーランド〉に！ 本の形をした“ブックアート”を中心に、不思議な物語に満ちた作品集！！

◎杉本一文の本

「杉本一文『装』画集～横溝正史ほか、装画作品のすべて」
978-4-88375-287-4／A4判・128頁・カバー装・税別3200円
●横溝正史といえば、杉本一文。数多く手がけてきた装画作品の中から、横溝作品を中心に約160点を精選して収録した待望の画集！！

「杉本一文銅版画集」
978-4-88375-286-7／A5判・128頁・カバー装・税別2500円
●幻想とエロスの桃源郷――杉本一文のもうひとつの顔、銅版画の代表作を装画作品から蔵書票まで約200点収録！

◎幻想系・少女系

高田美苗 作品集「箱庭のアリス」
978-4-88375-393-2／B5判・64頁・ハードカバー・税別2700円
●混合技法によるタブローから銅版画まで、少女をモチーフとした夢幻世界を描き続ける高田美苗の軌跡を集約した、待望の作品集！

スズキエイミ 作品集「Eimi's anARTomy 102」
978-4-88375-358-1／B5判・64頁・ハードカバー・税別2750円
●“美の本質は肉体、肉体の本質は死”。名画などを巧みに組み合わせて作り上げられた、解剖学的でシニカルな美の世界！

たま 画集「Calling～少女主義的水彩画集VI」
978-4-88375-357-4／B5判・52頁・ハードカバー・税別2750円
●ダーク＆キュートなたまの少女画集第6弾！ 切り取って楽しめる「折り込み塗り絵」や中野クニヒコによる立体作品も収録！

◎小説・コミック・評論・エッセイ

◎ナイトランド・クォータリー（ホラー＆ダーク・ファンタジー）

ナイトランド・クォータリー vol.24 ノマド×トライブ
978-4-88375-437-3／ A5判・192頁・並製・税別1700円

ナイトランド・クォータリー vol.23 怪談（KWAIDAN）―Visions of the Supernatural
978-4-88375-425-0／A5判・192頁・並製・税別1700円

◎ナイトランド叢書（TH Literature Series）いずれも四六判

キム・ニューマン「《ドラキュラ紀元一九五九》ドラキュラのチャチャチャ」
鍛治靖子訳／978-4-88375-432-8／576頁・税別3600円

キム・ニューマン「《ドラキュラ紀元一九一八》鮮血の撃墜王」
鍛治靖子訳／978-4-88375-327-7／672頁・税別3700円

キム・ニューマン「ドラキュラ紀元一八八八」
鍛治靖子訳／978-4-88375-311-6／576頁・税別3600円

クラーク・アシュトン・スミス「魔術師の帝国《3 アヴェロワーニュ篇》」
安田均他訳／978-4-88375-409-0／320頁・税別2400円

クラーク・アシュトン・スミス「魔術師の帝国《2 ハイパーボリア篇》」
安田均他訳／978-4-88375-256-0／272頁・税別2300円

クラーク・アシュトン・スミス「魔術師の帝国《1 ゾシーク篇》」
安田均他訳／978-4-88375-250-8／256頁・税別2200円

E&H・ヘロン「フラックスマン・ロウの心霊探究」
三浦玲子訳／978-4-88375-361-1／272頁・税別2300円

E・H・ヴィシャック「メドゥーサ」
安原和見訳／978-4-88375-339-0／272頁・税別2300円

M・P・シール「紫の雲」
南條竹則訳／978-4-88375-336-9／320頁・税別2400円

エドワード・ルーカス・ホワイト「ルクンドオ」
遠藤裕子訳／978-4-88375-324-6／336頁・税別2500円

アルジャーノン・ブラックウッド「いにしえの魔術」
夏来健次訳／978-4-88375-318-5／320頁・税別2400円

E・F・ベンスン「見えるもの見えざるもの」
山田蘭訳／978-4-88375-300-0／304頁・税別2400円

サックス・ローマー「魔女王の血脈」
田村美佐子訳／978-4-88375-281-2／304頁・税別2400円

A・メリット「魔女を焼き殺せ！」
森沢くみ子訳／978-4-88375-274-4／272頁・税別2300円

◎TH Literature Series

石神茉莉「蒼い琥珀と無限の迷宮」
978-4-88375-365-9／四六判・320頁・カバー装・税別2400円

図子慧「愛は、こぼれるqの音色」
978-4-88375-345-1／四六判・256頁・カバー装・税別2200円

朝松健「邪神帝国・完全版」
978-4-88375-379-6／四六判・384頁・カバー装・税別2500円

朝松健「朽木の花～新編・東山殿御庭」
978-4-88375-333-8／四六判・320頁・カバー装・税別2400円

朝松健「アシッド・ヴォイド Acid Void in New Fungi City」
978-4-88375-270-6／四六判・256頁・カバー装・税別2200円

朝松健「Faceless City」
978-4-88375-247-8／四六判・352頁・カバー装・税別2500円

友成純一「蔵の中の鬼女」
978-4-88375-278-2／四六判・304頁・カバー装・税別2400円

橋本純「百鬼夢幻～河鍋暁斎 妖怪日誌」
978-4-88375-205-8／四六判・256頁・カバー装・税別2000円

ケイト・ウィルヘルム「翼のジェニー～ウィルヘルム初期傑作選」
安田均他訳／978-4-88375-241-6／256頁・税別2400円

◎TH Art series

◎新刊

目羅健嗣(絵)冬木洋子(詩)「楽園のかけら〜ねこの詩画集」
978-4-88375-435-9／A5判・64頁・カバー装・税別2000円
●愛らしかったり、ちょっとすねた感じだったり…人気猫絵師・目羅健嗣の絵に作家・冬木洋子が幻想的な詩を添えた珠玉の詩画集。

九鬼匡規 画集「あやしの繪姿」
978-4-88375-426-7／A5判・64頁・カバー装・税別2000円
●このうえなく美しき妖怪たち——妖艶なるファム・ファタールから、愛らしい少女まで、怪異や妖怪を女性像で描く、九鬼匡規の初画集!!

東學 作品集「東學肌絵図鑑 DRESS CODE」
978-4-88375-420-5／A5判変型・576頁・税別15,000円
●一夜限りで消えていく、墨絵師と女神たちの共犯作。180名余りの女性の肌に筆を走らせ撮影した「肌絵ヌード」をまとめた576頁の写真集!

小川貴一郎 作品集「監禁芸術 confinement art」
978-4-88375-419-9／A5判・128頁・カバー装・税別2500円
●1日目、イヴ・サンローランに蟻を描いた。COVID-19の流行で渡仏が延期になり、緊急事態宣言発令中、家にこもって制作し続けた芸術の記録。

駕籠真太郎 画集「死詩累々」
978-4-88375-403-8／B5判・128頁・カバー装・税別3200円
●奇想漫画家・駕籠真太郎、初の本格的画集! 猟奇的だけど可愛らしく、アブノーマルだけどユーモラスな、不謹慎すぎるアートワークの全貌!

北見隆 装幀画集「書物の幻影」
978-4-88375-398-7／B5判・96頁・ハードカバー・税別3200円
●赤川次郎、恩田陸、中島らも、津原泰水…あのワクワクは、この絵とともにあった! 40年の装幀画業から、約400点を収録した決定版画集!

鳥居椿(絵) 最合のぼる(文・写真・構成)「青いドレスの女〜暗黒メルヘン絵本シリーズ3」
978-4-88375-427-4／B5判・64頁・カバー装・税別2255円
●こんな美しい悪夢なら毎晩でも見たい——深澤翠／不穏な空気感で少女を描く鳥居椿と、最合のぼるによるヴィジュアル物語!

たま(絵) 最合のぼる(文・写真・構成)「夜間夢飛行〜暗黒メルヘン絵本シリーズ2」
978-4-88375-392-5／B5判・64頁・カバー装・税別2255円
●《暗黒メルヘン絵本シリーズ》第2弾は少女主義的水彩画家・たまが登場!「残酷で愛らしい、手加減なしの毒入り絵本です」—林美登利

黒木こずゑ(絵) 最合のぼる(文・写真・構成)「一本足の道化師〜暗黒メルヘン絵本シリーズ1」
978-4-88375-370-3／B5判・64頁・カバー装・税別2255円
●妖しい世界へいざなう、絵と写真によるヴィジュアル物語! アンデルセンなどの童話を元に生まれた《暗黒メルヘン絵本シリーズ》第1弾!

◎コミック

eat「DARK ALICE」
978-4-88375-227-0／A5判・224頁・カバー装・税別1295円
●不死身のアリスとその仲間たちが繰り広げる残酷寓話《Dark Aliceシリーズ》17編のほか、「けんたい君」など短編3作品を収録!

eat「DARK ALICE-Heart Disease-(ハート・ディジーズ)」
978-4-88375-438-0／A5判・224頁・カバー装・税別1295円
●摩訶不思議な世界で、奇妙な境遇を生きる者たちのトラウマティック・メルヘン!! 描き下ろし・ホワイト誕生の秘話も収録!!

◎写真集

美島菊名 写真作品集「HOPE」
978-4-88375-308-6／B5判・64頁・ハードカバー・税別2750円
●少女よ あなたは 世界を変える——少女の無垢と欲望を、インパクトあるヴィジュアルで表現してきた美島菊名、初の写真作品集!

珠かな子 写真集「いまは、まだ見えない彗星」
978-4-88375-371-0／B5判・64頁・ハードカバー・税別2700円
●私にとってセルフポートレートは〝可愛さと強さの脅迫〟だ。女の子は強くなれる、そう願っている——珠かな子、待望の写真集!

村田兼一 写真集「女神の棲家」
978-4-88375-416-8／B5判・96頁・ハードカバー・税別3200円
●古の女神を現代の少女に重ね合わる——魔術的なエロスやタナトスと、御伽のような叙情性が混交する村田兼一写真集、第7弾!

村田兼一 写真集「月の魔法」
978-4-88375-354-3／B5判・96頁・ハードカバー・税別3200円
●禁忌を解く魔法——月乃ルナをモデルに生み出された、マジカルで濃密なエロスに満ちたおとぎの世界。

村田兼一 写真集「天使集」
978-4-88375-328-4／B5判・96頁・ハードカバー・税別3200円
●天使というタナトスの闇に浮かぶ、エロスの残像。天使や人鳥を受難の女性を見守る死の影として配置した村田ならではの禁断の世界。

村田兼一 写真集「少女観音」
978-4-88375-259-1／B5判・96頁・ハードカバー・税別3200円
●幼少の頃から仏像に魅了されていた村田が長年温めていたテーマが、ついに写真集に! モデルの慈愛のオーラが魅惑的な一冊!

村田兼一 写真集「パンドラの鍵」
978-4-88375-166-2／B5判・48頁・ハードカバー・税別2800円
●禁忌のエロスを探求し続ける写真家・村田兼一が特殊モデル七菜乃の無垢な心と身体を秘密の鍵で解放する—撮り下ろし写真集!

谷敦志 写真集「D. P Collage Series」
978-4-88375-283-6／A4判・64頁・ハードカバー・税別3800円
●妖しく溶け合う、肉体とオブジェ。異型の写真家・谷敦志が、女体のコラージュによって生み出した極北の美の世界。A4サイズの豪華版!

谷敦志 写真集「Flowers and Nudes」
978-4-88375-284-3／A4判・64頁・ハードカバー・税別3800円
●透き通るような静けさをまとう、ヌードと花。進化し続ける孤高のアーティストの「今」が詰まった、最新写真集! A4サイズの豪華版!

谷敦志 写真集「アンビバレンス」
978-4-88375-148-8／A5判・64頁・ハードカバー・税別2800円
●ダークでカオティック、フェティッシュでアヴァンギャルド、そして最高にスタイリッシュ! 異型の写真家の処女写真集!!

堀江ケニー 写真集「恍惚の果てへ」
978-4-88375-139-6／A5判変型・96頁・カバー装・税別2200円
●澄んだ空気感の中で恍惚の果てへ導かれる—湖や廃墟で撮った、堀江ケニーならではの幻影的作品を集めた待望の写真集!

◎人形・オブジェ作品集

神宮字光 人形作品集「Cocon」
978-4-88375-378-9／A5判・64頁・ハードカバー・税別2700円
●ビスクなどで作られた愛おしい人形達がさまざまなシチュエーションの中で遊ぶ、かわいくも、ときにシュールでミラクルな世界!

田中流 写真集「Dolls〜瞳の奥の静かな微笑み」
978-4-88375-373-4／A5判・96頁・カバー装・税別2300円
●数多くの人形に接してきた写真家・田中流が、28人の人形作家の作品を撮影し、現代の創作人形の潮流をも浮き彫りにした写真集!

No.78 ディレッタントの平成史〜令和を生きる前に振り返りたい私の「平成」
A5判・256頁・並装・1389円(税別)・ISBN978-4-88375-350-5
●私たちが感じ取ってきた「平成」を振り返る。TH的・平成年表、極私的平成の三十年間(友成純一)、平成ゾンビ考〜「終わりなき日常」から「サバイバル」へ、舞踏の平成、アニメ『どろろ』に見る内実の変容、死体ビデオと90年代悪趣味ブーム、SNSという「ネオ世間」の出現、IT盛衰、「今日の反核反戦展」、酒見賢一論ほか。

No.77 夢魔〜闇の世界からの呼び声
A5判・224頁・並装・1389円(税別)・ISBN978-4-88375-340-6
●不穏さに満ちた夢の世界へようこそ。mizunOE、飴屋晶貴、亜由美、林良文、タイナカジュンペイ、「メアリーの総て」と『フランケンシュタイン』の悪夢、《夢》は現実を超えるか〜古代記紀神話から『君の名は。』まで、ラース・フォン・トリアー「ヨーロッパ」、『エルム街の悪夢』、『鏡の国の孫悟空』、『ルクンドオ』ほか。

No.76 天使/堕天使〜閉塞したこの世界の救済者
A5判・224頁・並装・1389円(税別)・ISBN978-4-88375-330-7
●天使や堕天使から発した想像力。村田兼一、ホシノリコ、『ベルリン・天使の詩』、ボカノウスキー『天使』がいたころ、天使と日本人、イスラムの堕天使たち、「天使の玉ちゃん」と〈失われた子供時代〉、『デビルマン』飛鳥了、熊楠の天使/天子と男色ほか。ジャ・ジャンクー論(藤井省三)、アジアフォーカス2018レポなども。

No.75 秘めごとから覗く世界
A5判・256頁・並装・1389円(税別)・ISBN978-4-88375-316-1
●秘めごとが生む物語。ステュ・ミード、中井結、宮本香那、『檸檬』『四畳半襖の裏張り』などに見る秘めごとの諸相、文学における「告白」、J・T・リロイの事情、自販機本の原稿書きが「映画芸術」の編集長に教えられたこと ほか。小特集としてマッケローニと映画「スティルライフオブメモリーズ」、追悼・ケイト・ウィルヘルム。

No.74 罪深きイノセンス
A5判・224頁・並装・1389円(税別)・ISBN978-4-88375-309-3
●無垢への信奉とそれが持つ残酷さ。美島菊名、村田兼一、蟲川ギニョール、Hajime Kinoko、ドストエフスキーと無垢なるもの、わたなべまさこ『聖ロザリンド』と萩尾望都『トーマの心臓』、『悪童日記』と『フランケンシュタイン』、『小さな悪の華』と『乙女の祈り』、少女ポリアンナほか。

No.73 変身夢譚〜異分子になることの願望と恐怖
A5判・224頁・並装・1389円(税別)・ISBN978-4-88375-299-7
●miyako(異色肌ギャル)インタビュー 、トレヴァー・ブラウン×七菜乃、別人化マニュアル、変身譚としてのギリシア神話、バルテュスと鏡〜少女の変身を映すもの、変装から変身へ〜怪盗から見る映画史、女性への抑圧が生み出す変身〜『キャット・ピープル』とその系譜ほか。

No.72 グロテスク〜奇怪なる、愛しきもの
A5判・224頁・並装・1389円(税別)・ISBN978-4-88375-289-8
●林美登利〜異形の子供に惜しみのなく注がれる愛情、立島夕子〜瀬戸際から発せられた生命の賛歌、たま〜可愛らしい少女の中に秘められた不気味な何かを暴く、黒沢美香〜既成の価値観に収まらない名前のない景色の豊満さ、畔亭数久とその時代、謎のバンド ザ・レジデンツ ほか。

No.71 私の、内なる戦い〜"生きにくさ"からの表現
A5判・224頁・並装・1389円(税別)・ISBN978-4-88375-273-7
●生きにくさから生まれてきた表現—。渡辺篤(現代美術家)〜ひきこもり体験からアートへ/若林美保(ストリッパー)インタビュー/与偶(人形作家)〜人形によって人に何かを与え、それが自身の〝生〟も支えている/石塚桜子(画家)〜一筆一筆に感じられる、祈りのような叫び ほか。

No.70 母性と、その魔性〜呪縛が生み出す物語
A5判・224頁・並装・1389円(税別)・ISBN978-4-88375-260-7
●母性による呪縛がなにをもたらし、どんな物語を生んだのか—。「母がしんどい」などで共感を呼ぶマンガ家・田房永子や、ラブドールを妊娠させた作品が話題になった菅実花のインタビューのほか、「三島由紀夫の同性愛と母性の不在」など、神話や文学等多様な見地から俯瞰します。

No.69 死想の系譜〜いま想う、死と我々の未来
A5判・240頁・並装・1389円(税別)・ISBN978-4-88375-251-5
●死を想うことで育まれる想像力。釣崎清隆×笹山直規によるメキシコ死体合宿レポ、LOVSTARのエッセイ漫画「死体愛好家」、「死の舞踏絵画からブリューゲル、ボス、そしてヴァニタス」、「ショーペンハウアーの『自殺について』」、「ボルタンスキー巡礼」、「SFにみる近未来の死生観」ほか。

No.68 聖なる幻想のエロス
A5判・208頁・並装・1389円(税別)・ISBN978-4-88375-244-7
●エロスとは、幻想だ。木村龍、村田兼一、甲秀樹、七菜乃、林良文などの作品を幻想のエロスの見地から解題・紹介したほか、「戦争とエロティシズム」、カナザワ映画祭「昼下がりの前衛的エロ映画特集」ルポ、「イケメンゴリラから日活ロマンポルノまで」など、さまざまなエロスを逍遥。

No.67 異・耽美〜トラウマティック・ヴィジョンズ
A5判・240頁・並装・1389円(税別)・ISBN978-4-88375-234-8
●トラウマを植え付けるほどの強度を持つ「異・耽美」=「異端・美」を特集。対談・沙村広明×森馨、インタビュー[林良文、劇団態変・金滿里、舞踏家ケンマイ]、図版構成[森馨、衣、真条彩華、安蘭、夢島スイ、七菜乃×GENk他]、写真物語・一鬼のこ、『禁色』とその周辺ほか。

No.66 サーカスと見世物のファンタジア
A5判・208頁・並装・1389円(税別)・ISBN978-4-88375-230-0
●サーカス・見世物には光と影がつきまとう。われわれを惹きつける、夢と禁忌の国。「映画 少女椿」、道化的知性は復権するか、現代道化考、らくだ・ランカイ屋・オリンピック、見世物としての公開処刑、舞踏と見世物考、フランスのサーカス、奇異なるものへの憧憬ほか。

No.65 食と酒のパラダイス!
A5判・224頁・並装・1389円(税別)・ISBN978-4-88375-222-5
●食と酒で愉しむアート&フィクション! 現代海外アーティストによる食をモチーフにした一風変わった作品を数多くピックアップ。また、フィクションに登場する奇妙な食や酒の光景を解題&紹介。料理研究家・上田淳子インタビューもあり。他に国際人形展「Fusion Doll」レポ等も。

No.64 ヒトガタ/オブジェの修辞学
A5判・224頁・並装・1389円(税別)・ISBN978-4-88375-216-4
●ヒトガタとオブジェのはざまについて考える。対談・三浦悦子×吉田良、映画「さようなら」〜石黒浩教授インタビュー、綾乃テン、上原浩子、清水真理、菊地拓史×森馨、伽井丹彌、七菜乃、敗者の人形史、生人形の系譜、ゴーレム伝説、人造美女、レム&クエイ兄弟版「マスク」比較ほか。

No.63 少年美のメランコリア
A5判・224頁・並装・1389円(税別)・ISBN978-4-88375-208-9
●短い期間の輝きでしかない少年の美には、メランコリア=憂鬱がつきまとう。図版&紹介[七戸優・甲秀樹・neychi・カネオヤサチコ・神宮字光・清水真理]、「ベニスに死す」、タルコフスキーの少年、グレーデン男爵とタオルミナ、阿修羅像と『少年愛の美学』、維新派「透視図」ほか。

No.62 大正耽美〜激動の時代に花開いたもの
A5判・240頁・並装・1389円(税別)・ISBN978-4-88375-201-0
●好景気に米騒動、関東大震災…激動の大正時代を、耽美を切り口に俯瞰する。図版構成[橘小夢、高畠華宵]、異国への憧憬/谷川渥、大正の幻想映画、大正オカルトレジスタンス、鈴木清順・大正浪漫三部作とパンタライの時代、大正年表など。

No.61 レトロ未来派〜21世紀の歯車世代
A5判・232頁・並装・1389円(税別)・ISBN978-4-88375-193-8
●スチームパンクと、アナクロな未来を幻視する。小説・映画等の厳選40作品紹介「エッジの利いたスチームパンク・ガイド」、二階健ディレクション「STEAM BLOOD」展、造形作家・赤松和光、歯車・オートマタ・西部劇映画、日本のアニメにおけるスチームパンク表現の特質など満載。

■トーキングヘッズ叢書(TH Seires)・ExtrART(エクストラート) 既刊書

◎ExtrART(エクストラート)～異端派ヴィジュアルアート誌

file.28◎FEATURE:少女への夢想曲

A4判・112頁・並装・1200円(税別)・ISBN978-4-88375-436-6

●イヂチアキコ、くるはらきみ、九鬼匡規、鈴木那奈、傘嶋メグ、蕾、吉岡里奈、中尾変、吉田和夏、清水真理、田中流、林美登利

file.27◎FEATURE:死を想い、生を描く

A4判・112頁・並装・1200円(税別)・ISBN978-4-88375-430-4

●亀井三千代、伊東明日香、村上仁美、ある紗、田中童夏、キジメッカ、多賀新、東學、山本竜基、髙瀬実穂子、北見隆、後藤麦×今大路智枝子

file.26◎FEATURE:リアルを紡ぎ出す

A4判・112頁・並装・1200円(税別)・ISBN978-4-88375-417-5

●戸泉恵徳、建石修志、山中綾子、田川弘、中島綾美、吉田有花×宮崎まゆ子×きゃらあい、蝿田式、四学科松太、萌木ひろみ×生熊奈央、寺澤智恵子ほか

file.25◎FEATURE:ヒトガタは語る

A4判・112頁・並装・1200円(税別)・ISBN978-4-88375-408-3

●三浦悦子、Mekkedori、ヒロタサトミ、垂狐、田野敦司、日隈愛香、横倉裕司、羅入、成田朱希、サワダモコ、山本有彩、塙興子、遊(アトリエ夢遊病) ほか

file.24◎FEATURE:幽玄を垣間見る

A4判・112頁・並装・1200円(税別)・ISBN978-4-88375-395-6

●上田風子、高田美苗、濱口真央、奥田鉄、土田圭介、南花奈、白野有、武田海、村山大明、日影眩、神宮字光、黒木こずゑ×最合のぼる

file.23◎FEATURE:秘めた、この思い

A4判・112頁・並装・1200円(税別)・ISBN978-4-88375-385-7

●池田ひかる、新宅和音、谷原菜摘子、野原tamago、井桁裕子、朱華、日野まき、菊地拓史・森馨、田中流、渡邊光也、千葉和成、TOKYO 2021 美術展 ほか

file.22◎FEATURE:隠されていた"美"

A4判・112頁・並装・1200円(税別)・ISBN978-4-88375-372-7

●蛭田美保子、スズキエイミ、椎木かなえ、たま、Kamerian.、ディナ・ブロツキー、井上洋介、生熊奈央、衣(はとり)、垂狐、ベルリン・悪魔の山 ほか

file.21◎FEATURE:うつろう、イメージ

A4判・112頁・並装・1200円(税別)・ISBN978-4-88375-360-4

●菅澤薫、大河原愛、有坂ゆかり、大塚咲×七菜乃、夜乃雛月、ニコライ・バタコフ、亜由美、櫻井紅子、吉田有花×ある紗、大島哲以 ほか

file.20◎FEATURE:夢幻の国を逍遥する

A4判・112頁・並装・1200円(税別)・ISBN978-4-88375-346-8

●佐久間友香、木村了子、中村キク、永井健一、長谷川友美、P.ファーガソン、池島康輔、須川まきこ、立島夕子、こやまけんいち、松下まり子 ほか

file.19◎FEATURE:その存在の、ミステリアス

A4判・112頁・並装・1200円(税別)・ISBN978-4-88375-338-3

●藤井健仁、棚田康司、モリケンイチ、後藤温子、中井結、トロイ・ブルックス、ホシノリコ、新竹季次、中川ユウヰチ、宮本香那、江村玲 ほか

◎トーキングヘッズ叢書(TH Seires)

No.85 目と眼差しのオブセッション

A5判・208頁・並装・1389円(税別)・ISBN978-4-88375-433-5

●窃視、邪視から千里眼、眼球まで、オブセッションの数々! 図版構成/泥方陽菜・神宮字光・下田ひかり、邪視にまつわる民俗史、眼球考～ルドンの絵から、映画から考えた覗き見の功罪、「屋根裏の散歩者」の愉悦、法医学オプトグラフィー、千里眼事件、『ジャガーの眼』を通して唐十郎が寺山修司に捧げたもの、panpanyaが「見る」世界 ほか

No.84 悪の方程式～善を疑え!!

A5判・224頁・並装・1389円(税別)・ISBN978-4-88375-421-2

●「悪」を意識することは、この世の「善」に対して疑いを差し挟むことだ――ダークナイト・トリロジーにみる悪の本質、〈アート〉と〈革命〉は常に悪である～テロ的アートの系譜、「黒い幽霊団(ブラック・ゴースト)」には悪意がない、警官を蹴るチャップリン、悪いヤツはだいたいイケメン～少女漫画におけるモラルとエロス、娼婦と聖性ほか満載!

No.83 音楽、なんてストレンジな!～音楽を通して垣間見る文化の前衛、または裏側

A5判・224頁・並装・1389円(税別)・ISBN978-4-88375-412-0

●音楽は文化の結節点だ。パンクや電子音楽、ノイズなどから、クラシックまで、音楽をめぐる、少々ストレンジなイマジネーション! 恍惚のアヴァンギャルド音楽偏愛史、パンクとポストパンクの思想的地下水脈、イスラムにおける音楽、近代日本の音楽の闇、ワーグナーの共苦と革命、バッハのもとに本当にニシンは降ったのか他

No.82 もの病みのヴィジョン

A5判・224頁・並装・1389円(税別)・ISBN978-4-88375-402-1

●「病み」=「闇」のヴィジョン。人形作家・与偶トークイベントレポ、梅毒をめぐる幾つかの逸話と謎、舞踏病と死の舞踏、「吸血鬼ノスフェラトゥ」とペストのパンデミック、草間彌生の小説『すみれ強迫』、美人薄命の文化史、病と日本人、舞踊家・土方巽の〈病み〉、澁澤龍彥と病、病弱な少年、「ジョーカー」、「ベニスに死す」ほか

No.81 野生のミラクル

A5判・208頁・並装・1389円(税別)・ISBN978-4-88375-389-5

●野生からわれわれは何を学び、何を表現の糧にしてきたか。ケロッピー前田インタビュー～野生を取り戻してテクノロジーを乗りこなせ、管理された野生、粘菌、牧神、人豚、八化けタヌキ、シュルレアリスムのアフリカ、スクリーンの変身人間、キム・ギヨンが描く〝オス〟と〝メス〟、異類婚姻譚、動物フォークロア、映画『ZOO』ほか

No.80 ウォーク・オン・ザ・ダークサイド～闇を想い、闇を進め

A5判・224頁・並装・1389円(税別)・ISBN978-4-88375-376-5

●新たな想像力は闇から生まれる。[図版構成]濵口真央、C7、新宅和音、紺野真弓、宮本香那、萌木ひろみ、谷原菜摘子。タスマニアの美術館MONA、書肆ゲンシシャの驚異のコレクション、日本の闇を感じさせるゲゲゲスポット紀行、闇の文学史～連鎖する自死、萩尾望都が描き始めた「楽園の裏側」、カタコンブという世界の裏ほか。

No.79 人形たちの哀歌

A5判・240頁・並装・1389円(税別)・ISBN978-4-88375-363-5

●[図版構成]田中流写真作品(人形=日隈愛香・SAKURA・ホシノリコ・舘野桂子)・清水真理・野原tamago・神宮字光、現代の〝生き人形〟～中嶋清八・井桁裕子・衣・森馨・佐藤久雄、菅実花とリボーンドール、ロボット・アンドロイド演劇の一〇年、映画『オテサーネク』と『マジック』ほか。追悼・遠藤ミチロウなども。

トーキングヘッズ叢書（TH series） No.86

不死者たちの憂鬱

編　者　アトリエサード
編集長　鈴木孝（沙月樹 京）
編　集　岩田恵／望月学英・徳岡正肇
協　力　岡和田晃

発行日　2021 年 5 月 13 日

発行人　鈴木孝
発　行　有限会社アトリエサード
東京都豊島区南大塚 1-33-1 〒 170-0005
TEL.03-6304-1638 FAX.03-3946-3778
http://www.a-third.com/
th@a-third.com
振替口座／ 00160-8-728019
発　売　株式会社書苑新社
印　刷　株式会社平河工業社
定　価　本体 1389 円＋税
ISBN978-4-88375-439-7 C0370 ¥1389E

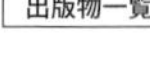

http://www.a-third.com/

ご意見・ご感想をお寄せ下さい。
Web で受け付けています。
新刊案内などのメール配信申込も
Web で受付中!!

アトリエサード HP

AMAZON（書苑新社発売の本）

●Facebook　http://www.facebook.com/ateliersthird
●編集長 twitter　https://twitter.com/st_th

AFTERWORD

■まぁ、長生きはしてみたい。こんな世の中だし死んでもいいかなと思わないでもないけど、生きていないと経験できないことはあるわけで、そうだな、痛みも病気も知らない、怪我もすぐ治る不死身な身体なら欲しい。不死身でも戦ったりはしないけどね。本誌も100号まであと3年ちょっとな感じで、ホソボソだけどおかげさまで長生きですな。刺激的な原稿や、あたたかな読者に生かされていると本当に思うわけで、そう、屍のような私を動かしている原動力は皆様なのです。で、次はExtrARTが6月下旬、THが7月末です！（S）

★弦巻稲荷日記一発行にまにあわず次号まわしにすると、3ヶ月後には違うことが書きたくなり…という現象に悩まされてたが、NLQ（ナイトランド・クォータリー）がTH的になってきてて、NLQでもいいや的になってしまってる。次のNLQは「死の舞踏～病疾（えやみ）に蠢くメメント・モリ（仮）」、THの読者にもおすすめ！ 以下次号（め）

■展覧会・個展や上映・上演等の情報は、編集部あてにお送りください（なるべく発売の1カ月半前までに。本誌は1・4・7・10の各月末発売です）。
■絵画等の持ち込みは、郵送（コピーをお送りください）またはメール（HPがある場合）で受け付けています。興味を持たせて頂いた方は、特集や個展など、合うタイミングでご紹介させて頂きます。
■巻末の「TH特選品レビュー」では、ここ数ヶ月の文学・アート・映画・舞台等のレビューを募集中。1本400字以内で、数本お送り下さい。採用の方には掲載誌を進呈します（原稿料はありません）。THの色にあったものかどうかも採否の基準になります。投稿はメール（th@a-third.com）でOK。
■詳しくはホームページもご覧ください。
※応募の際には、本名・筆名・住所・TEL・E-mail・年齢・職業・趣味の傾向等簡単な自己紹介・本書のご感想を必ずお書き添え下さい。
※恐れ入りますが、原則的に採用の方にのみご連絡を差し上げています。ご了承ください。

アトリエサードの出版物の購入のしかた・通信販売のご案内

● TH series（トーキングヘッズ叢書）の取扱書店は、http://www.a-third.com/ へ。定期購読は富士山マガジンサービス及び小社直販にて受付中！（www.a-third.com のトップページにリンクあり） ●書店店頭にない場合は、書店へご注文下さい（発売＝書苑新社と指定して下さい。全国の書店からOK）。●ネット書店もご活用下さい。

●アトリエサードのネット通販でもご購入できます。

■各書籍の詳細画面でショッピングカートがご利用になれます。■郵便振替 / 代金引換 / PayPal で決済可能。

■インターネットをご利用になれない方は、郵便局より郵便振替にて直接ご送金いただいても結構です（送料の加算は不要！ 連絡欄に希望書名・冊数を明記のこと）。入金の通知が届き次第お送りいたします（お手元に届くまで、だいたい 1 週間～10 日ほどお待ち下さい）。振込口座／00160－8－728019　加入者名／有限会社アトリエサード
■また TEL.03-6304-1638 にお電話いただければ、代金引換での発送も可能です（取扱手数料 350円が別途かかります）